사무라이의 정신세계와 불교

일본사회의 전사자공양과 怨親平等

사무라이의 정신세계와 불교

일본사회의 전사자공양과 怨親平等

이 세 연 지음

혜안

머리말

일본 하면 떠오르는 단어들이 있다. 사무라이도 그런 단어들 가운데 하나가 아닐까 싶다. 사무라이가 일본사회의 표상으로 자리잡은 데에는 몇 가지 구체적인 계기가 있었지만, 그 근간에는 사무라이정권의 장기지속이라는 일본사회의 독특한 역사경험이 존재한다 할 것이다.

1167년 일본사회에 처음으로 등장한 사무라이정권은 1330년대에 이르러 잠시 단절되기도 했지만, 1867년 에도막부의 멸망에 이르기까지 그 명맥이 유지되었다. 사무라이정권 700년의 역사경험은 결코 무시할 수 없는 무게감을 지닌다. 그 무게감은 일본사회의 정신문화 같은 큼지막한 담론을 거론할 때도 느껴지지만, 보다 직접적으로는 현대 일본사회의 일상 속에서 체감된다.

예컨대, 700년간 '역사의 주역'이 사무라이였던 까닭에 대하드라마의 주인공 자리는 거의 예외 없이 사무라이와 그 혈족의 차지이며, 일본의 각 지역사회를 대표하는 역사적 인물의 상당수도 사무라이로 채워져 있다. 또한 전국의 주요도시는 사무라이 영주의 성곽을 중심으로 설계된 조카마치(城下町)에 기원을 두고 있는 터라, 도심 한복판에 사무라이정권의 상징인 덴슈카쿠(天守閣)가 건재한 곳도 적지 않다. 이렇듯 일상 속에서 감지되는 사무라이는, 게임·테마파크·소설·영화 등의 매체를 통해 재삼 상품화되어 유통된다. 따라서 현대 일본인들은 좋든 싫든 어린 시절부터 다양한 방식으로 사무라이에 접하며 자라날 수밖에 없다. 현대 일본인들은 일상 사이를 끊임없이 환류하는 사무라이를 하루하루 호흡한다고 해도

過언이 아니다.

사정이 이렇다 보니, 자연히 일본인들은 사무라이와 그 주위를 맴도는 키워드에 대해, 한국인으로서는 좀처럼 이해하기 힘든 독특한 감각을 지니고 있다. 예컨대, '교진군(巨人軍)'이라든지 '이시하라군단(石原軍団)'처럼 각종 단체와 조직에 '～군(단)'이라는 접미어를 덧붙이는 매스컴의 관행에 대해서는 군국주의 망령의 부활이냐는 식의 문제제기도 있을 법 하지만, 그러한 관행은 그저 으레 그런 것으로 여겨질 뿐이다. 야구방망이를 칼처럼 틀어쥔 전통의복 차림 사내의 실루엣이 일본국가대표야구팀 'SAMURAI JAPAN'의 엠블럼으로 채택된 것도 우연은 아니다.

이처럼 사무라이는 일본사회의 표상으로서 손색없다 할 수 있는데, 이에 대한 한국인들의 시각은 대체로 부정적인 듯하다. 사무라이에 대한 한국인들의 불편함은 한일 간의 불편한 역사에 대한 기억에서 비롯된다고 할 것이다. 사무라이라고 하면, 한국인들은 조건반사적으로 일본의 무력 앞에 유린되고 강탈되었던 16세기, 19~20세기 한반도의 역사를 떠올리는 것 같다. 솔직히 털어놓자면, 일본에서 긴 시간 유학을 마치고 돌아오긴 했지만 필자 역시 예외는 아니다.

그러나 불편하다 하여 마냥 밀쳐낸다든지, 보고자 하는 것만 바라보는 우를 계속해서 범하는 것이 과연 온당한 일인지 냉정하게 생각해 볼 필요가 있지 않을까? 어떤 의미에서건 일본은 운명의 상대이기 때문이다. 일본은, 우리 입맛에 맞지 않는다고 물릴 수 있는 상대가 아니다. 마음한 구석 불편함을 느끼면서도, 위에서 사무라이에 대한 일본인들의 색다른 감각이 한편으로 그네들 나름의 역사경험에서 비롯된 것이라는 점을 언급한 것도 실은 이러한 의도에서였다.

한편 위에서 언급한 바와 같이, 사무라이가 일본사회의 표상으로 자리 잡은 데에는 몇 가지 구체적인 계기도 존재했다. 결정적인 것 가운데 하나가 바로 근대일본에서의 '전통만들기'였다. 서양문명과의 조우는 일본인들로 하여금 자신의 정체성을 되돌아보게 하는 계기가 되었으며, 그 과정에서 역사상의 수많은 파편들이 수합되어 일본의 전통으로 호명되었다. 사무라이가 걸어가는 길, 즉 무사도(武士道) 역시 이 시기에 일본의 전통으로 재발견되고 재정립되었다. 1900년 미국에서 발간된 니토베 이나조(新渡戸稲造)의 *Bushido: the soul of Japan, an exposition of Japanese thought*가 한 벨기에 법학자와의 만남을 계기로 집필되기 시작했다는 사실은 당시의 시대상황을 상징한다고 하겠다.

이 시기에 무사도는 주군에 대한 절대충성, 전쟁터에서의 페어플레이 등 군더더기 없는 깔끔한 내용으로 정형화되어갔다. 몇 번이고 주군을 배신하고 속임수로 상대방을 제압하는 무사의 모습은 시민권을 얻지 못한 채 사상(捨象)되었다.

이러한 가운데 무사도가 지닌 또 하나의 면모로 주목받은 것이 전사자공양이었다. 중세의 사무라이들은 전후에 종종 적군과 아군의 구별 없이 전사자일반을 공양하기도 하고, 적군전사자를 별도로 공양하기도 했는데,

이러한 습속이 사무라이의 자비심 혹은 휴머니즘의 상징으로 강조되었다. 그리고 이러한 '무사도의 전통'은 근대에도 면면히 이어져 청일·러일전쟁기~아시아태평양전쟁기의 전사자공양으로 발현되었다고 설파되었다.

사무라이의 자비심 혹은 휴머니즘은 불교의 감화에 의한 것으로 규정되었는데, 그 근간에는 원친평등(怨親平等) 사상이 존재한다고 일컬어졌다. 원친평등은 원수와 근친을 평등하게 인식하고 접한다는 의미의 불교용어이다. 원(수)와 (근)친에 각각 적군과 아군을 대입시켜 보면, 전사자일반에 대한 공양 혹은 적군전사자공양이 원친평등으로 설명된 이유는 자명하다 할 것이다.

이처럼 근대에 이르러 원친평등은 사무라이의 정신세계에 직결되는 키워드, 나아가 일본사회의 '미풍양속'을 표상하는 키워드의 하나로 자리매김 되어 오늘날에 이르고 있지만, 원친평등의 실태와 이를 둘러싼 담론들이 적절하게 검증되어왔다고는 보기 어렵다. 그래서 본서에서는 지금까지 자명한 것으로 인식되어왔던 원친평등을 통시적으로 검토해 봄으로써, 사무라이의 정신세계와 일본사회의 전통문화에 한 발 더 다가서 보고자 한다.

단, 본서에서는 우회로를 택하기로 했다. 사무라이의 정신세계에 대한 연구라고 하면, 사무라이가 남긴 말을 분석하고 이를 재구성하는 작업을 떠올리기 십상이지만, 본서에서는 원친평등을 둘러싼 불교계의 담론분석에 초점을 맞추고자 한다. 사무라이가 남긴 말에서 출발할 경우 예정된

결말을 향해 내달리지는 않을까 걱정이 앞섰고, 한편으로는 사무라이의 정신세계를 떠받치는 기반을 확인하는 작업이 선결과제라고 생각했기 때문이다. 따라서 본서는 사무라이의 정신세계를 탐색하는 작업의 끝이 아니라 시작에 불과하다.

가끔은 삶에 '기적'이 일어나는 모양이다. 불과 얼마 전까지만 해도, 이렇게 출발점에 선다는 것은 필자에게 상상하기조차 버거운 일이었다. 어눌하기 짝이 없는 필자에게 '기적'이 일어나기까지 얼마나 많은 사람들이 노심초사했을까. 필자에게 일본사를 처음으로 알려주신 박환무 선생님은 여전히 어느 누구보다 젊은 연구자로 살아가고 계신다. 언제쯤 선생님과 논쟁다운 논쟁을 할 수 있을지 부끄러울 따름이다. 김현구 선생님은 필자의 미숙함을 딱히 나무라시는 일도 없이 늘 넉넉하게 받아주셨다. 선생님의 선 굵은 학문은 필자로 하여금 연구의 원점을 되돌아보게 한다. 조명철 선생님의 부드러운 말씀 속에는 핵심을 짚어내는 힘이 있었다. 필자의 어깨에서 불필요한 힘이 빠졌다면, 그것은 조명철 선생님의 조언 덕분이다. 요시에 아키오(義江彰夫) 선생님은 당신의 자유분방함으로 필자의 '놀이터'를 닦아주셨다. 선생님께서 하루빨리 병석을 털고 일어나 필자의 '놀이터'를 둘러보실 수 있으면 좋겠다. 사쿠라이 에이지(櫻井英治) 선생님은 필자가 스스로 자신을 포기하려 했을 때조차 필자를 포기하지 않으셨다. 한편의 좋은 드라마 같았던 선생님의 사료강독수업이 그립다. 이영 선생님은 연구자의 삶에 대해 늘 명쾌한 답을 주신다. 선생님으로부터 그간 얼마나 많은 것을 받았는지 헤아릴 길 없다. 남기학 선생님은 빈손인 채로 망연자실하던 필자의 어깨를 따뜻하게 감싸주셨다. 그 때의 그 감촉을 떠올리면 아직도 눈시울이 붉어진다. 임지현 소장님을 비롯하여 비교역사문화연구소의 선생님들은 필자에게 새로운 길을 보여주려 무던히도 애를 쓰셨다. 이 책이 그에 대한 이렇다 할 답이 되지 못한다는 점은 여러모로 아쉽다. 부단한 노력을 약속드릴 따름이다. 끝으로, 당신들이 가지신 것은 언제나 내 것이었던 부모님, 어느새 자라 아빠를 챙겨주는 두 딸, 그리고 한번은 공부를 그만두어도 좋다며, 한번은 그만두어서는 안 된다며 필자를 버텨준 아내의 고단한 삶에 미안함과 감사의 마음을 전한다.

2014년 6월 13일
이 세 연

목 차

서장 : 근현대 일본사회의 타자와 원친평등

일본사회의 전사자공양에 관한 담론을 검토하다 보면, 종종 원친평등 (怨親平等)이라는 용어와 마주치게 된다. 머리말에서도 소개한 바와 같이, 원친평등이란 원수와 근친을 평등하게 인식하고 대한다는 의미의 불교용 어인데, 일본학계에서는 생자의 자비에 근거한 '피아전사자공양'[1]을 가 리키는 용어로 통용되고 있다.

상세한 내용은 후술하겠지만, 원친평등에 관한 일본학계의 논의는 두 가지로 대별된다. 첫째, 원친평등을 일본사회의 미풍양속으로 강조하 는 논의로, 이는 일본문화론의 구축을 지향하고 있다고 할 수 있다. 둘째, 이른바 야스쿠니(靖國)문제와 관련된 논의가 존재한다. 즉, 아군과 적군을 구별하지 않고 전사자 일반의 명복을 비는 전근대 일본사회의 원친평등

---

1) 근대 이후 일본학계에서 통용되고 있는 '敵味方供養'의 역어이다. '敵味方', '敵御 方'이라는 표현은 대략 전국시대(1467~1573)를 전후하여 등장하지만, '敵味方供 養'이라는 관용구는 근대에 이르러 부상했다. 용례로는 橋川正, 「怨親平等の思想」, 『大谷學報』 10(4), 1929, 47쪽 ; 辻善之助, 『日本人の博愛』, 金港堂, 1932, 28~29쪽 사이의 삽화 등을 참조. 또한, '敵味方'이라는 용어의 기원 등에 대해서는 다음 논문을 참조할 것. 重野安繹, 「敵味方」, 『史學雜誌』 44, 1893. '피아전사자공양'이 라 하면 적군(피)과 아군(아)을 구별하지 않고 전사자일반을 대상으로 하는 공양을 상상하게 되는데, 일본학계에서는 이에 더하여 일부 적군전사자공양도 포괄하는 느슨한 개념으로 통용되고 있다. '피아전사자공양'에서 방점이 찍히는 것은 적군 도 공양된다는 맥락이고, 이에 일부 적군전사자공양이 '피아전사자공양'의 사례 로 자리매김된 것으로 판단된다.

16

습속에 비춰볼 때, 아군전사자만을 대상으로 하는 야스쿠니신사의 제사방식은 지극히 이질적이라는 주장이다.

최근에 개최되는 전쟁관련 심포지엄에서 원친평등이 심심찮게 거론되는 점에서도 알 수 있듯이,[2] 원친평등은 전사자공양과 관련된 일본사회의 전통 혹은 일본불교의 존재방식을 고찰하는 데 있어서 빼놓을 수 없는 키워드로 자리잡아가고 있다. 야스쿠니문제를 비롯한 전사자제사 혹은 전사자공양에 대한 학계의 높은 관심에 비춰볼 때, 원친평등은 앞으로 한층 더 주목받게 될 것으로 예상된다. 이러한 상황에서 〈원친평등=생자의 자비에 근거한 '피아전사자공양'〉(이하 〈원친평등='피아전사자공양'〉)설을 점검해 보는 것은 큰 의미가 있는 작업이라고 생각한다.

원과 친의 대립구도를 전제로 하는 원친평등이 불교 전적(典籍)에서 종종 인식주체의 자비와 관련하여 언급되는 점[3]을 고려하면, 오늘날 통용되고 있는 〈원친평등='피아전사자공양'〉설이 전혀 근거 없는 것이라고 할 수는 없을 듯하다. 그러나 이 인식의 근저에는 몇 가지 근본적인 문제가 복류하고 있다. 그래서 서장에서는 원친평등에 관한 학설을 되짚어

---

2) 末木文美士,「日本における戰爭の死者と宗教」,『非業の死の記憶―大量の死者をめぐる表象のポリティックス―』, 秋山書店, 2010 ; テレングト・アイトル,「敵味方が乗り越えられるか」,『戰爭と戰沒者をめぐる死生學』, 東京大學大學院人文社會系研究科, 2010 ; 山田雄司,「怨靈と怨親平等との間」,『靈魂・慰靈・顯彰―死者への記憶裝置』, 錦正社, 2010 등을 참조.

3) "원친평등은 일체중생에 대해 자비심을 일으키는 것이며, 피아의 생각이 없다"(『仏名経』卷第1,『大正新脩大藏経』第14卷, 188쪽c), "자비심이 일어남을 밝히자면, 자비심은 근본의 전후에 걸쳐 있다고 한다. (중략) 단 (자비심이) 일어나는 연유로는 세 가지를 들 수 있다. 만약 친한 자에 연유하여 즐거움을 얻으면 광(廣)이라 하고, 친하지도 소원하지도 않은 자(中人)에 연유하면 대(大)라 하며, 원한을 가진 자에게 연유하면 무량(無量)이라 한다. (중략) 만약 우선 이러한 부동의 마음가짐(定)을 얻은 후에 오지공덕(五支功德)을 일으키면 비로소 중생 모두가 안락함을 얻음을 깨우친다. (중략) 원친평등하여 두 번 다시 원수를 두려워하거나 친한 자를 걱정하는 고통이 없음을 희지(喜支)라 한다"(『摩訶止觀』卷9下,『大正新脩大藏経』第46卷, 124쪽c~125쪽a) 등.

보며 〈원친평등='피아전사자공양'〉설에 내재된 문제점을 밝히고, 본
연구의 기본시각을 제시하고자 한다.

　그런데, 지금까지 〈원친평등='피아전사자공양'〉설을 비판적으로 검
토한 논의가 전무한 것은 아니다. 예컨대, 다마무로 다이조(圭室諦成)
등이 '피아전사자공양'의 실태분석을 통해 〈원친평등='피아전사자공
양'〉의 도식을 상대화했으며,4) 후지타 히로마사(藤田大誠)가 근대 일본사
회의 역사인식에 주의하며 〈원친평등='피아전사자공양'〉설의 성립과
정을 추적한 바 있다.5)

　본 연구의 취지에서 특히 주목되는 것은 후지타의 논의이다. 후지타는,
〈원친평등='피아전사자공양'〉설은 서구문명에 대한 대응이라는 문맥
하에 근대불교학계에서 창출된 담론에 불과하다고 주장했다. 경청할
만한 견해라고 판단된다.

　그러나 후지타의 논의에 문제점이 없는 것은 아니다. 예컨대, 전사자공
양과 관련된 원친평등 담론이 어디까지나 쇼와(昭和) 초기에 등장한 근대
의 산물이라는 주장에는 동의하기 어렵다. 상세한 내용에 대해서는 제1장
이하에서 서술하겠지만, 원친평등의 용어를 개재하여 전개된 전사자공양
의 논리('원친평등론')에는 중세 이래의 역사적 맥락이 존재한다. 〈원친평
등='피아전사자공양'〉설을 무비판적으로 수용해서는 안 되겠지만, 그렇
다고 하여 이 설이 성립되기까지의 몇몇 변곡점을 도외시하는 것 역시
균형 잡힌 시각이라고 할 수는 없을 것이다. 또한 자료 면에서 후지타는

　4) 圭室諦成, 『葬式仏教(オンデマンド版)』, 大法輪閣, 2004(초판 1963), 199~200쪽 ; 立
　　　花基, 「戰國期島津氏の彼我戰沒者供養」, 『日本歷史』 762, 2011 등을 참조. 또한
　　　이하의 논고도 아울러 참조할 것. 琴秉洞, 『耳塚－秀吉の耳斬り·鼻斬りをめぐって－
　　　(增補改訂版)』, 總和社, 1994, 89~111쪽(초판 二月社, 1978) ; 久野修義, 「中世寺院
　　　と社會·國家」, 『日本中世の寺院と社會』, 塙書房, 1999(초출 『日本史研究』 367,
　　　1993) ; 同, 「中世日本の寺院と戰爭」, 『戰爭と平和の中近世史』, 靑木書店, 2001 ; 池
　　　上良正, 『死者の救濟史－供養と憑依の宗敎學－』, 角川書店, 2003, 100~101쪽.
　5) 「近代日本における「怨親平等」觀の系譜」, 『明治聖德記念學會紀要』 44(復刊), 2007.

주로 근대의 담론을 분석하고 있는데다, 몇 가지 중요한 자료도 누락시키고 있다. 따라서 본장에서는 전후의 담론에도 충분히 주의를 기울이는 한편, 새로이 확인한 근대의 자료도 제시하며 〈원친평등='피아전사자공양'〉설의 등장 및 전개과정을 재검토해 보고자 한다.

제1절 〈원친평등='피아전사자공양'〉설의 성립과정

필자가 조사한 바에 따르면, 근대일본의 불교학계에서 전사자공양과 관련하여 원친평등을 명언한 최초의 인물은 와시오 준쿄(鷲尾順敬)이다. 와시오의 논의는 메이지(明治)시대의 일본학계에서 원친평등이 어떻게 이해되고 있었는지를 보여주는 호례이다. 기존연구에서 거의 언급된 바 없다는 점을 감안하여, 와시오의 논의에 대해서는 다소 상세하게 인용해 두고자 한다.

> 다음으로는 원친평등사상인데, 원친평등이란 문자 그대로 서로 살아 있는 동안에는 피아의 차별이 있지만, 일단 죽으면 적군도 아군도 평등하다는 것이 이 사상이다. 이 사상도 또한 우리나라 무사가 숭고하고 위대하다는 점을 보여준다. (중략) 미나모토노 요리토모(源賴朝)의 경우도 그 좋은 예이다. 요리토모는 헤이케(平家)를 살육하며 참혹한 전쟁을 이끌었지만, 전후 헤이케의 명복을 빈 점은 또한 실로 숭고한 마음이었다. 아시카가 다카우지(足利尊氏)의 경우도 그러한데, 다카우지는 호조(北條)씨의 명복을 빌기 위해 여러 가지 사업을 펼쳤다. (중략) 우에스기 우지노리(上杉氏憲)가 간토쿠보(關東公方) 아시카가 모치우지(足利持氏)에 반기를 들어 간토에서 대규모 전쟁이 발발했다. 이른바 젠슈(禪秀)의 난이다. 이 전쟁이 끝난 후 아시카가 모치우지가 피아전사자를 공양하고, 전쟁에 사역된 소, 말의 공양법회까지 시행했다. (중략) 원친평등사상은 내국인

사이의 전쟁 후에만 발휘된 것이 아니다. 외국과의 전쟁의 경우에도 발휘되어 유명한 고안(弘安) 원구(元寇)의 난 후, 호조 도키무네(北條時宗)는 피아전사자의 명복을 빌기 위해 지장보살의 존상을 조성하고 대대적인 공양법회를 시행했다. 또한 분로쿠(文祿)의 조선정벌 후에도 시마즈 요시히로(島津義弘)의 발기로 고야산(高野山)에 피아전병사자의 명복을 기원하는 목적으로 석비가 세워졌다. (중략) 예전에 우리나라가 적십자사에 가입하고자 했을 때, 언제나 우쭐대기 좋아하는 서양인들은, 일본인 같은 미개인에게는 박애라든가 평등과 같은 숭고한 사상은 있을 리 없다고 생각하고 있었던 모양이다. 그래서 고야산의 고려진 석비를 사진으로 찍어서 보여주었던 바, 서양인들조차 크게 혀를 내둘렀다는 일화가 있다.6)

위에 예시한 문장은 1909년 효고현(兵庫縣) 가이바라정(柏原町)에서 개최된 불교강습회에서 와시오가 강연한 내용을 가큐(何休)라는 자가 기록한 것이다. 와시오의 강연내용은 1909년 9월부터 이듬 해 8월에 걸쳐 임제종 묘신지파(妙心寺派)의 기관지인『正法輪』지상에 소개되어 있다.

와시오는 원친평등사상을 무사도의 일환으로 규정하고, 그 구체적 사례로 미나모토노 요리토모 등에 의한 전사자공양을 제시했다. 와시오의 논의로부터는 〈원친평등='피아전사자공양'〉설의 원형이 메이지시대에 이미 성립되어 있었다는 사실을 확인할 수 있다.

그런데 와시오가 제시한 사례들을 〈생자의 자비에 근거한 '피아전사자공양'〉이라는 틀에서 온전히 이해할 수는 없을 것 같다. 물론 와시오가 제시한 사례에서 생자의 자비를 간취하는 것이 불가능하지는 않다. 그러나 생자의 자비가 강조된 나머지 사료 상에 보이는 여타 문맥이 사상(捨象)되

6) 鷲尾順敬,「國史と仏敎(七)」,『正法輪』273, 1909, 5~7쪽.

는 것은 결코 간과할 수 없는 맹점이라 할 것이다. 몇 가지 예를 들어
보자.

먼저 1190년 "평씨(平氏) 전사자의 황천길을 밝혀주기 위해" 가마쿠라
막부(鎌倉幕府)에서 거행된 만등회(萬燈會)[7]에 대해서는 생자의 자비를
상정하는 것도 가능할 테지만, 실은 개최의 구체적인 경위는 분명하지
않다. 이에 반해 1197년 막부에 의해 제국(諸國)에서 거행된 팔만사천탑공
양[8]은 "한을 생전에 살던 거리에 남기고", "슬픔을 황천 가는 길에 품은"
평씨 전사자를 의식하여 거행되었다. "원한으로 원한을 갚으면 원한은
대대로 끊기는 일이 없으며, 덕으로 원한을 갚으면 원(怨)이 변하여 친(親)
이 된다"[9]라는 문장을 아울러 생각해 볼 때, 이 공양은 평씨 원령(怨靈)의
준동을 전제로 그들을 수호신으로 전환시키고자 거행된 것으로 판단된다.

한편 "사가미 뉴도(相模入道) 다카도키(高時)[법명(法名) 조칸(常鑑)] 및
동시에 곳곳에서 전사한 자들의 원령을 구제하기" 위해, 혹은 "망혼의
한을 달래기" 위해 이루어진 다카우지의 기진[10]에서는 우선 생자의 자비
가 상정되지만, 원령의 해코지에 전율하는 다카우지의 모습을 상상하는
것도 불가능하지는 않을 것이다. 개별사례의 소개는 생략하지만, 사자에
대한 자비와 공포의 혼재는 기타 '피아전사자공양'에서도 종종 확인되는

---

7) 『吾妻鏡』建久 元年 7월 15일조를 참조.

8) 「源親長敬白文」(『鎌倉遺文』937호)을 참조. 이 사료를 다룬 주요 논고로는 다음과
   같은 것을 들 수 있다. 平岡定海, 「源賴朝の八万四千基造塔と進美寺」, 『鎌倉遺文月
   報』13, 1977 ; 大山喬平, 「鎌倉幕府の西國御家人編成」, 『歷史公論』40, 1979 ; 西山
   美香, 「鎌倉將軍の八万四千塔供養と育王山信仰」, 『金澤文庫研究』316, 2006 ; 上川
   通夫, 「一二世紀日本仏教の歷史的位置」, 『歷史評論』746, 2012.

9) 이 문장의 전거에 대해서는 다음 논고를 참조. 八重樫直比古, 「空と勝義の孝－古代
   仏教における怨靈救濟の論理－」, 『日本精神史』, ぺりかん社, 1988. 단, "원이 변하여
   친이 된다"는 구절은 「源親長敬白文」의 독자적인 구절로, 중세 일본사회의 생사관
   을 반영하고 있는 것으로 판단된다.

10) 「足利尊氏寄進狀」(『南北朝遺文』九州編·223호),「足利尊氏寄進狀案」(『南北朝遺
    文』關東編·219호)을 참조.

현상이다.

와시오가 전근대의 마지막 사례로 든 고야산 석비(이하 고려진공양비 [高麗陣供養碑]로 표기)에서는 전공을 현창하고자 하는 공양주체의 의도도 간과할 수 없다. 상세한 내용에 대해서는 제6장에서 논하겠지만, 일반적인 이해와는 달리 고려진공양비를 통해 위무된 것은 일본군과 명군 전사자의 혼령이며, 조선군 전사자의 존재는 철저하게 망각되었다. 시마즈씨는 어디까지나 '대명국(大明國)'의 군대를 격파했다고 강변했으며, 이에 따라 조선군 전사자의 존재는 의도적으로 망각되었다.

이상에서 살펴본 바와 같이, 와시오의 주장은 관련 사료에 대한 면밀한 검토에 근거한 것이라고 보기 어렵다. 이와 관련하여 한 가지 간과할 수 없는 것은 호조 도키무네(北條時宗)의 전사자공양[11]을 제외하면, 와시오가 제시한 사례에서 사료 상 원친평등이라는 용어가 확인되지 않는다는 사실이다. 요컨대, 생자의 자비를 읽어내는 일정한 기준은 존재하지 않는 것이며, 특정사례가 생자의 자비의 틀에서 파악될지 여부는 전적으로 연구자의 주관적 판단에 달려있다고 할 수 있다. 와시오의 주장에서 도출되는 〈원친평등=생자의 자비에 근거한 '피아전사자공양'〉이라는 인식은 엄밀하게 말하면, 〈원친평등=생자의 자비에 근거한 것으로 상정되는 '피아전사자공양'〉이라는 인식에 다름 아니다. 이 애매모호한 인식에 따른다면 모든 '피아전사자공양'은 거의 예외 없이 원친평등을 통해 해석 가능할 것이다.

자비를 읽어내는 기준의 부재와 관련하여 주목되는 것은, 와시오의 논의에서 원친평등이 적십자정신에 대비되고 있다는 사실이다. "문명은 서양에만 존재하는 것이 아니다", "박애·평등은, 일본사회에서는 예로부터 원친평등사상에 근거하여 구현되었다"라는 와시오의 설명은 원친평등

---

11) 『仏光國師語錄』 卷四·普說. 상세한 내용에 대해서는 제1장에서 소개함.

이 서양문명이라는 타자에 대한 대항의식을 배경으로 부상했다는 점을 보여준다.[12]

이러한 문맥의 연원은 적어도 1880년대 후반까지 거슬러 올라간다. 정교사(政敎社)의 활동이 보여주듯, 1880년대 후반에 들어서면 서양문명을 상대화하며 일본사회의 전통을 새로이 조망하려는 움직임이 활발해진다.[13] 적십자정신에 대응하는 일본사회의 전통이 존재한다는 담론도 이윽고 등장하기 시작하여,[14] 제4장에서 논하는 바와 같이 '문명' 전쟁으로서의 청일·러일전쟁을 계기로 확산된다. 요컨대, 와시오의 논의는 갑작스레 등장한 것이 아니며, 그 등장배경에는 '문명'을 둘러싼 사상계의 전회와 대외전쟁의 전개가 존재하는 것이다.

와시오의 강연내용을 기록한 가큐는 와시오의 논의를 바탕으로 「仏敎と 赤十字思想」[15]이라는 논문을 발표했는데, 그 밖에 와시오의 논의가 불교학계에서 어떻게 계승되었는지는 분명하지 않다. 그러나 쇼와(昭和) 초기의 불교학계에서는 와시오의 논의와 유사한 담론들이 등장한다. 우선 하시가와 다다스(橋川正)의 주장을 검토해 보자.

---

12) 이 점에 대해서는 모두에서도 언급한 바와 같이, 후지타 히로마사가 전망을 제시한 바 있다(「近代日本における『怨親平等』觀の系譜」). 후지타의 결론은 후술하는 쓰지 젠노스케(辻善之助)의 담론에 대한 분석에서 도출되었다.

13) ケネス·B·パイル 著, 松本三之介 監譯, 五十嵐曉郎 譯, 「日本人のアイデンティティーをめぐる諸問題」, 『新世代の國家像－明治における歐化と國粹－』, 社會思想社, 1986 ; 吉田久一, 「文明開化期から國粹主義勃興期へ－島地默雷を中心に－」, 『日本近代仏敎社會史硏究』, 川島書店, 1991 ; 松本三之介, 「政敎社－人と思想－」, 『明治思想における伝統と近代』, 東京大學出版會, 1996 ; 佐藤能丸, 『明治ナショナリズムの硏究－政敎社の成立とその周辺－』, 芙蓉書房出版, 1998 등을 참조.

14) 「淸韓の危機に對する日本仏敎徒」, 『明敎新誌』 3454, 1894 ; 「日本人の特性を論して赤十字事業に及ぶ」, 『日本赤十字』 51, 1897 ; 「赤十字事業は邦人の歷史的精神に合す」, 『日本赤十字』 53, 1897 등을 참조.

15) 『正法輪』 275(1910.6) ; 『正法輪』 276(1910.7) 수록.

　　세속의 생활에서 벗어난 불교는 은수(恩讎)를 초월한 것이어야 한다.
(중략) 이 사상이 더욱 적극적으로 발동되면, 부처의 마음은 곧 대자비라는
입장에서 피아 일시동인(一視同仁) 즉 원친평등사상이 된다. 이 사상은
우리 무사계급에 의해 양성되어 무사도의 중대한 요소가 되었으며, 무사
도의 발달과 함께 우리 중세를 전후하여 크게 발현되어 일본무사도에
정화(精華)를 부여하고 있다.16)

　하시가와는 불교적 자비에 근거한 원친평등사상이야말로 무사도의
중핵을 이루는 것이라고 주장했다. 하시가와는 자신의 설을 증명하기
위해 고대~중세에 이르는 '피아전사자공양'의 사례를 제시한 후(서장
말미의 〈표〉를 참조), 다음과 같이 결론짓고 있다.

　　겹겹이 사체가 쌓여있는 것을 보고는 (중략) 측은지심이 생기고, 원령을
두려워하는 마음도 품게 되었을 것이다. 그 심리적 과정에는 그 외의
우여곡절이 있다 할지언정, 궁극적으로 귀결되는 곳은 (중략) 은수를
초월한 원친평등의 천지야만 한다. 여기에 일본무사도의 특수성이 발휘
된 것이다.17)

　'피아전사자공양'은 원령에 대한 공포 등으로부터 거행되기도 했지만,
결국은 원친평등사상에 의해 거행된 것으로 파악된다고 하시가와는 주장
하고 있다. 여기서도 〈원친평등='피아전사자공양'〉이라는 인식이 확인
되는데, "은수를 초월한 원친평등의 천지야만 한다"라고 보이듯이, 하시
가와의 주장은 논증을 수반하지 않은 선언에 다름 아니다. 하시가와의
주장은 생자의 자비를 읽어내는 연구자의 주관이라는 문제를 새삼 떠올리
게 한다.

---

16) 橋川正, 「怨親平等の思想」, 『大谷學報』 10(4), 1929, 40쪽.
17) 「怨親平等の思想」, 54~55쪽.

24

하시가와가 「怨親平等の思想」을 집필하게 된 경위는 분명하지 않다. 그러나 하시가와가 고려진공양비에 대해 설명하면서, "현재 고야산의 비 옆에는 전문을 영역하여 그 적십자정신을 서양인에게 전달하고자 하고 있다"(52쪽)라고 언급한 점은 유력한 실마리가 될 것이다. 즉, 하시가와도 와시오와 마찬가지로 적십자정신을 염두에 두고 원친평등을 거론한 것으로 추측되는데, 쓰지 젠노스케(辻善之助)의 『日本人の博愛』(金港堂, 1932)에서는 적십자정신과 원친평등의 관계가 보다 선명하게 드러난다.

『日本人の博愛』의 서언에 따르면, 쓰지는 1926년 7월 8일 다카마쓰노미야(高松宮) 노부히토(宣仁) 친왕의 저택을 방문하여 '일본인의 박애사상'에 관한 연구저술의 명목으로 '아리스가와노미야(有栖川宮)기념학술장려자금'을 수급했다고 한다. 현존하는 노부히토 친왕의 일기[18]에는 이 날의 기록이 보이지 않아 쓰지와 노부히토 친왕의 구체적인 대화내용은 알 수 없지만, 상기한 '일본인의 박애사상'이 적십자정신을 염두에 둔 것이라는 점은 틀림없다. 왜냐하면, 『日本人の博愛』의 서설에 "본편의 취지는 적십자동맹 가입 이전의 옛 시대에 우리나라에서 발달한 박애사상을 세상에 소개하는 데 있다"라고 명시되어 있기 때문이다. 일본적십자사의 기관지인 『博愛』에 게재된 다음 담화는 쓰지의 의도를 보다 명확하게 보여준다.

외국인은 우리 문명에 대한 이해가 없어서, 저 박애사상과 같은 것도 기독교국의 적십자사업 등으로부터 배운 것이라고 오해하는 사람이 많습니다. 하지만, 사실은 (박애사상이) 훨씬 옛날부터 우리나라의 미풍이라는 점은 분명하며, 그 실례는 결코 외국에 뒤떨어지지 않습니다. 그러기

18) 『高松宮日記』, 中央公論新社, 1995~1997. '아리스가와노미야기념학술장려자금'의 발족사정 등에 대해서는 다음 논고를 참조. 高松宮宣仁親王伝記刊行委員會編, 『高松宮宣仁親王』, 朝日新聞社, 1991, 238~241쪽.

에 이러한 점을 역사적 사실에 입각하여 지적함으로써, 외국은 물론 국내에도 소개하고자 합니다. 이는 미야사마(宮樣)의 고견이기도 합니다. 언젠가 연구대상을 선정하여 착수할 생각입니다만, 1년 정도 걸릴 예정입니다. 완성 시에는 영문으로 번역될 예정입니다. 어쨌든 분에 넘치는 광영에 대해 가능한 한 노력을 경주하여 완성시킬 각오입니다.[19]

쓰지의 담화는 앞서 검토한 와시오의 논의를 상기시킨다. 쓰지는 직장 동료였던 와시오[20]로부터 모종의 영향을 받았을지도 모를 일이다. 어쨌든 와시오나 하시가와의 논의를 아울러 생각해 볼 때, 근대일본의 불교학계에서 서양문명에 대한 일본의 '미풍'이라는 구도가 공유되고 있었다는 점은 분명하다고 할 것이다.

쓰지는 일본인에게도 적십자정신에 상응하는 박애의 전통이 있다는 점을 증명하고자 40가지 사례를 제시한 후(〈표〉를 참조), 결어에서 다음과 같이 주장했다.

> 이상 열거한 40가지 사례에 대해 살펴보면, 대략
> 　하나, 적군전사자 영혼의 명복을 빔
> 　하나, 아군과 적군 전사자 영혼의 명복을 빔
> 　하나, 적군의 패배자를 불쌍히 여김
> 　하나, 포로의 우대
> 의 네 가지로 대별할 수 있다. 어제의 적도 전투력을 잃으면 오늘은 친구가 되고, 이를 위무하고 구휼한다. 포로에 대해서는 극진하게 안무하고, 전쟁이 끝나면 승려를 이끌고 양군 전몰자를 위해 법회를 열어 조위의

---

19) 「社會時報」, 『博愛』 470, 1926.7.10, 35쪽.
20) 와시오는 1924년에, 쓰지는 1926년에 각각 사료편찬관에 임명되었다. 두 사람의 공동 작업으로 특히 저명한 것은 무라카미 센쇼(村上專精)와 공편(共編)한 『明治維新神仏分離史料』(東方書院, 1928)이다.

26

예를 극진하게 한다. 사자에 대해서는 적군도 없고 아군도 없다. 일본인과
외국인 사이에 어떠한 차별도 두지 않는다. 지리상의 구분을 초월하여
국토의 경계를 잊어버리는 것이다. 요컨대, 모든 것이 원친평등의 한
마디로 설명된다.

쓰지는 일본인의 박애정신에 관련된 사례들을 네 가지 범주로 정리한
후, 모든 사례의 근저에 원친평등사상이 존재한다고 주장했다. 쓰지는
각 사례에 대해 관련 사료를 제시하고 해설을 곁들이고 있지만, 인용문에
보이듯이 원령의 발호 등 생자의 자비에 들어맞지 않는 문맥은 별다른
언급 없이 사상되었다. 쓰지에 있어서도 서양문명에 대응할 수 있는
일본전통의 제시라는 결론이 선행하고 있다고 판단되며, 원친평등은
역시 선언되었다고 하지 않을 수 없다.

한편, 원친평등의 개념을 폭넓게 파악하는 쓰지의 자세는 이후 거의
주목받지 못했다. 『日本人の博愛』에서 일컬어진 원친평등은, 이후의 연구
에서 어디까지나 '피아전사자공양'으로 이해되었다. 한 가지 흥미로운
사실은 쓰지 자신도 〈원친평등='피아전사자공양'〉의 도식에 입각한
듯한 발언을 했다는 점이다. 예컨대 쓰지는 1942년 사적명승천연기념물보
존협회의 총회에서 '원친평등 사적'에 대해 연설을 행했을 때, "다소
흥미가 있을 법한 것에 대해 말씀드리고자 한다"라며 '피아전사자공양'의
사례에 대해서만 언급하고 있다.[21]

〈원친평등='피아전사자공양'〉설의 정착과정을 고찰하는 데 있어서
또 하나 빼놓을 수 없는 것은, 원친평등에 대한 『望月仏敎大辭典』(1936년
초판본 완성)의 해설이다.

원적(怨敵)과 근친(近親)을 평등하게 동일시한다는 의미. 불법은 대자비

---

21) 辻善之助, 「怨親平等の史蹟」, 『史蹟名勝天然紀念物』 18(2), 1943.

를 근간으로 하는 까닭에 원적을 미워해서도 안 되고 근친에 집착해서도
안 된다. 이른바 일시동인의 입장에서 평등하게 이를 애린(愛隣)하는
마음을 가져야 함을 의미한다. (중략) 오에이(應永) 23, 4년의 우에스기
젠슈의 병란 때 사몰한 피아 일체의 사람과 동물이 모두 정토에 왕생하도
록 후지사와(藤澤) 유교지(遊行寺)에 오에이 전사공양비를 세운 것, 또한
게이초(慶長) 4년 6월 시마즈씨가 조선 전투에서 전사한 일본, 조선 양국의
장사를 위해 고야산에 석비를 세워 그 혼령을 합사한 것은 모두 이
정신의 발로라고 할 것이다.

위 해설은 와시오, 하시가와, 쓰지의 학설을 요약한 듯한데, 실은 인용을
생략한 해설의 뒷부분에 하시가와의 「怨親平等の思想」이 참고문헌으로
소개되어 있다.『望月仏教大辞典』의 해설은 전후에 간행된 불교사전에서
도 답습되었는데, 그렇게 답습된 해설은 원친평등에 대한 전후의 선행연구
에 적지 않은 영향을 주었다. 그러나『望月仏教大辞典』이 근거로 삼고
있는 하시가와의 논의에 근본적인 한계가 있다는 점은 앞서 살펴본 바와
같다. 요컨대,『望月仏教大辞典』의 해설에 수렴되는 전후의 선행연구는
하시가와 설의 한계를 공유하고 있는 셈이 되는데, 이에 대해서는 후술하
도록 하겠다.

이상과 같이 근대일본의 불교학계에서 원친평등은 서양문명이라는
타자에 대한 대항의식을 배경으로, 적십자사의 박애정신에 대응하는
일종의 불교적 역어로서 부상했다. 총체로서의 '피아전사자공양'의
정립이 선행되는 가운데, 개개 '피아전사자공양'의 실태는 거의 문제시
되지 않았으며, 박애정신에 대응할 수 있는 생자의 자비라는 문맥만이
중시되었다.

원친평등이라는 용어가 전근대의 '피아전사자공양' 관련 사료에 거의
등장하지 않음에도 불구하고, 와시오 등이 〈원친평등='피아전사자공

양'>이라는 도식을 제시한 배경으로는 근대의 '피아전사자공양'의 장(場)에서 원친평등이 자주 원용되었다는 사실을 들 수 있다. 상세한 내용에 대해서는 제4장에서 논하겠지만, 예컨대 청일·러일전쟁기에는 '문명' 전쟁의 수행과 연동하여 각종 '피아전사자공양'이 거행되었으며, 그 공양의 장에서는 원친평등이 곧잘 원용되었다. 또한 제5장에서 검토하는 바와 같이, 이러한 흐름은 제1차 세계대전, 만주사변, 중일전쟁, 아시아태평양전쟁까지 이어진다. 요컨대, 근대의 '피아전사자공양'의 장에서 확산된 원친평등의 용례가 전근대의 '피아전사자공양'에 소급 적용되었다는 것이다. 선행연구에서는 거의 명시된 바 없지만, 원친평등의 용례를 둘러싼 이 프로세스는 〈원친평등='피아전사자공양'〉설을 재고하는 데 있어서 결코 간과할 수 없는 중요한 맥락임을 강조해 두고자 한다.

제2절 일본문화론의 구축과 원친평등의 부상

원친평등에 대한 전전의 논의 가운데 전후의 학계 일반에서 주목받은 것은 쓰지의 『日本人の博愛』였다. 아마도 쓰지의 지명도에 더해 단행본으로 출판되었다는 점이 크게 작용했던 것 같다. 예컨대, 일본인의 사유방법에 대해 고찰한 나카무라 하지메(中村元)는 『日本人の博愛』를 원용하며 다음과 같이 주장했다.

일본에서는 다른 나라에서처럼 전쟁은 종종 일어났지만, 전쟁이 끝나면 승리자는 아군 전몰자뿐만 아니라 종종 적군 전몰자의 명복을 기원했다. 이것은 헤이안(平安)시대 중엽 스자쿠(朱雀)상황 때 시작되었는데, 중세의 봉건시대를 통해 널리 행해졌으며, 도쿠가와(德川) 시대에도 시행되었다. 일본의 입장에서 민족전쟁이었던 원과의 전쟁 이후에도 원군

전사자의 망령을 위무하기 위해 지쿠젠(筑前)에 고마데라(高麗寺)를 세웠으며, 호조 도키무네는 엔가쿠지(円覺寺)에 천체(千體)의 지장존을 안치하여 피아의 유혼을 달랬다. 이는 불교의 '원친평등'사상에 근거한 것이다. (중략) 시마바라(島原)의 난 이후에 시마즈 요시히사(島津義久)는 피아전 몰자를 공양하기 위해 휴가(日向)·오스미(大隅)·사쓰마(薩摩)·히고(肥後)의 승려를 천 명이나 모아 시마바라로 향하여 대략 55미터나 되는 높은 탑을 세우고 성대한 법회를 열었다. 아마쿠사(天草)의 대관(代官) 스즈키 시게나리(鈴木重成)는 전란 후 전적지에 도코지(東向寺)를 창건하고, 전란에서 희생된 교도(敎徒)의 명복을 빌기 위해 법회를 여는 한편 비를 세워 이를 기념했다.[22]

원친평등을 일본사회의 전통으로 자리매김하는 태도나 예시하는 전근대의 관련 사례를 살펴보더라도, 나카무라가 쓰지의 학설을 답습하고 있다는 점은 일목요연하다. 시대가 시대이니만큼 적십자와 관련된 문장은 보이지 않지만, 나카무라도 서양문명을 의식하고 있었다. 예컨대, 나카무라는 "서양의 일반적인 사상에 따르면, 적군은 말살되어야 하는 존재이다. 따라서 적군 사자의 명복을 빈다는 사상은 좀처럼 생겨나기 어렵다. (중략) 종교전쟁의 경우, 서양인과의 차이는 한층 더 현저하다"[23]라고 지적하고 있다. 쓰지가 서양문명에 견줄 수 있는 전통으로 원친평등을 제시했다면, 나카무라는 서양문명을 능가하는 일본의 자랑스러운 전통으로 원친평등을 강조했다고 할 수 있다. 그러한 의미에서 나카무라는 쓰지 설을 계승·발전시켰다고도 할 수 있을 것이다.

서양문명에 대한 대항의식은 표면화되고 있지 않지만, 비슷한 시기에 후루타 쇼킨(古田紹欽)도 「武士の道德と仏敎倫理 - 怨親平等の思想」[24]이

---

22) 中村元, 『日本人の思惟方法』, 春秋社, 1989(초판은 1962), 72~74쪽.

23) 『日本人の思惟方法』, 73쪽.

24) 古川哲史 編, 『日本道德敎育史』, 角川書店, 1962, 66~68쪽.

라는 제하의 논문을 발표했는데, 이 역시 쓰지의 담론을 답습한 것으로
판단된다. 참고로 덧붙이자면, 후루타의 논문이 수록되어 있는『日本道德
教育史』는 "도덕교육 강의가 교원을 양성하는 대학에서 필수가 된" 것을
계기로 '문부성의 과학연구비'를 받아 편찬된 서적이었다. 요컨대, 일본사
회의 '미풍'으로서의 원친평등은 도덕교육이라는 회로를 통해서도 일반
사회에 퍼져나가게 되었던 것이다. 이 밖에도 예컨대 근대 일본불교사의
대가인 요시다 규이치(吉田久一)가 청일전쟁기 불교계의 동향을 고찰하는
데 앞서『日本人の博愛』에 대해 언급하는 등,[25] 쓰지의 담론은 전후에도
면면히 계승되었다.

　그러나 전후 일본에서 〈원친평등='피아전사자공양'〉설이 유포된 루
트는『日本人の博愛』외에도 존재했다. 최근 몇 년 사이에 일본문화론의
시각에서 원친평등을 거론하는 논고가 연이어 등장하고 있는데, 이들
논고에서『日本人の博愛』는 전혀 언급되고 있지 않다. 이하, 이러한 연구동
향을 대표하는 야마다 유지(山田雄司)의 담론을 검토하며 원친평등을
둘러싼 또 하나의 계보를 확인해 보자.

　일본 중세사회의 원령진혼에 대해 연구해 온 야마다는『跋扈する怨靈─
祟りと鎮魂の日本史─』(吉川弘文館, 2007)에서 '怨親平等の思想'이라는 항
목을 세우고, 관련사례를 소개했다. 야마다는 본격적인 논의에 앞서『仏教
語大辭典』(中村元 著, 東京書籍, 1981)의 원친평등 해설을 인용하고 있다.
원친평등에 관한 야마다의 인식은 이 해설에 근거한 것이라 할 수 있다.

25) 吉田久一,「日淸戰爭と仏敎」,『日本宗敎史論集(下卷)』, 吉川弘文館, 1976, 385쪽.
　　이 외에 다음 논고들도 아울러 참조할 것. 琴秉洞,『耳塚─秀吉の耳斬り·鼻斬りをめ
　　ぐって─(增補改訂版)』; 吹浦忠正,「森鷗外の赤十字ならびにジュネーブ條約に果たし
　　た役割」,『日本赤十字中央女子短期大學研究紀要』1, 1980 ; 金光哲,「耳塚と阿弥
　　陀ヶ峰」,『中近世における朝鮮觀の創出』, 校倉書房, 1999.

적군도 아군도 모두 평등하다는 입장에서 피아전사자의 유혼을 달래는
것. 불교는 대자비를 근간으로 하므로, 나를 해하려는 원적도 미워해서는
안 되고, 나를 사랑하는 친한 이에게도 집착해서는 안 되며, 평등하게
이들을 애린하는 마음을 지녀야 한다는 것을 말한다. 일본에서는 전투에
의한 피아 일체의 사람과 동물 희생자를 공양하는 비를 세우는 등, 피아
일시동인의 의미에서 사용된다.

이 해설이 『望月仏教大辭典』의 해설을 답습하고 있다는 점은 분명한데,
앞서 지적한 바와 같이 『望月仏教大辭典』의 해설은 하시가와의 「怨親平等
の思想」을 토대로 삼고 있다. 요컨대, 야마다의 논의는 야마다 본인의
자각 여부에 상관없이 하시가와의 논의를 전제로 하고 있는 셈이 된다.
하시가와의 논의를 되짚어보면, 총체로서의 '피아전사자공양'의 정립이
라는 결론이 선행되었던 탓에 생자의 자비에 들어맞지 않는 문맥은 별다른
논증 없이 사상되었다. 결론을 미리 이야기하자면, 하시가와의 논의에
보이는 오류는 야마다의 논의에서도 반복되고 있다. 몇 가지 예를 들어보
도록 하자.

야마다는 고대의 대표적인 관련사례로 조헤이(承平)·덴교(天慶)의 난
후에 작성된 스자쿠상황의 원문(願文)26)을 제시했다. 야마다는 "관군이든
역당이든, 왕이 지배하는 땅에 누구 하나 왕민(王民)이 아닌 자가 있겠는가.
승리를 원친에 나누어 평등하게 구제하고자 한다"라는 구절을 인용한
후, "죽으면 관군·역당 즉 친·원의 구별도 없고, 평등하게 고통으로부터
구제되기를 기원하고 있는 것이다"(176쪽)라고 지적했다. 이러한 지적
자체는 수긍할 수 있지만, 야마다가 예시한 구절이 불교적 문맥만으로
온전히 파악될 수 없다는 점은 분명하다. 왜냐하면, 이 구절에서는 왕토왕
민사상을 근간으로 하는 유교적 덕정의 논리가 읽히기 때문이다.

---

26)「朱雀院平賊後被修法會願文」(『本朝文粹』 卷第13에 수록).

한편 야마다가 인용한 구절 다음에는 "수(隋) 고조는 인사(仁祠)를 세워 전쟁터를 파리(頗利=玻璃)의 누각으로 바꾸었으며, 당(唐) 태종은 재회(齋會)를 열어 전사자의 명복을 빌었다. 지금에 있어 옛 일을 물으니, 세상은 다르나 뜻은 같다"라는 구절이 이어진다.[27] 즉, 스자쿠상황에 의한 전사자 공양은 중국대륙의 선례에 근거하여 시행된 것이었다. 야마다를 포함하여 대부분의 일본학자들은 〈원친평등='피아전사자공양'〉을 일본사회의 독특한 전통이라고 간주하는데, 그들이 원친평등의 대표적인 사례로 자주 언급하는 스자쿠상황의 원문은 오히려 동아시아세계에서의 '피아전 사자공양'이라는 문제 틀을 상정하게 한다. 중국대륙의 선례는 아마도 일본사회의 자비라는 문맥에 들어맞지 않는 까닭에, 앞서 언급한 왕토왕민 사상의 문맥과 함께 사상되었다고 생각한다.

이러한 사상의 문제는 그 밖에도 보인다. 예컨대 가마쿠라막부에 의한 팔만사천탑공양의 경우, 앞서 언급한 바와 같이 평씨 원령의 준동을 전제로 거행된 것으로 판단되는데, 야마다는 이 공양이 원령진혼과는 관련이 없다고 단언한다(177~178쪽). 한편 메이토쿠(明德)의 난 후에 쇼코쿠지(相國寺)에서 펼쳐진 법요의 경우, 『明德記』에 보이듯이 전사자 원령의 동향에 대한 대응이라는 성격이 강한데,[28] 야마다는 이 법요도 어디까지나 생자의 자비에 의거한 '피아전사자공양'으로 파악하고 있다

---

27) 수 고조와 당 태종의 사적에 대해서는 『廣弘明集』 卷第28에 수록되어 있는 「隋高祖於相州戰場立寺詔」와 「唐太宗於行陣所立七寺詔」를 참조(『大正新脩大藏經』 第52卷, 328쪽b~329쪽a).

28) 궁내청 서릉부본 『明德記』下(和田英道, 『明德記：校本と基礎的研究』, 笠間書院, 1990에 수록)에는 다음과 같이 보인다. "작년 12월 말일의 전투에서 수많은 사람과 말이 죽었다. 우치노(內野) 오미야(大宮) 부근의 전적지에서는 밤이면 밤마다 수라투쟁의 소리가 들려온다. 때때로 전투에서 죽어가는 고통스러운 소리가 사람들의 꿈속에 들리기도 하고 환청이 들리기도 했다. 그러한 까닭에 피아전사자가 여전히 원해(怨害)를 품으며 합전도(合戰道)를 떠도는 고통을 받고, 분노로 활활 타오르는 화염에 고통받고 있는 것으로 여겨져 (하략)".

(182~185쪽). 또한 고려진공양비에 대해 야마다는 공양대상이 명군 전사자와 일본군 전사자라고 정확하게 지적은 했지만, 조선군 전사자가 누락된 의미에 대해서는 언급하지 않았다(186쪽).

이상과 같이 야마다의 논의에는 전전 연구의 한계가 고스란히 엿보이지만, 야마다는 와시오 등의 연구에 대해 언급하고 있지 않다. 그 대신에 야마다가 거론한 선행연구는 와타나베 가쓰요시(渡辺勝義)의 「怨親平等の鎭魂」[29]이다.

와타나베가 새롭게 제시한 지견이라 할 만한 것은, 야마다도 지적한 바와 같이 우사하치만궁(宇佐八幡宮)의 방생회를 원친평등사상의 연원으로 자리매김했다는 점이다. 그러나 그 지견이라는 것은 "여기서 잘못 생각해서는 안 되는 점은, 이 방생회가 헤이안시대 이후 유행한 어령(御靈)신앙적인 것이 결코 아니고, 본래는 하야토(隼人)의 용맹과감성을 칭송하고 용자(勇者)를 대등하게 칭찬하는 심성에 근거한 것이라는 사실이며, 거기에 생명을 소중히 여기는 불교의 자비심이 결합하여 생겨난 것으로 해석해야 할 것이다"(154쪽)라는 문장에서 엿볼 수 있듯이, 논증을 수반하지 않은 채 선언되고 있다. 와타나베의 논의도 야마다의 논의와 마찬가지로 전전의 연구에 엿보이는 문제점을 안고 있다고 할 수 있을 것이다.

그러나 와타나베의 논고에서 방생회에 대한 기술보다 주목되는 것은, 작가 하세가와 신(長谷川伸)의 『日本捕虜志』[30]에 보이는 '피아전사자공양'의 사례가 상세하게 소개되어 있다는 점이다(169~175쪽). 야마다가 주로 참조한 것도 아마 와타나베에 의해 인용된 『日本捕虜志』의 기술일 것이다.

---

29) 『神道と日本文化』, 星雲社, 2006에 수록.

30) 『長谷川伸全集 第九卷』, 朝日新聞社, 1971에 수록. 『日本捕虜志』의 초고는 『大衆文芸』에 1949년 5월부터 1950년 5월에 걸쳐 연재되었다. 한편, 『日本捕虜志』의 초판은 1955년에 발행되었다.

하세가와의 저작은 주로 근대일본이 얼마나 포로를 우대했는가를 예증하는 내용으로 채워져 있으며, 전근대 '피아전사자공양'의 사례는 전편(前編)에서 산발적으로 언급되고 있다. 하세가와는 원친평등을 전면에 내세우고 있지는 않지만, 20여 건에 이르는 '피아전사자공양'에 대한 설명과정에서 총 네 번에 걸쳐 원친평등을 원용하고 있다. 즉, ①스자쿠상황에 의한 전사자공양을 '원친평등관의 위령'이라 하고(21쪽), ②③쇼조코지(淸淨光寺)의 공양비를 '원친평등비'·'원친평등의 공양비'라 언급했으며(23쪽), ④소마 아키타네(相馬顯胤)에 의한 '피아전사자공양'을 '원친평등관'에 근거한 것이라고 주장했다(24쪽). 어느 용례를 살펴보아도, 하세가와는 기정사실을 확인하는 정도의 서술태도를 취하고 있으며, 원친평등을 새로이 소개하는 듯한 어조는 느껴지지 않는다. 종전 전후의 지식인들에게 〈원친평등='피아전사자공양'〉이라는 인식은 상식에 가까웠던 것 같다. 하세가와를 발탁한 기쿠치 칸(菊池寬)이 원친평등을 내세우는 흥아관음(興亞觀音)의 조성에 관여했다는 점[31]을 감안하면, 하세가와는 기쿠치를 통해 〈원친평등='피아전사자공양'〉이라는 인식에 도달했을지도 모른다.

하세가와의 문장에 대한 구체적인 검토는 생략하지만, 하세가와가『日本捕虜志』의 출판경위에 대해 "특히 점령군이 지적하고 비난하고 증오한 포로문제에 대해 분개를 금할 수 없어서"라고 진술한 점은 간과할 수 없다.[32] 『日本捕虜志』는 '점령군'이라는 타자에 대한 대항의식 하에 간행되었던 것이다. 하세가와의 논의를 계승한 와타나베도「怨親平等の鎭魂」의 말미에서, 원친평등에 연계되는 일본고대사회의 "격조 높은 정신은

---

31) 山田雄司,「松井石根と興亞觀音」,『三重大史學』9, 2009, 17쪽을 참조(흥아관음에 대해서는 제5장에서 상술할 것이다). 한편 근대문인에 의한 원친평등 용례 가운데 이른 시기의 것으로는, 미야자와 겐지(宮澤賢治)의「月天讚歌(擬古調)」를 들 수 있다(『新修宮澤賢治全集』第6卷, 筑摩書房, 1980, 227쪽).

32)『長谷川伸全集 第九卷』, 297쪽.

당시의 일본 우지(氏)사회가 지니고 있던 깊은 예지이며", "타국이 도저히 상상할 수 없는" 것이라고 주장했다. 또한 야마다도 『跋扈する怨靈』에서 원친평등의 사고방식은 "적은 죽어서도 적이고, 계속해서 증오해야하는 존재라고 보는 타민족의 사고방식과는 다른 것이다"라고 결론짓고 있다 (188쪽). 즉 원친평등을 둘러싼 또 하나의 계보에서도 타자에 대한 대항의 식이 저류를 형성하고 있는 것이다. '하세가와 신－와타나베 가쓰요시－ 야마다 유지'의 계보와 '와시오 준쿄·하시가와 다다스·쓰지 젠노스케－ 나카무라 하지메·후루타 쇼킨·요시다 규이치…'의 계보 사이에 직접적 인 접점이 없음에도 불구하고 양자의 논의가 거의 일치하는 것은, 타자에 대한 강한 대항의식이 공유되고 있기 때문일 것이다.

다만, 한 가지 주의해야 할 점은 두 가지 계보에서 부각되는 타자의 실체에 미묘한 차이가 존재한다는 사실이다. 전전부터 이어지는 계보에서 타자란 서양문명이라 할 수 있지만, 하세가와에서 시작되는 계보의 경우는 다소 사정이 복잡하다. 하세가와에게 타자란 '점령군'으로 상징되는 서양 문명이었다고 할 수 있지만, 와타나베와 야마다에게 타자란 서양문명에 더하여 아시아 제국(諸國), 특히 일본제국의 식민지시대를 경험한 나라와 지역의 문명도 가리킨다고 여겨진다.

와타나베는 「怨親平等の鎭魂」의 모두에서 2001년 고이즈미(小泉) 총리 의 야스쿠니신사 참배와 그에 대한 '근린제국'의 '내정간섭'에 대해 언급 하고 있다(146쪽). 와타나베는 "일본 종교와 타국 종교의 본질적인 사고방 식의 차이"를 무시한 야스쿠니신사 비판은 "어떤 의미도 없다"고 주장한 후(146~147쪽), 원친평등에 대한 논의를 전개하고 있다. 따라서 와타나베 에게 '타국'이 아시아 제국을 포함한 것이라는 점은 분명하다 할 것이다. 한편 야마다의 경우 와타나베처럼 직접적인 표현은 사용하지 않았다. 그러나 야마다가 와타나베의 논의를 무비판적으로 수용한 점, 그리고 A급 전범 마쓰이 이와네(松井石根)가 조성한 흥아관음을 크게 강조한 점을 아울러 생각해 볼 때, 야마다가 말하는 '타민족'의 실체는 자연스레 드러난다고 생각한다. 야마다의 진의를 포함하여 최근에 일본문화론이 재현되고 있는 맥락에 대해서는 앞으로도 예의 주시할 필요가 있을 것이다.

제3절 야스쿠니문제의 대두와 원친평등의 재발견

지금까지 검토한 바와 같이, 〈원친평등='피아전사자공양'〉설은 메이지시대부터 오늘날에 이르기까지 면면히 계승되어 왔는데, 그 사이에 이 설이 전혀 의문시되지 않았던 것은 아니다. 본장의 모두에서 잠시 언급했지만, 예컨대 『日本人の博愛』의 편집에도 관여한 다마무로 다이조는[33] 쓰지 설에 대해 다음과 같이 비판했다.

일본에서는 중세 이후 전쟁에서 승리를 거둔 무장은 전후에 반드시라고 해도 좋을 정도로 피아전사자를 위한 대시아귀회(大施餓鬼會)를 열고 피아전사자공양비를 세웠다. (중략) 종래 불교에서는 (이러한 관행이) 원적(怨敵)과 아군을 동일시하는 원친평등 정신의 유로(流露)이며 박애정신의 표현이라고 간주되었다. 물론 나로서도 원친평등 정신이 전혀 없다고는 보지 않는다. 다만 다소 과대하게 평가되고 있는 것은 아닌지 미심쩍어 하는 것이다. 적의 귀를 잘라내어 소금에 절여 가지고 오고, 그것을 일반에 공개하여 전공을 과시하는 잔혹성을 지닌 무장들의 손에 의해 그것이 이루어졌기 때문이다. 그렇다면 무엇 때문에 그들은 시아귀회를 펼치고 공양비를 세운 것일까? 결론을 미리 말하자면, 물론 예외는 있지만 일반적으로는 적의 사령(死靈)의 해코지를 두려워했기 때문이다.[34]

---

33) 藤田大誠, 「近代日本における「怨親平等」觀の系譜」, 104쪽을 참조.
34) 圭室諦成, 『葬式仏敎(オンデマンド版)』, 199~200쪽.

다마무로는 '피아전사자공양'의 배경에 사자에 대한 자비와 함께 사자에 대한 공포가 존재한다고 지적하고, '피아전사자공양'의 본질은 후자에 있다고 주장했다. 다마무로는 쓰지가 지적한 사례 가운데 다음의 다섯 가지 사례를 들어 자신의 주장을 뒷받침했다. 즉 덴류지(天龍寺)는 고다이고천황(後醍醐天皇)의 '분노'를 잠재우고 '천재(天災)를 물리치고자' 건립된 것이며, 메이토쿠의 난 후에 거행된 대시아귀회도 피아전사자의 '원해(怨害)'를 의식한 것에 다름 아니라고 지적했다. 또한 다이주지(大樹寺)의 건립 등 마쓰다이라 지카타다(松平親忠, 도쿠가와 이에야스의 5대 선조)에 의한 일련의 '피아전사자공양'은 '전사한 영혼들'의 해코지로 인한 '역병' 유행에 자극받은 것이라 파악했으며, 나가시노(長篠)의 전적지(戰迹地)에서 펼쳐진 법회도 다케다(武田)군 원령의 해코지를 의식한 것이라고 지적했다. 끝으로 시마바라(島原)의 난 후에 이루어진 기리시탄공양도 '충치(蟲豸)'와 '요괴'로 화하여 해코지를 하는 기리시탄 '망혼'의 움직임을 봉쇄하기 위해 이루어진 것으로 보았다.

'피아전사자공양'이 과연 사자에 대한 자비나 공포로 온전하게 설명될 수 있을지는 의문이지만, 관련 사료를 세심하게 해독하며 〈원친평등='피아전사자공양'〉의 도식을 상대화한 다마무로의 논의는 존중되지 않으면 안 될 것이다.

다마무로의 논의는 원친평등에 관한 제3의 연구동향에서 종종 참조되었다. 우선 다음 자료에 주목해 보자.

고대 말기부터 중세 후기에 이르기까지 전란이 일어날 때마다 전후에는 사령의 해코지를 두려워하여 전사자를 공양하는 것이 통례였다. 불교의 원친평등사상도 침투하여 전사자는 피아 구별 없이 세심하게 공양되었다. (중략) 죽으면 적군도 아군도 없다는 인간관은 지배자에 의해 전장에 끌려나와 아무런 은원관계도 없는 적을 죽여야만 했던 민중의 생활감정에

뿌리내린 건강한 감각으로, 원시사회에서 비롯된 민족종교 고유의 배외
적인 집단원리를 초월하는 계기를 내포하고 있었다. 막말유신기의 비정
상적인 내외의 긴장감 속에서 생겨난 초혼(招魂)사상은, 어령신앙의 광대
하고 심오한 민중적 기반을 배경으로 하면서도 일본인의 종교적 전통은
물론 신도의 전통과도 질적으로 다른 관념으로 전개되어 메이지 유신
직후 신도 국교화 과정에서 고정화되었다.[35]

주지하는 바와 같이, 1960~70년대에 야스쿠니신사를 국가의 관리
하에 두는 것을 골자로 하는 야스쿠니신사법안이 국회에 거듭 제출되었다.
이를 계기로 야스쿠니신사를 둘러싼 다양한 논의가 등장했는데, 위에
든 무라카미 시게요시(村上重良)의 논의도 이러한 흐름 속에서 파악된다는
점을 우선 확인해 두고자 한다.

무라카미는 아군전사자만을 존중하는 야스쿠니신사의 제사방식을 비
판하는 과정에서, 일본사회에는 원친평등사상에 입각한 '피아전사자공
양'의 전통이 있다고 지적하고 있다. 이러한 주장은 현재도 유력한 설로
통용되고 있다. 무라카미는 원친평등과 '피아전사자공양'의 관계에 대해
다소 애매한 기술을 하고 있지만, 결론적으로는 〈원친평등='피아전사자
공양'〉의 입장을 취하고 있는 것으로 판단된다.

그런데 이와 같은 무라카미의 인식도 '피아전사자공양'에 대한 면밀한
검토에 근거한 것은 아니었다. 무라카미는 몇 가지 사례를 들고 있는데,
그가 지적한 센고쿠(戰國) 무장들의 '피아전사자공양' 가운데에는 일찍이
다마무로가 지적한 바와 같이 명백하게 원령에 대한 공포로 인해 시행된
것도 다수 존재한다. 또한 고려진공양비에는, 거듭 언급한 바와 같이
전공현창의 의도가 숨겨져 있다.

와시오에서 야마다에 이르는 일련의 연구에서는 타 문명에 대한 강한

---

35) 村上重良, 『慰靈と招魂－靖國の思想－』, 岩波書店, 1974, 53~54쪽.

대항의식 하에서 총체로서의 '피아전사자공양'의 정립이 선행되었다면, 무라카미의 담론에서는 야스쿠니신사의 제사방식에 대한 비판의식이 선행되는 가운데 총체로서의 '피아전사자공양'의 정립이라는 목적이 크게 부각되었다고 할 수 있을 것이다. 그 결과 무라카미에 있어서도 '피아전사자공양'의 개별 사례의 실태는 거의 문제시되지 않았다. 총체로서의 '피아전사자공양'의 대극에 위치하는 존재가 다를 뿐, 무라카미의 논의와 앞서 살펴본 와시오 등의 논의는 동일한 논리구조를 지니고 있으며, 그러한 까닭에 동일한 한계를 지니고 있다고 할 것이다.

원령, 원친평등, '피아전사자공양'을 거론하는 무라카미의 주장은 다마무로의 영향을 상상케 하지만, 자세한 사정은 알 수 없다.36) 이에 반해 최근 야스쿠니문제에 대해 적극적으로 발언하고 있는 다카하시 데쓰야(高橋哲哉)는 다마무로의 『葬式仏敎』를 참고문헌으로 명시했다. 다마무로설은 에토 준(江藤淳)의 주장을 비판하는 과정에서 원용되었다. 에토는 야스쿠니신사의 존재방식을 '사자와의 공생감'이라는 맥락에서 파악했는데,37) 이에 대해 다카하시는 다음과 같이 비판한다.

> 셋째, 전사자와의 교감을 이야기한다면, 왜 야스쿠니는 적측 전사자를 제사지내지 않는가. 일본의 중세·근세에는 불교의 '원친평등'사상의 영향으로 피아쌍방 전사자의 위령을 거행하는 방식이 존재했다.38)
> 물론 나는 일본의 전통이 야스쿠니식의 제사방식이 아니라 원친평등, 피아전사자공양이라고 주장하고 있는 것이 아니다. 중세·근세의 모든 전사자공양이 원친평등, 피아전사자공양이었던 것은 아니다. 역사적인

---

36) 후지타는 무라카미가 다마무로의 연구를 참조했다고 주장했다(藤田大誠, 「近代日本における「怨親平等」觀の系譜」, 102쪽).

37) 江藤淳, 「生者の視線と死者の視線」, 『靖國論集-日本の鎭魂の伝統のために-』, 日本敎文社, 1986.

38) 『靖國問題』, 筑摩書房, 2005, 166쪽.

　　사실은『記紀』,『万葉』의 시대로부터 야스쿠니에 이르는, 사자의 처우방
　　식을 둘러싼 일관된 전통 같은 것은 존재하지 않는다는 것, 일본적인
　　사자와의 관계의 일의적인 전통 같은 것은 존재하지 않는다는 것이리
　　라.39)

　　전사자공양의 일의적인 전통을 부정하고 있는 점에는 주의할 필요가
있지만, 다카하시도 무라카미와 마찬가지로 아군전사자만을 존중하는
야스쿠니신사의 제사방식을 비판하는 근거로 원친평등과 '피아전사자공
양'을 거론했다. 다카하시도 몇 가지 '피아전사자공양'의 사례를 제시했지
만, 개별 사례에 대한 면밀한 검토는 역시 생략되었다. 즉, 무라카미의
논의에 보이는 한계는 다카하시의 논의에도 인정되는 것이다. 다카하시에
게도 중요했던 것은 야스쿠니신사의 제사방식에 대응할 수 있는 '피아전
사자공양'이라는 형식 자체였던 것이며, 그러한 까닭에 구체적인 내용은
거의 문제시되지 않았다. 다마무로의 연구가 참조되면서도 〈원친평등=
'피아전사자공양'〉의 도식에 따르는 듯한 설명이 이루어지고 있는 사실
은, 다카하시의 주안점이 어디에 있는지를 여실히 보여준다.
　　이상에서 검토한 바와 같이, 〈원친평등='피아전사자공양'〉 인식은
야스쿠니문제와 관련해서도 건재했다. 와시오에서 야마다에 이르는 일련
의 연구동향에 비하면, '피아전사자공양'에 대한 해석이 애매하다는 인상
도 남는데, 그것은 '피아전사자공양'이라는 형식 자체가 한층 더 중시되었
기 때문이라 할 것이다. 야스쿠니신사의 제사방식에 대한 비판이라는
입장에서 보면, 논리상 '피아전사자공양'이 오로지 원령에 대한 공포에서
비롯되었다고 해도 전혀 문제될 것은 없다. 야스쿠니문제를 둘러싼 담론에
있어서도 전전 이래의 연구동향이 개선될 여지는 없었던 것이다.

---

39)『靖國問題』, 175쪽.

제4절 선행연구의 총괄과 본 연구의 시각

메이지시대까지 거슬러 올라가는 〈원친평등='피아전사자공양'〉설은 타자에 대한 강한 대항의식 속에서 배태되고 전개되었다. 여기서 타자란, 전전에는 적십자로 상징되는 서양문명이었으며, 전후에는 타 문명에 더하여 야스쿠니신사라는 일본사회 내부의 타자이기도 했다. 전근대의 '피아전사자공양'은 타자에 대응할 수 있는 일본사회의 전통으로 발굴되었지만, 그 과정에서 개별 사례의 컨텍스트는 잘려나갔다. 타자에 대한 대항의식이 강하게 작용하는 가운데 '피아전사자공양'의 외형만이 중시되었으며, 정작 그 내용에 대한 관심은 희박했다. 이렇게 타자의 대극에 위치 지어진 '피아전사자공양'에는 원친평등이라는 이름이 붙여졌다.

전전·전후 할 것 없이 기존의 논의에 보이는 근본적인 문제점은, 원친평등과 '피아전사자공양'을 연결하는 생자의 자비라는 요소를 어떠한 기준으로 판정할 것인가가 전혀 설정되어 있지 않다는 사실이다. 연구자의 임의적인 판단이 크게 작용하는 현 상황에서 원친평등·'피아전사자공양'에 대한 생산적인 논의는 기대하기 어려우며, 원친평등·'피아전사자공양'을 통해 전사자공양의 실태를 논하는 것에도 일정한 한계가 예기되어 있다고 하지 않을 수 없다.

이와 같은 상황을 타개하기 위해서 필요한 것은, 무엇보다 원친평등과 '피아전사자공양'이 별개의 것이라는 발상의 전환이 아닐까 싶다. 메이지~다이쇼(大正)시대에 편찬된 복수의 불교사전을 점검해 보면, 원친평등 항목이 존재하지 않는 경우도 있으며,[40] 〈원친평등='피아전사자공양'〉설에서 벗어난 해설도 눈에 띈다.[41] 〈원친평등='피아전사자공양'〉

40) 『佛敎字典』(兒島碩鳳 編, 白雲精舍, 1895), 『佛敎いろは字典』(若原敬経 編, 其中堂, 1897)을 참조.

41) 『織田佛敎大辭典』(織田得能 編, 大藏出版, 1918), 『佛敎大辭彙』(佛敎大學編, 富山房,

이라는 인식의 역사는 그다지 길지 않은 것으로 보인다. 그래서 〈원친평등 ≠'피아전사자공양'〉이라는 가설에 입각해보면, 대략 다음의 세 가지 분석방법이 도출된다.

첫째, 용례의 검토이다. 예컨대, 원친평등이라는 용어가 중세에서 근대에 이르기까지 어떤 문맥에서 사용되었는지는 상세하게 검토된 바 없다. 물론 무가쿠 소겐(無學祖元)이나 무소 소세키(夢窓疎石)의 저명한 용례 외에도 근대의 용례가 일부 소개된 바 있지만,[42] 원친평등의 용례가 통시적으로 추출되어 면밀하게 검토되었다고는 말하기 어렵다. 여러 세기를 거치는 동안 원친평등의 의미에 일관성이 유지되었다고 상정하기는 어려우며, 오히려 다양한 변용이 예상된다. 본 연구에서는 특히 원친평등을 매개로 한 전사자공양의 논리를 '원친평등론'이라 상정하고 그 역사적 변용을 추적하고자 한다.

둘째, 원친평등이 부상한 경위를 추적하는 것이다. 너무나도 당연한 이야기이지만, 〈원친평등='피아전사자공양'〉설은 원친평등이라는 용어의 빈출을 전제로 한다. 그런데, 앞서 언급한 바와 같이, 원친평등의 용례는 청일·러일전쟁기에 폭발적으로 등장하며 이 흐름은 아시아태평양전쟁기까지 이어진다. 따라서 청일·러일전쟁기에 원친평등이 부상한 과정을 면밀하게 관찰하는 작업은 〈원친평등='피아전사자공양'〉설의 성립과정을 해명하는 데 있어서 필수불가결하다고 할 것이다.

셋째, '피아전사자공양'의 분석인데, 동시대적인 분석과 함께 통시대적인 분석도 아울러 병행되어야 할 것이다. '피아전사자공양'의 실태분석과

1914~1922)를 참조.

42) 吉田久一,「日淸戰爭と仏敎」; 吉田久一,「日露戰爭と仏敎－軍事援護を中心に－」, 『日本仏敎史學』11, 1976 ; 白川哲夫,「日淸·日露戰爭期の戰死者追弔行事と仏敎界－淨土宗を中心に－」,『洛北史學』8, 2006 ; 同,「大正·昭和期における戰死者追弔行事－「戰沒者慰靈」と仏敎界－」,『ヒストリア』209, 2008 ; 藤田大誠,「近代日本における「怨親平等」觀の系譜」 등.

함께 '피아전사자공양'을 둘러싼 역사인식을 분석함으로써, 〈원친평등 ='피아전사자공양'〉설의 창출과정을 보다 선명하게 그려낼 수 있을 것이다.

본서에서는 이상의 세 가지 방법을 통해 〈원친평등='피아전사자공양'〉설을 재고함으로써, 사무라이의 정신세계의 일단을 엿보고, 나아가 전사자공양을 둘러싼 일본사회의 전통에 대해 재고해 보고자 한다. 본서의 본론은 6장으로 구성되어 있다.

제1장에서는 중세의 '원친평등론'을 염두에 두며, 고대~중세초기의 전사자공양의 양상과 원친평등 용례를 일별할 것이다. 이 기초 작업을 통해 '원친평등론'이 등장하게 된 시대적 맥락을 제시하고자 한다.

제2장에서 제5장까지는 '원친평등론'의 역사적 변용을 통시적으로 추적한다. 우선 제2장에서는 '원친평등론'의 중세적 전개양상을 검토할 것이다. 공양주체의 시선을 중심축으로 하는 오늘날의 〈원친평등='피아 전사자공양'〉설을 자명한 것으로 보지 않고, 관련 사료를 세밀하게 점검하며 중세인의 인식세계에 접근해 보고자 한다. 구체적으로는 전사자공양의 장에서 설파된 선승들의 법어를 분석한다. 주로 다루는 사료는 『大正新脩大藏経』, 『五山文學全集』, 『五山文學新集』 등에 수록된 어록이다.

제3장에서는 근세~근대초기 '원친평등론'의 행방에 대해 고찰한다. 장기간 평화가 지속된 근세에 대해서는 당대의 불교계에서 원친평등이 어떻게 보관되었는지에 초점을 맞출 것이다. 근대초기에 대한 고찰에서는 무진전쟁기~서남전쟁기 전사자제사의 추이에 주의하며 '원친평등론'의 전개가능성을 모색할 것이다. 서남전쟁기에 대해서는, 메이지시대 거사 (居士)신앙의 필두라 할 수 있는 오우치 세이란(大內靑巒)이 간행한 『明教新誌』의 기사를 주로 분석하도록 하겠다.

제4장에서는 우선 원친평등의 용어가 청일·러일전쟁기에 어떤 경위에서 급부상했는지를 추적할 것이다. 이는 앞서 들었던 두 번째 연구방법에

44

대응하는 작업이라 할 수 있다. 이어서 〈원친평등='피아전사자공양'〉설의 타당성을 실증한다는 의도에서 청일·러일전쟁기에 원친평등이 원용된 문맥을 몇 가지 범주로 나누어 다소 도식적인 고찰을 시도할 것이다.

제5장과 마찬가지로 주요 분석대상은 근대에 들어서서 간행된 불교계의 기관지 및 그에 준하는 잡지이다. 1940년대까지 시야에 넣고 열거하자면, 『伝灯』『六大新報』『密嚴敎報』(眞言宗), 『四明余霞』『宗報』(天台宗), 『日宗新報』『日蓮主義』(日蓮宗), 『淨土敎報(週報)』(淨土宗), 『本山事務報告』『宗報』『眞宗』(眞宗), 『正法輪』『臨濟時報』(臨濟宗), 『(曹洞)宗報』『曹洞敎報』(曹洞宗)를 들 수 있으며, 그 밖에 청일전쟁 이후 특히 러일전쟁기에 접어들어 대량생산된 조제(弔祭) 관련 자료집[43]과 종교계 굴지의 신문인『中外日報』등을 아울러 검토할 것이다.

제5장에서는 제1차세계대전기~아시아태평양전쟁기에 '원친평등론'이 어떻게 변용되었는지를 추적할 것이다. 먼저 제1차세계대전기의 '원친평등론'에 대해서는 불교계의 전도전략에 주의하며 평화무드 속에 거행된 '세계적 추도회'를 분석한다. 이어서 중일전쟁기에 대해서는 선무공작으로서의 '원친평등론'이라는 틀을 전제로, '원친평등론'이 설파되는 장이 국한되고 그 내용이 특정되어가는 양상을 추적할 것이다. 그 연장선상에서 1930~40년대의 관음신앙운동, 마쓰이 이와네가 건립한 흥아관음에 대해 살펴보도록 하겠다.

제6장에서는 '피아전사자공양'의 사례연구로서 고야산 소재의 고려진공양비[44]를 검토한다. 우선 비문을 세밀하게 분석하여 조선군전사자가

---

43) 주요 자료집 목록은 다음 논고에 소개되어 있다. 粟津賢太, 「戰沒者慰靈と集合的記憶－忠魂·忠靈をめぐる言說と忠靈公葬問題を中心に－」, 『日本史硏究』 501, 2004, 182~185쪽.

44) 이 공양비에 대해서는 사료 상 몇 가지 명칭이 존재하지만, 본서에서는 이 비가 와카야마현(和歌山縣) 지정문화재로 등록될 당시의 명칭(高麗陣敵味方戰死者供養碑)에 근거하여 고려진공양비로 표기하도록 하겠다.

망각된 이유를 해명하고, '피아전사자공양'을 둘러싼 근세인의 시선을 일별한다. 이어서 근대 일본사회에서 고려진공양비가 각광받게 된 경위를 확인하고, 역사의 단절과 연속성문제를 염두에 두며 '피아전사자공양'을 둘러싼 '집요저음'[45]에 대해 생각해 보고자 한다.

이처럼 원친평등의 용례를 세밀하게 추적하는 방법을 취하는 본서는 원친평등의 '개념사'를 시도하는 것이라고도 할 수 있다. 이러한 방법론에 연동하는 바이지만, 본서의 서술은 전사자공양을 다루는 일반적인 역사연구서의 서술에 비하면 다소 무미건조하다는 인상을 줄지도 모르겠다. 그러나 본서의 최대의 의의는 오히려 이러한 서술을 통해 일본사회의 전사자공양을 둘러싼 논의의 기반을 다지는 데에 있다. 전사자공양을 둘러싼 갖가지 논의에서 원친평등이 반복해서 거론되지만, 실제로 그것이 어떤 뉘앙스를 지니고 있는 것인지 누구 하나 명쾌하게 설명하지 못하는 것이 현재의 연구 상황이 아닌가 싶다.

한편 본서에 대해서는 인용되어도 좋을 법한 사료가 생략되었다는 비판도 예상된다. 실제로 원친평등이나 '원친평등론'을 연상케 하는 문구와 문장은 시대를 불문하고 다수 존재한다. 그러나 본서에서는 그러한 예들을 의식적으로 배제했다. 그러한 예들을 원친평등, '원친평등론'으로 용인하면, 기준의 부재라는 선행연구의 오류를 반복할 수도 있기 때문이다. 이러한 이유에서 본 연구에서는 기본적으로 원친평등이라는 숙어에 의도적으로 집착한다는 점을 미리 밝혀둔다. 원친평등은 사료 상 '怨親平等', '冤親平等', '寃親平等'으로 표기되는데, 각 숙어에서 '怨', '冤', '寃'(冤의 속자)은 모두 원적(怨敵)을 의미하며, 표기에 따른 의미의 차이는 인정되지 않는다.

본 연구에서 전사자란 전투과정에서 희생된 자들을 기본으로 하되,

---

45) 丸山眞男, 「歷史認識の「古層」」, 『丸山眞男集 第10卷』, 岩波書店, 1996 ; 同, 「政事の 構造-政治意識の執拗低音-」, 『丸山眞男集 第12卷』, 岩波書店, 1996을 참조.

46

전쟁의 제 국면에서 희생된 자들을 일부 포함하는 개념으로 사용한다. 이와 관련하여 일본학계에서는 '전쟁사자'라는 표현이 종종 사용되지만,[46] 한국의 독자들에게 생소한 개념이기도 하고 한편으로 불필요한 오해를 불러일으킬 수 있다는 판단에서 사용하지 않기로 했다.

공양대상을 기준으로 하면, 전사자공양은 아군전사자공양, 적군전사자공양, 피아전사자공양으로 대별할 수 있다. 선행연구에서 '피아전사자공양'을 느슨한 개념으로 사용했다는 점은 앞서 지적한 바와 같다. 물론 사료 상 적군전사자공양인지 피아전사자공양인지 분명하게 드러나지 않는 경우도 더러 있지만, 이념적으로 양자는 엄밀하게 구분될 필요가 있을 것이다. 따라서 본서에서는 선행연구와 관련해서만 '피아전사자공양'이라는 표기를 사용하도록 하겠다.

본서에서는 '공양', '진혼'이라는 용어를 자주 사용하는데, 사자에 대한 접대로서의 '공양'은 '진혼'의 한 방법으로 자리 매김 된다. '진혼'에는 생자와 사자의 역학관계에 따라 두 가지 방향성이 상정된다. 즉 생자가 사자를 위무하는 방향성과 억누르는 방향성이 상정되는데, '공양'은 전자에 해당한다.[47] 본서에서는 '진혼'을 'たましずめ'나 'たまふり'의 의미로는 사용하지 않는다.

끝으로 인용사료의 표기에 대해 언급해 두자면, 번역을 원칙으로 하며 각종 기술용어는 본래의 의미를 손상시키지 않는 범위 내에서 가급적 풀어쓰도록 하겠다. 원 사료의 강조점 등의 표기는 모두 생략하고, 할주(割註)는 [ ]으로 묶는다. 인용사료의 밑줄 및 ( )은 모두 인용자에 의한 것이다.

---

46) 2000년대 이후 일본학계에서는 '전쟁사자'라는 용어가 비교적 폭넓게 사용되어, 현재는 대부분의 연구자가 홑 따옴표 없이 쓰고 있는 실정이다. 이 용어가 정착되는 데 분기점이 된 논고로는 다음을 들 수 있다. 西村明,『戰後日本と戰爭死者慰靈－シズメとフルイのダイナミズム－』, 有志舍, 2006.

47) 池上良正,『死者の救濟史－供養と憑依の宗敎學－』을 참조.

〈표〉 주요 선행연구를 통해 본 원친평등 사례(전근대의 전사자공양에 한정함)

	내용	鷲	橋	辻	長	村	高	山
770년	쇼토쿠(稱德)천황, 후지와라노 나카마로(藤原仲麻呂)의 난 후에 백만탑(百萬塔)을 사원에 안치하다.							○
947~49년	스자쿠(朱雀)상황, 관군과 적군 전사자의 명복을 빌다.			○	○			○
1064년경	미나모토노 요리요시(源賴義), 적군 전사자의 귀를 안치하는 이납당(耳納堂)을 세우다.			○				
1170년경	다이라노 시게모리(平重盛), 호라쿠지(法樂寺)에서 겐페이(源平) 전사자의 명복을 기원하다.						○	
1186년	고시라카와(後白河)상황, 곤고부지(金剛峯寺)의 근본대탑을 중흥하고 헤이케(平家)의 명복을 빌다.			○	○			
1187년	고시라카와상황, 호겐(保元)의 난 이래 전사자의 명복을 빌다.			○	○			○
1190년	미나모토노 요리토모(源賴朝), 헤이케의 명복을 빌기 위해 만등회를 개최하다.	○						
1189~92년	미나모토노 요리토모, 오슈(奧州) 후지와라씨와 요시쓰네(義経) 등의 원령을 달래기 위해 요후쿠지(永福寺)를 세우다.	○		○	○			
1197년	미나모토노 요리토모, 호겐의 난 이래의 전사자, 특히 헤이케의 희생자를 위해 팔만사천탑을 조성하다.	○	○					○
1209년	가마쿠라 막부에서 가지와라 가게도키(梶原景時)의 명복을 비는 불사가 거행되다.			○				
1281년경	몽고습래의 전적지에서 원군(元軍) 전사자의 명복이 빌어지다.			○		○		
1282년	호조 도키무네(北條時宗), 몽고습래에서 희생된 전사자의 명복을 빌 요량으로 엔가쿠지(円覺寺)를 세우다.	○	○	○	○		○	○
1282년경	'몽고의 비'(현 젠노지[善應寺] 소재), 세워지다.							○
1335년	아시카가 다카우지(足利尊氏), 호조씨 등의 원령을 달래기 위해 고후쿠지(光福寺)에 기진을 하다.	○						
1335년	고다이고(後醍醐) 천황과 다카우지, 호카이지(宝戒寺)를 세우고, 호조 다카도키(北條高時)의 명복을 빌다.	○		○	○			
1335년경	구스노키 마사시게(楠木正成), 요세테즈카(寄手塚)와 미카타즈카(身方塚)를 조성하다.			○	○			○
1338~45년	안코쿠지(安國寺)와 리쇼토(利生塔)가 설정, 건립되다.		○	○	○	○	○	○

연도	내용						
1345년	북조(北朝)와 무로마치막부, 고다이고 천황의 명복을 비는 덴류지(天龍寺)를 건립하다.	○	○	○		○	○
1354년	다카우지, 전사자의 명복을 빌며 일체경을 서사(書寫)하다.	○	○	○			
1356년	사사키 도요(佐々木道譽), 피아전사자 공양을 위해 저택 부지를 사조도량(四條道場)에 기진하다.	○	○				○
1359년	오하라(大原)의 전투 후, 아군과 적군이 협동하여 전사자 일반의 명복을 기원하다.		○	○			
1392년	아시카가 요시미쓰(足利義滿), 메이토쿠(明德)의 난에서 희생된 자들을 위해 불사를 거행하다.	○	○	○			○
1401년~	기타노 만부경회(北野萬部經會) 거행되다.			○			
1417년	우에스기 노리모토(上杉憲基), '피아전사자공양'을 위해 엔가쿠지에 기진을 행하다.			○			
1418년	우에스기 젠슈(上杉禪秀)의 난 후, 피아전사자 등을 위한 공양비가 쇼조코지(淸淨光寺)에 세워지다.	○	○	○		○	○
1475년	마쓰다이라 지카타다(松平親忠), 피아전사자의 보리(菩提)를 위해 다이주지(大樹寺)를 세우다.		○	○			
1526년경	호조 우지도키(北條氏時), 사토미(里見) 군과의 전투 후, 피아전사자를 위해 수총(首塚)을 조성하다.					○	
1542년	소마 아키타네(相馬顯胤), 피아전사자를 위해 수총을 축조하다.		○	○			
1549년	시마즈 다카히사(島津貴久)의 군병, 적군 전사자의 명복을 빌다.		○				
1560년	오다 노부나가(織田信長), 오케하자마(桶狹間)의 전투 후, 이마가와(今川) 군 전사자를 위한 무덤을 만들다.	○	○	○			
1572년	시마즈 다다히라(島津忠平), 이토(伊藤)측 전사자의 명복을 빌기 위해 휴가(日向) 기자키바루(木崎原)에 육지장(六地藏)을 세우다.		○	○			
1575년	시노하라(篠原)·시다라하라(設樂原)의 전투 후, 신겐즈카(信玄塚) 세워지다.		○				
1578년	시마즈 요시히사(島津義久), 미미가와(耳川)의 전투 후, 오토모(大友)씨의 명복을 빌기 위해 붕고즈카(豊後塚)를 세우고 대시아귀를 행하다.		○	○			
1584년	시마즈 요시히사, 시마바라(島原)의 전투 후, 피아전사자의 명복을 빌다.		○	○			
1586년	시마즈씨, 이와야(岩屋)성 함락 후, 피아전사자의 명복을 빌다.		○	○			

연도	내용	鷲	橋	辻	長	村	高	山
1589년	미나모토 아리노부(源有信), 미미가와 전투에서 희생된 전사자 일반을 위해 공양비를 세우다.	○	○					
1597년	이총 조성되다.	○	○					○
1599년	시마즈씨, 고려진공양비를 세우다.	○	○	○	○	○	○	○
1600년	도도 다카토라(藤堂高虎), 오야 요시쓰구(大谷吉継)를 위해 무덤을 조성하다.			○				
1634년	호소카와 다다오키(細川忠興)의 가신 사와무라 요시시게(澤村吉重), 비를 세워 적군 전사자의 보리를 기원하다.			○				
1648년	아마쿠사(天草) 대관(代官) 스즈키 시게나리(鈴木重成), 시마바라의 난에서 희생된 기리시탄을 위해 불사를 행하고 공양비를 세우다.			○				

* 약기한 선행연구의 내역은 다음과 같다.

鷲=鷲尾順敬, 「國史と仏教(上)」, 『正法輪』 273, 1910

橋=橋川正, 「怨親平等の思想」, 『大谷學報』 10(4), 1929

辻=辻善之助, 『日本人の博愛』, 金港堂, 1932

長=長谷川伸, 『日本捕虜志』(『長谷川伸全集(第九卷)』, 朝日新聞社, 1971에 수록)

村=村上重良, 『慰靈と招魂－靖國の思想－』, 岩波書店, 1974

高=高橋哲哉, 『靖國問題』, 筑摩書房, 2005

山=山田雄司, 『跋扈する怨靈－祟りと鎭魂の日本史－』, 吉川弘文館, 2007

* 위의 표는 선행연구의 주장을 반영하여 작성한 것으로, 모든 사례가 문헌사료 등을 통해 증명되는 것은 아니다.

제1장 '원친평등론'의 역사적 전제

제1절 고대~중세초기의 전사자공양

사료용어로서의 원친평등을 매개로 한 전사자공양의 논리, 즉 '원친평
등론'의 전개에는 두 가지 기반이 상정된다. 그 기반이란 전사자공양의
관행과 원친평등이라는 용어의 유포로, 이들 기반이 존재하지 않는 한
'원친평등론'은 전개될 여지가 없다. 그래서 본장에서는 '원친평등론'에
대한 본격적인 논의에 앞서, 일본사회에서 전사자공양이 어떤 맥락 하에
이루어졌는가를 점검하는 한편, 몇 가지 원친평등의 용례를 검토하고자
한다. 단, 13세기 후반 여몽연합군의 일본침공 이후 '원친평등론'이라
할 만한 담론이 등장하는 점을 고려하여, 고찰범위는 고대~중세초기에
한정하기로 한다. 그럼 우선 전사자공양부터 살펴보기로 하자.

전근대 일본사회의 전사자공양을 일별해 보면, 상당수의 피아전사자공
양과 적군전사자공양이 눈에 띈다. 물론 아군전사자공양도 종종 펼쳐졌지
만,[1] 전후에 성대하게 실시되어 사회일반에서 장기간 기억되고 참조된
것은 피아전사자공양과 적군전사자공양이었다. 피아전사자공양과 적군

---

1) 田辺旬,「鎌倉幕府の戦死者顕彰－佐奈田義忠顕彰の政治的意味－」,『歴史評論』
714, 2009 ; 谷口雄太,「中世日本の怨霊鎮魂・怨親平等・慰霊顕彰とその系譜」,『澪
標』58, 2009를 참조.

전사자공양은 전근대 일본사회의 전사자공양에서 결코 간과할 수 없는 비중을 차지하고 있었다. 그래서 이하에서는 이 두 가지 전사자공양에 논의의 초점을 맞춰보고자 한다.

고대~중세초기의 피아전사자공양과 적군전사자공양의 대표적인 사례는 서장에서 확인한 바와 같은데, 그들 사례는 대략 자비·덕정·원령진혼이라는 세 가지 맥락에서 파악된다. 이 세 가지 맥락은 예컨대 '자비→덕정→원령진혼'과 같이 시간 순으로 정연하게 등장한 것은 아니며, 기본적으로 개별사례에서 혼재된 형태로 확인된다.

우선 피아전사자공양의 대표적인 사례 두 가지를 들어보도록 하자. 930~940년대에 발생한 조헤이·덴교(承平·天慶)의 난 직후에 작성된 스자쿠상황(朱雀上皇)의 기원문2)에는 자비의 맥락이 두드러진다. 이 기원문의 본문은 "자비를 배로 삼아 서류(庶類)를 고해로부터 구원한다"는 구절로 시작되고 있으며, 이 구절에 호응하듯 "지금 사생(四生)의 안도함이 없음을 생각하여, 가엾이 여김을 부처님이 구유(具有)하는 열 가지 지력(十力)에 구한다"는 구절이 뒤를 잇는다. 스자쿠상황은, 구체적으로는 '관음상육포(六鋪)'와 '법화경육부(六部)'를 공양하며 전란에서 희생된 '서류'와 '사생'의 구제를 기원했다.

그러나 스자쿠상황의 기원문이 자비로 완결되지 않고 왕토왕민사상에 근거한 덕정의 논리를 내포하고 있다는 점은, 앞서 예시한 "관군이든 역당이든, 왕이 지배하는 땅에 누구 하나 왕민 아닌 자가 있겠는가. 승리를 원친에 나누어 평등하게 구제하고자 한다"는 구절에서 확인할 수 있다. 이 구절은 다이라노 마사카도(平將門) 추토를 명령한 '덴교 3년 1월 11일부 동해동산도제국사(諸國司) 앞 태정관부'3)에 보이는 "한 하늘 아래에 어찌

---

2) 「朱雀院平賊後被修法會願文」(『本朝文粹』 卷第13 수록).

3) 『本朝文粹』 卷第2 수록.

왕토 아닌 것이 있겠는가. 구주(九州) 안에 어찌 공민 아닌 자가 있겠는가"
라는 구절에 대응하는 것이라고 할 수 있다.

　스자쿠상황의 공양이 고대 왕권에 의한 피아전사자공양을 대표한다면,
1180년대 지쇼·주에이(治承·壽永)의 내란기에 고시라카와상황(後白河上
皇)이 주최한 일련의 불사(佛事)는 중세초기 왕권에 의한 피아전사자공양
을 대표한다고 할 수 있다. 고시라카와상황에 의한 피아전사자공양은
1185년 단노우라(壇ノ浦) 전투에서 평씨(平氏) 일족이 멸망한 것을 계기로
대두되었는데,[4] 그것은 기본적으로 전란의 장기지속으로 인해 황폐해진
사회를 본래의 모습으로 되돌리고자 시행된 덕정으로 파악된다.[5] 예컨대,
1187년 '호겐(保元) 이래 전장에서 목숨을 잃은 자들'을 위해 거행된
추선공양이 '천하생선(生善)의 방책'으로 자리 매김 되고, 거기에 '진호국
가의 거익(巨益)'이 기대된 것은[6] 이 점을 여실히 보여준다.

　그런데, 이들 덕정으로서의 피아전사자공양의 근저에는 평씨 원령에
대한 강한 우려가 깔려 있었다. 예컨대, 1186년 반나(鑁阿)의 해장(解狀)[7]에
근거하여 고야산(高野山)에서 거행된 피아전사자공양과 관련해서는 "평
씨 일류(一流)가 멸망한 것은 비록 제 스스로의 역심(逆心)에 의한 것이지만,
(평씨 희생자들은) 다소간 유한(遺恨)을 품고 있을 것이다. 그 원령을
달래기 위해 고야산에서 명복을 비는 법사(法事)를 행할 것이다"라는
원선(院宣)이 발급되었으며,[8] 가마쿠라막부에서도 "상황의 발원으로 평

---

4) 최초의 사례로는 불특정다수의 보시라는 형식으로 이루어진 팔만사천탑공양을
　들 수 있다. 이에 대해서는 「後白河法皇院宣寫」(『覺禪鈔』造塔法下에 수록) ;『山
　槐記』文治 원년 8월 23일조를 참조.

5) 중세의 덕정 개념에 대해서는 다음 논고를 참조. 笠松宏至,『德政論―中世の法と慣
　習―』, 岩波書店, 1983.

6) 「後白河法皇院宣」(『鎌倉遺文』217호).

7) 「後白河院廳下文」(『鎌倉遺文』101호) 참조.

8) 「後白河法皇院宣寫」(『勅書綸旨院宣類聚』[東京大學史料編纂所藏 영사본]).

54

씨 원령을 달래기 위해 고야산에 대탑을 건립하실 것이다"라고 인식되고
있었다.9) 고시라카와상황이 임종에 이르기까지 평씨 출신인 안토쿠천황
(安德天皇)의 원령을 강하게 의식했던 점10)을 아울러 생각해 볼 때, 1185년
이후 수년에 걸쳐 실시된 일련의 피아전사자공양에 평씨 원령의 그림자가
짙게 드리워져 있었던 점은 틀림없다 할 것이다.

이처럼 고대~중세초기의 피아전사자공양을 일의적으로 파악하는 것
은 곤란하지만, 중세에 접어들면서 원령진혼의 맥락이 두드러지는 점은
인정된다. 스토쿠상황(崇德上皇) 원령 등 역사를 움직이는 원령의 탄생이
나,11) 1221년 조큐(承久)의 난을 전후하여 몇 번이고 원령진혼을 시도한
천태좌주(天台座主) 지엔(慈円)의 움직임은12) 시대의 추이를 짐작케 한다.
이러한 변화는 고대 이래로 축적되어 온 원령을 둘러싼 사회적 상상력이
시대전환의 경종을 울리는 전란의 연쇄를 계기로 단번에 부풀어 오른
결과라 할 수 있을 것이다.

원령진혼의 맥락이 비대해졌다는 것은 한편으로 적군전사자공양이
빈번하게 펼쳐졌다는 것을 의미하기도 한다. 실제로 중세에 접어들어
적군전사자공양은 비약적으로 증가하는데, 이러한 시대 흐름 속에서
등장한 것이 가마쿠라막부(鎌倉幕府)이다.

우선 요후쿠지(永福寺)는, 1189년의 오슈전투(奥州合戰) 직후에 미나모
토노 요리토모(源賴朝)가 "관동이 장구하기를 원려(遠慮)하신 나머지 원령

9) 『吾妻鏡』 文治 2년 7월 24일조.
10) 『玉葉』 文治 원년 7월 3일조 ; 『同』 建久 2년 윤12월 14일~29일조 등.
11) 스토쿠상황 원령에 대한 대표적인 연구로는 다음의 논고들을 들 수 있다. 水原一,
「崇德院說話の考察」, 『平家物語の形成』, 加藤中道館, 1971 ; 原水民樹, 「崇德院の
復權」, 『國學院雜誌』 87(7), 1986 ; 同, 「崇德院信仰史考(一)」, 『言語文化研究』 4,
1997 ; 山田雄司, 『崇德院怨靈の研究』, 思文閣出版, 2001.
12) 多賀宗隼, 『慈円の研究』, 吉川弘文館, 1980 ; 李世淵, 「承久の亂－轉回する怨靈鎭魂
問題と鎌倉武士の心性」, 『比較文學・文化論集』 26, 2009 등을 참조.

을 달래고자" 세웠다고 한다.[13] '관동'의 '장구'라는 구절에서 동국왕권-
가마쿠라막부의 덕정이 간취되지만, 그 구체적인 방편으로 채택된 것이
바로 원령진혼이었던 것이다. 요후쿠지는 가마쿠라의 이른바 귀문(鬼門)-
귀신이 출입한다는 동북면의 땅에 세워졌다. 오슈전투 때 기소 요시나카
(木曾義仲)·미나모토노 요시쓰네(源義経)·후지와라노 야스히라(藤原泰
衡)의 원령이 가세한 오슈 후지와라씨의 잔당에게 막부군이 공격받았다는
기록[14]에 비춰볼 때, 요후쿠지의 입지에는 호시탐탐 가마쿠라를 노리는
원령에 대비한다는 의미가 담겨 있었다고 판단된다.[15]

　1197년 제국(諸國)에 조성된 팔만사천탑에 평씨 원령을 잠재우려는
의도가 있었다는 점은 서장에서 지적한 바와 같은데, 그 밖에도 비슷한
사례는 다수 존재한다. 예컨대, 1194년에는 소가(曾我) 형제의 복수를
배경으로 지쇼·주에이의 내란기 때 제명에 죽지 못한 동국무사들의 원령
이 새삼 진혼되었으며,[16] 미나모토노 사네토모(源實朝) 시대에는 요리토
모 사후에 전개된 권력투쟁과정에서 희생된 고케닌(御家人)들의 원령이
종종 진혼되었다.[17] 또한 조큐의 난 후 낙도에 유배되어 원념을 불태우며
세상을 떠난 고토바상황(後鳥羽上皇)의 원령을 잠재우고자, 막부가 새로
운 진혼시설을 조영한 사실도 간과할 수 없다.[18] 가마쿠라막부의 종묘라

---

13) 『吾妻鏡』宝治 2년 2월 5일조.

14) 『吾妻鏡』文治 5년 12월 23일조 ; 『吾妻鏡』建久 원년 정월 6일조를 참조.

15) 원령의 발호로부터 가마쿠라를 지킨다는 발상은 그 후에도 계승되었던 것 같다.
　　예컨대, 가마쿠라의 영소하라에(靈所祓)·영소마쓰리(靈所祭)의 장은 대략 처형·
　　효수·수급확인(首實檢)의 장과 겹친다. 즉, 유이가하마(由比浜)·가네아라이자와
　　(金洗澤)·가타세가와(固瀬河)·무쓰라(六浦) 등은 원령의 발호가 우려되는 장소로
　　인식되어 영소하라에·영소마쓰리의 장으로 편성되었다고 보여진다. 상세한 내용
　　에 대해서는 李世淵, 「承久の亂―轉回する怨靈鎭魂問題と鎌倉武士の心性」을 참조.

16) 『吾妻鏡』建久 5년 3월 25일조 ; 『吾妻鏡』建久 5년 윤8월 8일조.

17) 『吾妻鏡』承元 3년 5월 20일조 ; 『吾妻鏡』建保 원년 12월 3일조 ; 『吾妻鏡』
　　建保 3년 11월 25일조.

18) 『吾妻鏡』宝治 원년 4월 25일조.

할 수 있는 쓰루가오카 하치만궁(鶴岡八幡宮)이 원령진혼의 장으로서의
성격을 지니고 있었다는 점을 감안하면,[19] 가마쿠라막부가 주최한 각종
피아전사자공양과 적군전사자공양에 원령진혼의 맥락이 두드러지는 것
은 매우 자연스러워 보인다.

　이처럼 중세초기의 피아전사자공양과 적군전사자공양은 원령진혼의
맥락에 자비·덕정의 맥락이 부수된 형태로 거행되었다. 이러한 시대
흐름 속에서 13세기 말에 이르러 원친평등이 설파되는데, 그 내용을
검토하기에 앞서 우선 고대~중세초기의 원친평등 용례를 일별해 보도록
하자.

제2절 고대~중세초기의 원친평등 용례

　원친평등은 불교전적에 자주 등장하는 용어이다. 예로부터 일본사회에
도 잘 알려져 있었던 듯, 저명한 승려들이 원친평등에 대해 언급하고
있다. 몇 가지 관련 사료를 제시하면 다음과 같다.

　　천태지자대사(天台智者大師)가 해석한 대승경 등과 설파한 교적(敎迹),
　　제2·제5·제6 교조 등의 전기, 별가(別家)의 초(抄) 등 (중략) 대당 태주(台州)
　　임해현(臨海縣) 용흥사(龍興寺) 정토원에서 주요 전적을 필사하여 이미
　　추고(追考)를 마쳤다. 삼가 당주(當州)의 인신(印信)을 청한다. (중략) 바라
　　건대, 전법(傳法)의 고광(高光)이 사군(使君)에게 회향되어 항상 복이 증진
　　되고 지혜가 온전해지기를. 그러한 연후에 모든 세계에 존재하는 모든
　　함식(含識)에게 널리 미쳐 모두 같은 보거(寶車)에 타고 다 같이 팔정로(八正
　　路)에서 뛰놀기를. 원친평등이며 자타구(自他俱)이다.[20]

---

19) 山本幸司, 『賴朝の精神史』, 講談社, 1998, 제7장을 참조.

친제자(親弟子) 가운데 심성이 갖추어지지 않은 자에게 절대 부여해서
는 안 된다. 대대로 이어지는 좌주(座主)와 아쟈리(阿闍梨)여! 혹은 자문(自
門)의 제자 가운데, 혹은 동문(同門)의 상제자(相弟子) 및 제문도(諸門徒)
등 가운데 능력 있는 자를 선정하고 원친평등의 관행(觀行)을 행한 후
맡게 하라.21)

자무량(慈無量)은 제중생(諸衆生)에 인연을 맺어 즐거움과 편안함을
주고자 하는 마음이다. 비무량(悲無量)은 제중생에 인연을 맺어 고통에서
구하고자 하는 마음이다. 희무량(喜無量)은 고통에서 구하고 즐거움과
편안함을 주며 기꺼워하는 마음이다. 사무량(捨無量)은 원친평등의 마음
이다. 이는 곧 선정(禪定) 중에 이들 네 가지 마음을 수행하는 것이다.22)

(하시우라가키[端裏書])「西蓮御房 高弁」
　　소비구(小比丘) 고벤(高弁)이 무릎 꿇고 봉청(奉請)합니다.
금자삼존일포(今字三尊一鋪)
　예전에 삼가 일월을 우러러보고, 지금 긴 밤의 암로(闇路) (결락) 우연히
금자 신필(宸筆)을 받들게 되었습니다. 홀연히 윤왕(輪王)의 보주(宝珠)를
얻은 바에 비견할 수 있습니다. 고도(孤嶋) 보각(宝閣)의 벽은 제법(諸法)
인과의 경계를 무너뜨립니다.
　예려(叡慮)의 깊은 뜻을 살펴보건대, 원친평등의 도리에 비춰 육취(六
趣)가 은택을 입고 사생이 법리(法利)를 맛보게 하는 것이라 할 것입니다.
크게 기쁜 마음이 가슴에 새겨지고, 갈구하여 우러르는 마음이 뼈에
사무칩니다. 거듭
　용안을 불전에서 무릎 꿇어 배견하고

20)『伝教大師將來台州錄』,『大正新脩大藏経』第55卷, 1057쪽c.
21)『御遺告』東寺座主大阿闍梨耶可護持如意宝珠緣起第24,『大正新脩大藏経』第77
　　卷, 413쪽c.
22)『黑谷上人語燈錄』卷第8(『大正新脩大藏経』第83卷, 150쪽b).

58

봉음(鳳音)을 정찰(淨刹)에서 배청하기를 바라옵니다. 소비구 고벤이 머리를 조아리고 두 손을 모아 삼가 두려워하며 말씀 올립니다.[23]

첫 번째 사료는 804년 당에 건너간 사이초(最澄)가 이듬 해 2월 19일, 태주 임해현에 소재한 용흥사 정토원에서 필사작업을 마치고 기록한 발문(跋文)이다. 사이초는 필사한 전적의 목록을 열거한 후 "삼가 당주(當州)의 인신(印信)을 청한다"라고 보이듯이, 필사의 내역에 대한 증명을 태주자사(刺史) 육순(陸淳)에게 청했다.[24] 원친평등은 필사작업에 의한 이익('전법의 고광')의 회향에 대해 서술하는 문맥에서 원용되고 있다. 사이초는 우선 '사군(使君)'=태주자사를 배려하고 있지만, 이어서 일체중생에 이르기까지 불전 필사의 이익이 미칠 것을 기원하고 있다. 원친평등은 회향의 대상인 "모든 세계에 존재하는 모든 함식(含識)"을 부연하고 있다고 할 것이다.

두 번째 사료는 구카이(空海)가 입정(入定) 엿새 전에 제자들에게 남겼다는 유언의 일부이다. 그 내용은 근친이라는 이유로 여의보주(如意寶珠)의 비법을 무턱대고 전수해서는 안 되며, '원친평등의 관행' 즉 원친평등의 도리를 관념하는 수법을 행한 후 자질 있는 인재에게 전수해야 한다는 것이다.

다음으로 예시한 『黑谷上人語燈錄』은 호넨(法然)의 법어·유문을 편집한 것으로, 도코(道光) 등에 의해 1274년에 성립한 서책이다. 한어(漢語)·화어(和語)·습유(拾遺)로 구성되었는데, 위 인용문은 한어 『黑谷上人語燈錄』의 일부이다.

---

23) 「高弁奉請文案」(『高山寺文書』 41호[『高山寺資料叢書』 第4冊, 東京大學出版會, 1975, 48~49쪽]).
24) 사이초의 필사작업과 장래목록의 제본(諸本) 등에 대해서는 다음 논고를 참조. 酒寄雅志, 「最澄の將來目錄と遣唐使の印」, 『栃木史學』 20, 2006.

이 사료에서 원친평등은 이른바 네 가지 무량심(四無量心) 가운데 사무량심(捨無量心)을 설명하는 문맥에서 원용되고 있다. 네 가지 무량심이란 불특정 다수인 중생에 대해 무한한 복을 주고자 하는 네 가지 마음(자비희사)을 가리키는데, 그 가운데 사무량심(捨無量心)이란 타자에 대한 무증무애(無憎無愛)의 마음으로, 무연(無緣)의 자비에 통한다고 일컬어진다. 이 같은 맥락의 무량심에는 물론 전거가 존재한다. 예컨대, 『大智度論』 권제20에는 "네 가지 무량심이란 다음과 같다. 자(慈)는 중생 모두 즐거워함을 관념하는 것이며, 비(悲)는 중생 모두 고통스러워함을 관념하는 것이고, 희(喜)는 중생 모두 기뻐함을 관념하는 것이다. 이들 세 가지 마음을 버린다는 것은 단지 중생을 관념하매 미워하고 사랑함이 없음이다"라고 보이며,[25] 『達磨多羅禪経』 권하에는 "사무량(捨無量)은 원친을 버리고 이는 오로지 중생을 차별함이 없음이다"라고도 보인다.[26] 사무량심(捨無量心)을 '원친평등의 마음'이라 한 것은 호넨의 독특한 수사라고도 여겨지지만, 선례라 할 만한 것이 전혀 없는 것은 아니다. 예컨대, 신라출신의 입당승 둔륜(遁倫)은 『瑜伽論記』에서 네 가지 무량심을 해설하면서 "원친평등인 까닭에 이름하기를 사(捨)라 한다"라고 했다.[27] 수행을 거듭하던 젊은 시절의 호넨은 사무량심(捨無量心)을 원친평등이라 설파하는 담론에 접하고 있었을지도 모른다.

마지막으로 든 사료는 1231년 11월, 고토바상황 자필의 금자삼존을 하사받은 후 기록한 묘에(明惠)의 봉청문(奉請文) 사본이다. 문서의 관련사항을 약기하는 하시우라가키에 따르면, 유배 중이던 고토바상황과 묘에는 고토바상황의 측근인 사이렌(西蓮)[28]을 매개로 연락을 취하고 있었던

25) 『大正新脩大藏経』 第25卷, 206쪽a.
26) 『大正新脩大藏経』 第15卷, 320쪽b.
27) 『大正新脩大藏経』 第42卷, 551쪽b.
28) 조큐의 난 때 관군의 총대장이었던 후지와라노 히데야스(藤原秀康)의 동생 히데요

60

것 같은데, 그 밖에 관련 사료는 보이지 않아 금자삼존의 전달경위 등은 명확히 알 수 없다. 그러나 1206년 고산지(高山寺) 부지의 하사 이래 고토바상황과 묘에가 일정한 관계를 유지하고 있었던 것은 분명하므로,[29] 금자삼존의 하사는 역사적인 사실인 것으로 추정된다.

묘에는 금자삼존을 전륜성왕(轉輪聖王)의 보주에 빗대고 고토바상황의 '예려'에 대해 언급하고 있는데, 그 가운데 원친평등이 보인다. 묘에는, 고토바상황의 '예려'가 일체중생을 차별하지 않고 그들 모두에게 이익을 초래하는 것이라고 설파하고 있지만, 이는 묘에의 원망(願望)이라 할 수 있다. 이러한 원망은 당시 묘에가 불식병(不食病)에 걸려 자신의 죽음을 예견하고 있었던 점[30]과 관련지어 생각할 필요가 있을 것 같다. 자신의 죽음을 예견하고 있던 묘에는, 귀경운동의 좌절[31]로 인해 한층 원념을 불태우고 있었을 고토바상황의 '예려'가 오히려 원친평등의 이념에 준거하고 있다고 강조함으로써 세상의 평화를 기원했던 것은 아닐까? 원친평등을 원용하는 묘에의 뇌리에는 조큐의 난을 전후한 공무(公武)의 대립상황이 존재했음에 틀림없다고 판단된다.

여기까지 검토한 용례를 아울러 생각해 볼 때, 원친평등은 고대 이래로 일본사회에서 잘 알려져 있었다고 짐작된다. 그러나 위에서 예시한 용례가

시(秀吉)의 유자(猶子)이다. 사이렌은 고토바상황의 북면(北面) 무사로 근무하여 상황의 총애를 받았으며, 조큐의 난 후에도 고토바상황에게 봉사했다. 1239년 고토바상황의 유골을 목에 걸고 교토에 들어온 것도 사이렌이었다(『百錬抄』 延応 원년 5월 16일조 등). 사이렌의 인물상에 대해서는 이하의 논고를 참조할 것. 松林靖明, 「『承久記』と後鳥羽院の怨靈」, 『日本文學』 34(5), 1985, 8쪽 ; 久保田淳, 「慈光寺本『承久記』とその周辺」, 『藤原定家とその時代』, 岩波書店, 1994, 198~202쪽 (초출 『文學』 47(2), 1979) ; 田渕句美子, 『中世初期歌人の研究』, 笠間書院, 2001, 105~116쪽·192~220쪽.

29) 平泉洸, 「後鳥羽上皇と明惠上人」, 『芸林』 38(4), 1989를 참조.
30) 「高山寺明惠上人行狀」(『明惠上人資料(第1)』, 東京大學出版會, 1971 수록) 참조.
31) 川合康, 「武家の天皇觀」, 『鎌倉幕府成立史の研究』, 校倉書房, 2004(초출 『講座前近代の天皇4 統治的諸機能と天皇觀』, 靑木書店, 1995)를 참조.

전사자공양과 무관하다는 점은 두 말할 나위 없다. 원친평등을 전사자공양
과 관련지은 것은 무가쿠 소겐(無學祖元)이었다. 다음 사료를 살펴보자.

> 우리 일본국은 (지장)보살의 인연이 가장 성숙하여 귀천과 노소가
> (지장보살의) 은덕을 우러르지 않는 바가 없다. 그러한 까닭에 우리 대단나
> (大檀那)께서도 은혜를 입은 것이 결코 적지 않다. 이 한 나라의 일을
> 담당하여 실로 보살의 힘에 기댄 바, 위난이 있을 때마다 원하는 대로
> 구호되었다. 이러한 보살의 은혜를 생각하매 이를 세워 원만하고 온전한
> 부처님의 깨달음의 세계(圓覺)에 들어서고자 한다. 숭각(崇閣)이 이미
> 완성되어 보살상을 봉안했다. 보살상과 천존(千尊)의 장엄이 앞서 갖춰졌
> 다. 지금 산야인(山野人)을 청하여 보살상에 대해 법요를 설파하도록
> 했다. (중략) 오직 바라건대, 대보왕(大寶王)께서 우리 일본국을 보우하사
> 우리 땅을 묘고산(妙高山)처럼 견고하게 하시고 우리 군사들을 나라연(那
> 羅延)처럼 용건(勇健)하게 하시며, 풍년이 들어 기근자가 없게 하시고
> 우리 백성들이 안락하고 역병이 모두 사라지게 하시며, 우리나라가 영원
> 토록 흔들림 없게 하시기를. (중략) 전년 및 왕고(往古)에 아군과 적군으로
> 전사하고 익사한 만중(萬衆)의 돌아갈 곳 없는 영혼들이, 오직 바라건대
> 신속히 구제되고 모두 고통의 바다를 넘어서기를. 법계(法界)는 명료하며
> 차별됨이 없다. 원친은 모두 평등하다(怨親悉平等).[32]

인용사료의 모두에 보이듯이, 소겐은 '대단나' 호조 도키무네(北條時宗)
가 지장보살에게 보은하고자 건립한 엔가쿠지(円覺寺)에서 법어를 설했
다. (중략) 이하에 인용한 것은 법어의 마지막 부분인데, 여기에서 소겐은
지장보살에게 일본국의 안녕을 기원하고, 나아가 몽고 침입과정 등에서
희생된 자들의 구제를 기원하고 있다.

이 불사에서 표면상 원령진혼의 맥락은 두드러지지 않지만, "역병이

32) 『仏光國師語錄』 卷4·普說, 『大正新脩大藏経』 第80卷, 173쪽~174쪽c.

62

모두 사라지게 하시며"라는 문구는 간과할 수 없다. 당시 역병이 원령과 불가분의 것으로 인식되었던 점,[33] 이른바 오에이의 외구(応永の外寇, 1419년 조선왕조에 의한 대마도정벌) 후에 만연한 역병이 적군 원령의 해코지로 인식되었던 점[34]을 참조하면, 도키무네가 주최한 불사에 원령진 혼의 목적이 존재했을 가능성은 부정할 수 없을 것이다.

소겐의 법어 가운데 특히 저명한 것은 마지막에 등장하는 "원친은 모두 평등하다"는 구절이다. 이 구절은 몽고침입과정에서 희생된 아군과 적군의 구제를 논리적으로 뒷받침하고 있다고 할 수 있다. 여기서 소겐이 말하고자 했던 바는, 대략 다음과 같은 것이 아닐까 싶다. 즉, "차별적으로 인지되는 원과 친은 불교적 원리에 입각하면 평등한 존재이다. 이러한 견지에서 볼 때 몽고침입과정에서 희생된 아군과 적군은 평등한 존재이며, 따라서 그들이 평등하게 구제되는 것은 당연한 일이다"라고 소겐은 주장 했던 것으로 보인다.

소겐의 주장은 전사자공양에 임하는 생자에 대한 설득의 담론이라 할 수 있다. 다시 말하자면, 소겐의 '원친평등론'은 피아의 전사자가 평등하게 구제되는 점을 생자에게 확인하는 담론이었다고 할 수 있다. 유감스럽게도 이 이상 소겐의 의도를 추적하는 것은 불가능하다. 소겐이 원친평등의 문구를 원용한 형적은 위의 인용사료 한 곳에서만 확인되기 때문이다. 그러나 소겐이 제시한 '원친평등론'이라 할 만한 전사자공양의 논리는 남북조시대에 들어서서 괄목할 만한 전개를 보인다. 이에 대해서는 다음 장에서 검토하기로 한다.

33) 橘恭堂,「わが國における怨靈信仰と『大般若経』の關係について－民間仏教史としての一考察－」,『御靈信仰』, 雄山閣, 1984(초출은『仏教史學』11(1), 1963)를 참조. 한편 역병과 '밖(外)'의 관계에 대해서는 村井章介,「中世日本列島の地域空間と國家」,『アジアのなかの中世日本』, 校倉書房, 1988(초출『思想』732, 1985)을 참조.
34)『看聞日記』応永 28년 7월 11일조 등.

제2장 '원친평등론'의 중세적 전개

후술하는 바와 같이, 남북조시대의 '원친평등론'은 원령진혼의 장에서 설파되었다. 따라서 그 내용을 적절하게 파악하기 위해서는 남북조시대의 원령진혼이 어떻게 이루어졌는지에 대해 충분히 주의를 기울이지 않으면 안 된다.

장기간에 걸친 남북조의 동란에서 제명에 죽지 못한 자들의 원념은 단번에 위무되거나 봉인되지는 않았다. 즉, 남북조시대에는 동란의 변곡점마다 원령의 발호가 우려되어 진혼이 시도되었다. 구체적으로 말하자면, 겐코(元弘)·겐무(建武) 연간(1331~38), 랴쿠오(曆応)·고에이(康永) 연간(1338~45), 분나(文和)·엔분(延文) 연간(1352~61), 메이토쿠(明德) 연간(1390~94)이 원령진혼의 획기라 할 수 있는데, 그 중심에 서 있었던 것이 바로 아시카가(足利) 장군가였다. 그래서 본장에서는 각 시기 아시카가 장군가의 위상과 동향을 확인해가면서 '원친평등론'을 분석하고자 한다. 그럼 우선 겐코·겐무 연간의 원령진혼의 양상에 대해 살펴보도록 하자.

제1절 가마쿠라막부의 멸망과 원령진혼의 양상

1333년 가마쿠라막부가 멸망하자, 호조 다카도키(北條高時) 이하 전사자에 대한 진혼이 사회적 현안으로 부상했다. 처음부터 이 문제에 관심을 가지고 깊이 관여한 것은 고다이고천황(後醍醐天皇)이었다. 이하 몇 가지 사례를 살펴보도록 하자.

1333년 6월 호키국(伯耆國) 센조산(船上山)에서 교토로 돌아온 고다이고천황은 곧바로 전사자진혼에 착수했다. 우선 고다이고천황은 6월 15일 칙원사(勅願寺)인 고쿠라쿠지(極樂寺)에 기도를 요청했는데,[1] 그 목적이 전사자의 진혼이었다는 점은 틀림없다. 왜냐하면 이 조치를 바탕으로 한 1333년 8월 18일자 쇼묘지(称名寺) 장로(長老) 수신 고쿠라쿠지 주지 슌카이(俊海)의 서장에 "명령하신 취지에 따라 기도를 올리시고, 조적(朝敵) 및 전투원들의 죄를 멸하고 명복을 비는 기도를 엄수하셔야 할 것입니다"[2]라고 보이기 때문이다.

이어서 같은 해 6월 29일, 고다이고천황은 윤지(綸旨)를 내려 지쿠고국(筑後國) 다케노장(竹野莊) 지토직(地頭職)을 '光明眞言之料所'로 사이다이지(西大寺) 장로 가쿠리쓰(覺律)에게 기진했는데,[3] 이 역시 전사자진혼을 배경으로 한 것으로 판단된다. 직접적인 증거는 없지만, 1336년 3월 24일 아시카가 다카우지(足利尊氏)가 '전장사졸의 망혼'을 추도하기 위해 지쿠

---

1) 『鎌倉遺文』 32275호.

2) 『鎌倉遺文』 32482호.

3) 『鎌倉遺文』 32305호. 가마쿠라 중기 이후, 광명진언이 사자공양의 수법으로 폭넓게 유포된 점은 소겐(宗源)에 관련된 일화에서도 추정 가능하다. 소겐은 정토종의 학승이었음에도 불구하고 추선수법으로서의 광명진언의 이익을 설파했다고 한다(『沙石集』 卷第二ノ七, 『徒然草』 第222段을 참조). 한편, 광명진언의 대중화는 묘에(明惠)에 의해 이루어졌다. 상세한 내용에 대해서는 다음 논고를 참조할 것. 末木文美士, 「明惠と光明眞言」, 『鎌倉仏敎形成論─思想史の立場から─』, 法藏館, 1998(초출 『華嚴學論集』, 大藏出版, 1997).

고국 다케노신장(新莊)의 4개 향(鄕)을 역시 '光明眞言之料所'로 가쿠리쓰에게 기진한 점[4])을 감안할 때, 고다이고천황의 기진 역시 전사자진혼을 위한 조치였음에 틀림없다고 생각한다.

또한 1333년 7월 25일에는 이즈국(伊豆國)의 '호조택(北條宅)'과 가즈사국(上總國) 아비루장(畔蒜莊) 료케직(領家職)의 영유가 고다이고천황에 의해 '야마노우치젠니(山內禪尼)'(호조 사다도키[北條貞時]의 후처=다카도키의 모친)에게 인정되었는데,[5]) 이 역시 호조 다카도키 이하의 진혼을 위한 조치였을 것이다.[6])

『太平記』 권제12에는 1333년 말에 고다이고천황의 명령으로 전사자진혼을 위한 성대한 불사가 홋쇼지(法勝寺)에서 거행되었다고 보이는데,[7]) 이 기술은 지금까지 서술한 역사적 사실을 전제로 한다고 할 수 있을 것이다. 1333년 11월 무렵에는 실제로 '홋쇼지 일체경 돈사(頓寫)'와 관련된 연락이 오고간 흔적이 확인되므로,[8]) 『太平記』의 기사는 일정한 역사적

---

4) 『南北朝遺文』 九州編·507호.

5) 「後醍醐天皇綸旨寫」(『韮山町史』 第3卷中, 219쪽).

6) 일본 중세사회에서 패자 측의 여성이 일정한 종교시설에서 사자의 명복을 비는 행위는 일반적이었던 것 같다. 예컨대, 지쇼(治承)·주에이(壽永)의 내란 후 평씨의 여성들은 나가토국(長門國) 아미다데라(阿弥陀寺, 훗날의 아카마신궁[赤間神宮])에서 안토쿠천황(安德天皇) 이하의 명복을 빌었다(石田拓也, 「長門國赤間關阿弥陀寺－長門本平家物語の背景－」, 『軍記と語り物』 14, 1978 ; 砂川博, 『平家物語の形成と琵琶法師』, おうふう, 2002, 293쪽 이하). 또한 간노노조란(觀応の擾亂) 후에 고노 모로야스(高師泰)의 딸(尼明阿)은 모로야스와 모로나오(師直)의 명복을 빌고자 소지지(總持寺)에 미카와국(三河國) 스고향(菅生鄕)을 기진했는데, 그 후 소지지에는 고씨 여성들이 입실하여 아시카가 장군가의 지원을 받으며 선조들의 명복을 빌었다(『總持寺文書』 등을 참조).

7) "지난 7월초부터 중궁께서 병환을 앓으시더니 8월 2일 서거하셨다. 천황의 탄식이 가시지 않은 상황에서 같은 해 11월 3일 동궁께서 또한 붕어하셨다. 이는 모두 망졸 원령들의 해코지였다. 보통 일이 아니었던 까닭에, 그 원해(怨害)를 막고 그들을 선처로 보내기 위해 네 곳의 대사(大寺)에 명령하시어 대장경 5300권을 하루에 돈사하게 하시고 홋쇼지에서 곧 공양법회를 거행토록 하셨다". 인용은 『新編日本古典文學全集』(저본=덴쇼[天正]본)에 의함.

사실을 전하고 있는 것으로 판단된다. 적어도 조정에 의한 가마쿠라막부군 원령의 진혼이 응당 거행되어야 하는 사업으로 사회일반에서 인식되고 있었다는 점은 인정해도 좋을 것이다.

이처럼 고다이고천황이 호조 다카도키 이하 전사자의 진혼에 진력하는 가운데, 아시카가 다카우지도 움직임을 보이기 시작한다. 잘 알려진 바와 같이, 다카우지(尊氏)라는 이름은 고다이고천황의 휘(諱)인 다카하루(尊治)에 따른 것이며, 본명은 호조 다카도키의 '다카(高)'에 따른 다카우지(高氏) 였다. 본래의 가격(家格)은 여하튼 현실적으로 다카우지는 주인을 배반한 셈이 된다. 다카우지가 자신을 총애하던 주인 다카도키 원령의 해코지를 우려했으리라는 점은 미루어 짐작할 수 있을 것이다.

그래서 1335년 10월 무렵의 모반에 이르기까지 다카우지가 관계한 다카도키 원령진혼의 사례를 찾아보면, 다음의 두 사례를 확인할 수 있다.

> 단바국(丹波國) 하타향(八田鄕) 고후쿠지(光福寺)에 기부하는
> 　휴가국(日向國) 구니토미장(國富庄) 내 이시자키향(石崎鄕) 지토직
> (地頭職)의 건
> 　상기의 건은 다음과 같다. 사해(四海)의 정밀(靜謐)과 일가(一家)의 장구
> 를 기원하기 위해, 또한 사가미뉴도(相模入道) 다카도키[법명(法名) 조칸
> (常鑑)] 및 동시에 곳곳에서 전사한 자들의 원령을 구하기 위해 이상과
> 같이 기부한다.
> 　겐무(建武) 2년 3월 1일 참의(參議)(서명)
> 　　고후쿠지 장로9)

---

8) 『鎌倉遺文』 32692호·32693호를 참조.

9) 「足利尊氏寄進狀」(『南北朝遺文』 九州編·223호).

엔돈호카이지(円頓宝戒寺)에 기진하는
　　사가미국(相模國) 가나메향(金目鄕) 절반의 건
　상기의 건은 다음과 같다. 사가미노가미(相模守) 다카도키[법명(法名)
소칸(崇鑑)] 천명이 이미 다하고 형벌이 홀연히 이르렀다. 이에
　당금(當今) 황제께서 인자의 애휼을 베푸시어 원념을 품고 있을 유령을
구하기 위해 다카도키 법사(法師)의 구 저택에 엔돈호카이지 범우(梵宇)를
세우신다. 다카우지는 무장의 봉조(鳳詔)를 받들어 역도의 흉악함을 멸했
다. 정벌이 때를 얻으매 용맹함은 공을 이루었다. 그러는 사이에 멸망한
자들, 귀천노유남녀승속은 이루 헤아릴 수 없다. 이에 가나메향을 나누어
호카이지에 기진하는 바이다. 이는 오로지 망혼의 한을 달래고 유해(遺骸)
의 죄를 구하기 위함이다. 이처럼 진혼한다면
　황제는 오래도록 은주(殷周)의 덕화를 베푸는 것이 될 것이며, 어리석은
신하는 이윤(伊尹)과 여향(呂向)에 버금가는 공적을 확고히 하게 될 것이다.
이에 이상과 같이 기진한다.
　겐무 2년 3월 28일　　참의 미나모토노 아손(源朝臣) 어판(御判) 있음
　엔돈호카이지 쇼닌(上人)[10)

　인용 사료에 보이듯이, 다카우지는 1335년 3월 1일 다카도키 등의
원념을 달래고자 휴가국 이시자키향을 모친과 인연이 깊은 고후쿠지(훗날
의 단바국 안코쿠지[安國寺])에 기진했으며, 같은 해 3월 28일에는 고다이
고천황이 다카도키 이하의 원령을 위무하기 위해 '다카도키 법사 구
저택'에 세우고 있던 호카이지에 사가미국 가나메향 절반을 기진했다.
호카이지의 건립사정을 보여주는 동시대 사료는 그 밖에 존재하지 않아
"엔돈호카이지 범우를 세우신다"는 구절의 구체적인 내용은 단언할 수
없지만, 다카우지가 고후쿠지에 기진을 한 3월 1일 이전에 겐무정권
내에서 다카도키 원령의 진혼문제가 재삼 불거졌다 해도 이상할 것은

10)「足利尊氏寄進狀案」(『南北朝遺文』 關東編·219호).

없다. 즉, 고후쿠지에 대한 다카우지의 기진은 고다이고천황의 호카이지 건립에 자극받아 이루어졌을 개연성이 있는 것이다.

그런데 이들 사례에서 확인되는 다카우지의 행동은 앞서 검토한 고다이고천황의 행동과는 차원이 다른 것이라고 여겨진다. 고다이고천황의 행동의 근저에는 '의전(義戰)'의 최종책임자로서 다카도키 원령의 진혼을 선도한다는 의식이 복류하고 있는 것으로 보이는데, 다카우지의 행동에서는 그러한 의식보다는 무엇보다 원령에 대한 사적 감정이 간취되는 것이다. 물론 다카우지의 기진장에 '사해의 정밀' 운운의 문구가 보이지만, "무장의 봉 조를 받들어 역도의 흉악함을 멸했다"는 문장 등을 감안하면, '사해의 정밀'이라는 문구의 무게감은 자연히 떨어진다고 하지 않을 수 없다. 다카우지의 주안점은 오히려 원령진혼을 통한 '일가의 장구'에 있었다고 생각한다.

가마쿠라시대의 무사들은 공전(公戰)에 의해 발생한 원령을 잠재우는 일은 원칙적으로 조정의 책무라고 인식하고 있었던 것으로 보이는데,[11] 다카우지도 예외는 아니었다고 판단된다. 고다이고천황이 다카도키 원령의 진혼을 진두지휘하는 상황에서 다카우지가 굳이 이 문제의 전면에 나설 이유는 없었다.

그러나 이와 같은 상황은 불과 수년 만에 종언을 고한다. 다카우지가 모반을 일으키고 남북조가 성립하자, 원령진혼은 보다 복잡한 양상을 띠게 되었으며 이윽고 '원친평등론'도 등장하게 되는 것이다. 다음 절에서

---

11) 예컨대 『吾妻鏡』宝治 2년 2월 5일조에는 "당사(當寺, 요후쿠지[永福寺])의 연원은 (다음과 같다.) 우대장군께서 분지(文治) 5년 이요노가미(伊予守) 요시아키(義顯＝요시쓰네[義経])를 토벌하고 또한 오슈(奥州)에 들어가 후지와라노 야스히라(藤原泰衡)를 정벌하고 가마쿠라로 돌아오셨다. (중략) 관동이 장구하기를 원려(遠慮)하신 나머지 원령을 달래고자 (당사를 세우셨다.) 요시아키와 야스히라는 이렇다 할 조적(朝敵)이 아니고 다만 사사로운 묵은 원한(私宿意)으로 인해 주륙한 까닭이다"라고 보여, 원령진혼을 둘러싼 '공전-조정, 사전-막부'라는 가마쿠라무사들의 인식이 추정된다.

는 우선 다카도키 원령진혼의 전개양상을 검토하면서 시대전환의 추이를
추적해 보도록 하자.

제2절 남북조의 성립과 무소 소세키의 '원친평등론'

(1) 아시카가 장군가의 위상 변화

남북조가 성립한 1336년 이후 다카도키 원령진혼의 양상을 살펴보면,
조정(南朝·北朝 모두)의 움직임은 거의 감지되지 않는다. 이에 반해 아시카
가 장군가의 움직임은 활발해진다. 우선, 다카우지가 1336년 3월 지쿠고국
다케노신장의 4개 향을 전사자진혼을 위해 사이다이지에 기진했다는
점은 앞서 서술한 바와 같다. 이어서 아시카가 다다요시(足利直義)는 1337
년 10월 16일 에친(惠鎭)에게 호카이지 주지직과 호카이지령(領)의 영유를
인정했으며,12) 1339년에는 '入道貞時朝臣後室比丘尼建立尼院'이며 "겐코
(元弘) 이래의 망혼을 구제하는 정장(淨場)"이었던 이즈국 엔조지(円成寺)
에 기진을 행했다.13)

1345년 5월 22일에는 다카도키 13주기 공양이 아시카가 장군가의 주최
로 거행되었으며,14) 간노노조란(觀応擾亂) 직후인 1352년 7월에는 다카우
지·모토우지(基氏) 부자에 의해 호카이지의 조영이 추진되었다.15) 또한
1365년 5월 다카도키 33주기에 즈음해서는 막부의 요청으로 다카도키에

---

12) 『南北朝遺文』關東編·758호.

13) 『南北朝遺文』關東編·945호. 엔조지에 대한 막부의 지원은 무로마치시대에 들어
　　서도 변함없이 이루어졌다(『靜岡縣史』資料編6·中世2, 635호·1207호·1208호 문
　　서를 참조).

14) 『師守記』 동일조.

15) 『宝戒寺文書』 426~429호(문서번호는 『鎌倉市史』에 따름). 이 시기의 조영과
　　1335년 무렵의 조영과의 관계는 명확하지 않다.

게 정4위하의 관위가 추증되었으며,16) 아울러 성대한 불사가 다이코묘지
(大光明寺)와 도지지(等持寺) 등에서 펼쳐졌다.17)

이와 같은 일련의 흐름의 배경으로는 후술하는 무소 소세키의 사상적
영향도 상정되지만, 무엇보다 주목해야 할 것은 남북조의 양립이라는
구조 자체로 인해 다카도키 원령진혼의 방식이 재편되지 않을 수 없었다는
사실이다.

후술하듯이 소세키는 전사자공양에서 '군신도합(君臣道合)'을 주창하
게 되지만, 아시카가 장군가가 지지하는 북조는 이를 실현할 만한 정치력
과 경제력을 지니고 있지 못했다. 그에 더하여 이른바 양통질립(兩統迭立)
시대 이래 무가정권에게 전면적으로 의존해 온 지명원통(持明院統)의
체질18)도 고려하지 않을 수 없을 것이다. 한편 북조가 미덥지 못하다
하여 다카도키 추토선지를 내렸던 고다이고천황·남조에게 원령진혼을
요구한다는 것은 어불성설이라 할 것이다. 요컨대, 아시카가 장군가는
자신이 초래한 남북조의 양립이라는 기형적인 구조 그 자체에 의해 좋든
싫든 다카도키 이하의 원령진혼을 주도하지 않을 수 없는 상황에 처했던
것이다.

그런데 아시카가 장군가의 앞길을 막아서는 원령은 비단 가마쿠라막부
군 원령만이 아니었다. 남북조가 성립하고 전국 규모에서 전란이 발발하
자, 아시카가 장군가에 원한을 품은 사자들이 우후죽순처럼 생겨났다.
남조측 원령의 발생과 활동은 『太平記』에 상세하게 보이는데, 아시카가
장군가의 입장에서 최대의 난제는 역시 고다이고천황 원령의 진혼이었다.

---

16) 『師守記』貞治 4년 5월 20일조. 상세한 내용에 대해서는 다음 논고를 참조.
　　山田貴司, 「南北朝期における足利氏への贈位·贈官」, 『七隈史學』 8, 2007.

17) 『師守記』貞治 4년 5월 22일조. 또한 막부의 관여는 불투명하지만, 호카이지에는
　　지장보살상이 새로이 제작·안치되었다(『宝戒寺文書』 435호).

18) 森茂曉, 『南朝全史－大覺寺統から後南朝へ－』, 講談社, 2005, 제1장을 참조.

그래서 다음으로는 아시카가 장군가의 위상변화에 주의하며 만년의 다카우지가 추진한 두 가지 사업을 통해 고다이고천황에 대한 아시카가 장군가의 대응을 살펴보고자 한다.

간노노조란을 거치며 동란이 한층 복잡한 양상을 띠어가는 가운데, 다카우지는 병약해졌던 탓인지 원령의 발호를 재삼 강하게 의식했던 것 같다.[19] 만년의 다카우지가 추진한 원령진혼사업 가운데 특히 주목되는 것은 일체경의 서사(書寫)와 칙찬집의 편찬이다. 우선 일체경의 서사부터 검토해 보도록 하자.[20]

모친인 우에스기 기요코(上杉淸子)의 13주기에 해당하는 1354년, 다카우지는 정월부터 일체경서사라는 대규모 불사를 추진하여 같은 해 12월 도지인(等持院)에서 이를 공양했다. 공양된 일체경은 미이데라(三井寺) 측의 강청으로 인해 동사(同寺)에 봉납되어 그 일부가 미이데라 등에 현존한다.

일체경의 각 권에는 다카우지의 기원문이 기록되어 있어서 일체경서사의 목적을 엿보게 한다. 즉, 다카우지는 "바라건대, 장경(藏經)을 서사하는 공덕의 힘이 생사를 거듭하며 겪는 여러 세상에서 정법을 듣게 하고 무상(無上)의 보리(菩提)심을 단숨에 깨닫게 하며, 성불하여 성덕에 보답케 하고, 고다이고원(後醍醐院)이 열반의 경지에 오르고 돌아가신 양친이 완전한 깨달음을 이루게 하며, 겐코 이후 전사한 자들의 영혼, 일체의 원친이 모두 불도에 들어서게 하고 사생(四生)과 육도(六道)의 중생들로 하여금 은덕을 입게 하고 천하가 태평케 하며 백성들이 생업을 즐거워하게 하기를"이라는 발원문을 남기고 있어서, 그가 양친의 명복과 함께 고다이

---

19) 高柳光壽, 『足利尊氏(改稿)』, 春秋社, 1965, 449~454쪽을 참조.
20) 다카우지의 일체경서사에 관한 최근의 연구 성과로는 다음 논고를 들 수 있다. 生駒哲郎, 「足利尊氏發願一切経考－尊氏の仏教活動と一切経の書寫－」, 『東京大學史料編纂所研究紀要』 18, 2008.

고천황 이하 전사자의 진혼을 기원했다는 점을 알 수 있다. 『源威集』 12에도 시시각각 교토로 밀려드는 적군의 존재를 환기시키며 불사의 중단과 출진을 진언하는 측근들에 대해 다카우지가 다음과 같이 일갈했다고 보인다. 즉, "이 불사는 사사로움에서 비롯된 것이 아니다. 일체경 서사라는 큰 기원이 이미 성취되었다. 기쁨 위의 기쁨이다. 이제 공양불사를 거행해야 할 것이다. 지금 쳐들어오고 있는 적으로 말할 것 같으면, 모두 (고다이고천황의) 중은(重恩)을 받아 입신하고 영지를 하사받아 많은 종자들을 거느리게 된 자들이다. 신불의 굽어 살피심이 분명하다면, 불의의 역도들은 천벌을 받을 것이다"[21]라고 보여, 다카우지가 고다이고천황을 강하게 의식하며 일체경서사사업을 추진했음을 추정할 수 있다.

이처럼 1354년의 일체경서사와 공양에는 원령진혼의 색채가 짙은데, 이 사업에 북조가 관여한 흔적은 보이지 않는다. 1352년 8월 우여곡절 끝에 부활한 직후이고[22] 그 후로도 교토에서 밀려난 북조였다는 점을 감안하면, 원령진혼에 눈 돌릴 여유 같은 것은 없었을지도 모른다. 그러나 이 무렵 북조에게 원령을 잠재우고자 하는 의지가 있었는지 여부는 중요하지 않다. 여기서 강조하고 싶은 것은 다카우지가 어렵사리 부활한 조정의 존재를 거의 의식하지 않은 채 원령진혼사업을 추진했다는 사실이다. 즉, 다카우지는 칙원이나 '군신도합'의 형식을 내세운 선례에 따르지 않고 독자적으로 고다이고천황 이하 전사자의 진혼을 시도했던 것이다. 앞서 든 발원문에 관용구라 할 만한 조정에의 축원 문구가 보이지 않는

---

21) 인용은 加地宏江校注, 『源威集』, 平凡社, 1986에 의함.

22) 1352년 6월 남조는 정략적으로 북조의 상황 세 명과 나오히토친왕(直人親王)을 납치했다. 당시의 관례에 따르면 북조의 부활은 불가능하게 되었다. 절박해진 막부는 고기몬인(廣義門院)을 의제적 상황으로 옹립하여 고코곤천황(後光嚴天皇)을 즉위시킴으로써 북조의 명맥을 잇게 했다. 당시 상황에 대해서는 다음 논고를 참조. 今谷明, 『室町の王權 － 足利義滿の王權簒奪計畵 － 』, 中央公論社, 1990, 8~13쪽을 참조.

점, 그리고 일체경공양의 풍경을 전하는『仏觀禪師語錄』[23]에 조정에 대한
언급이 보이지 않는 점도 이러한 맥락에서 이해할 수 있을 것이다.

이처럼 북조는 원령진혼에서 점차 소외되고, 그에 반비례하여 아시카가
장군가의 존재감은 점점 커져갔는데, 이러한 양상은『新千載和歌集』의
편찬문제를 통해 보다 극적인 형태로 나타난다.

다카우지는 1356년 무렵부터 칙찬집 편찬에 착수한다.[24] 칙찬집은
고래로 조정이 독점해 온 사업으로, 당시까지 무가가 편찬에 개입한
적은 없었다. 요컨대, 다카우지는 선례를 어기면서까지 칙찬집의 편찬을
추진했던 것인데, 후카쓰 무쓰오(深津睦夫)에 의하면 그 목적은 고다이고
천황의 원념을 달래는 데 있었다고 한다.[25]

즉, ①고다이고천황의 와카가 다수 수록되어 있는 점도 그렇지만,
②치세에 대한 축원의 의미를 담아 관례적으로 찬집의 주체=당대의
지텐노기미(治天の君)의 와카로 마무리되는 다이조에(大嘗會) 와카가 고다
이고천황의 와카로 마무리되고 있는 점, ③곳곳에 고다이고천황에 대한
다카우지의 찬송(讚頌)이 보이는 점, ④'新千載'라는 명칭은 스토쿠상황(崇
德上皇) 원령진혼을 위해 찬수된『千載和歌集』[26]의 명칭에 따른 것으로
보이는 점은『新千載和歌集』의 편찬목적이 고다이고천황의 진혼에 있다

23)『仏觀禪師語錄』의 관련부분은『大日本史料』제6편 19, 302쪽 이하에 수록되어
있다. 한편『大日本史料』에는 일체경공양 때 독송된 세이산 지에이(靑山慈永)의
시와 그를 위해 작성된 시산 묘자이(此山妙在)의 서문도 수록되어 있다. 시산의
서문에는 '致君堯舜', '事君盡忠'이라는 문구가 보이지만, 여기서 말하는 '君'도
고다이고천황을 가리키는 것으로 판단된다.

24)『園太曆』延文 4년 4월 28일조에 "이 (칙찬)집의 건에 대해서는 지난 엔분[延文]
원년 6월 천황의 명이 있으셨다[무가가 은밀히 요청한 것이다]"라고 보인다.

25)「新千載和歌集の撰集意図について」,『皇學館大學文學部紀要』39, 2000(『中世勅撰
和歌集史の構想』, 笠間書院, 2005에 재수록). 또한 小川剛生,『武士はなぜ歌を詠むか
-鎌倉將軍から戰國大名まで-』, 角川學芸出版, 2008, 125~128쪽도 아울러 참조.

26) 상세한 내용에 대해서는 다음 논고를 참조. 丸谷才一,「讀人しらず」,『新潮』72(8),
1975 ; 谷山茂,「『千載和歌集』解說」,『陽明叢書 千載和歌集』, 思文閣出版, 1976.

는 점을 시사한다고 후카쓰는 지적했다.

다카우지는 칙찬집 편찬의 와중에 이 세상을 떠나지만, 1359년에 완성된『新千載和歌集』의 체재는 다카우지의 바램대로였다. 북조에 의해 편찬된『新千載和歌集』은 얄궂게도 고다이고천황의 칙찬집이라는 색채를 지니고 있었다. 북조의 굴욕감은 미루어 짐작할 수 있을 것이다.

이상과 같이 아시카가 장군가는 남북조의 성립을 계기로 원령진혼이라는 난제에 주체적으로 대응해 갔다. 특히 간노노조란을 거치며 북조의 존재를 거의 의식하지 않은 채 독자적으로 고다이고천황 등의 원령진혼에 착수했다. 아시카가 장군가가 이러한 상황을 선호했던 것은 아닐 테지만, 아시카가 장군가에게 있어서 원령진혼은 더 이상 침묵으로 일관할 수 있는 사안이 아니었다. 이처럼 원령진혼에 대해 고민을 거듭하던 아시카가 장군가에 구원의 손길을 내민 것이 바로 무소 소세키였다.

(2) 전사자 회유의 담론

제1장에서 무가쿠 소겐에 의해 '원친평등론'이 제시되었다고 언급했는데, 무소 소세키는 '무가쿠 소겐 – 고호 겐니치(高峰顯日)'의 법맥을 잇고 있다. 소세키는 고다이고천황 공양의 장에서 반복적으로 '원친평등론'이라 할 만한 담론을 제시했다. 이하 관련 사료를 살펴볼 텐데, 전체적인 문맥이 중요한 까닭에 다소 상세하게 인용하도록 하겠다.

> 인간이 구유(具有)하고 있는 불성(佛性)은 결손된 바가 없으며, (감각적으로 인지되는) 여러 명상(名相)에서 벗어난 것이다. 본래 세계·중생이라는 것은 존재하지 않는다. 이는 여래의 거짓 없는 말씀이다. 이미 세계가 존재하지 않는데, 어찌 흥망치란(興亡治亂)의 구분이 존재하겠는가? 또한 중생이 존재하지 않는데, 어찌 피아원친(彼我寃親)의 구분이 존재하겠는가? (중략) 만약 그 근본을 추구해 보면, 화와 복은 동원(同源)이며, 원과

친은 일체이다. 석존께서 이 세상에 나오신 이유는 다름이 아니다. 오로지 중생으로 하여금 이 동원일체의 세계를 깨닫게 하시기 위함이다. 그런데 겐코 이래로 천하가 어지러워져 전장의 병졸이 목숨을 잃었을 뿐만 아니라 산야의 조수(鳥獸)마저 희생되었다. (중략) 이에 정이대장군(征夷 大將軍) 미나모토노 아손(源朝臣)과 좌무위장군(左武衛將軍) 미나모토노 아손이 진실된 지혜를 안으로 향기롭게 하고 영묘한 기전(機轉)을 밖으로 일으켜 스스로 참회의 생각을 품고 잘못을 뉘우치고자 했다. 두 사람은 모두 진심을 진술했으며 이 일은 조정에도 주문(奏聞)되었다. 그 진술한 바의 절실한 뜻은 깊이 천황의 예려와도 합치되는 것이었다. 그러한 까닭에 두 사람은 곧 성지를 받들어 일본의 국마다 사찰 하나와 탑 하나를 세워 널리 겐코 이래로 전병사한 일체의 영혼을 깨달음의 세계로 이끌고자 했다. 또한 랴쿠오(曆応) 연간에는 특히 천황의 발원으로 가메야 마(龜山)상황의 구 저택을 사찰로 삼아 선황(先皇)을 위해 장엄을 갖췄다. 또한 (고곤상황[光嚴上皇]은) 무가로 하여금 조영을 감독케 하여 얼마 지나지 않아 낙성을 맞이했다. 이는 진실로 군신도합(君臣道合)에 의한 것이며, 천룡(天龍)이 보지한 결과이다. 이로부터도, 사물은 변전하는 까닭에 악사(惡事)가 변하여 선사(善事)로 화하고, 법에는 정상(定相)이 없는 까닭에 역연(逆緣)이 오히려 순연(順緣)이 됨을 알 수 있다. 이와 같은 변전은 화와 복이 동원이며, 원과 친이 일체라는 사실에 기인한다. (중략) 삼가 바라건대, 신의(神儀)가 곧바로 각전(覺殿)에 올라 업장본공(業 障本空)의 문을 열고, 항상 자비의 배에 삿대를 걸어 원친평등의 바다에서 안락하며, 불법흥륭을 부촉(付囑)받은 점을 잊지 말고 법당(法幢)을 사바세 계에 세우고, 가메야마의 적멸도량(寂滅道場)에 머물며 모든 생명체를 사바세계로부터 구제하며, 친소를 불문하고 전장에서 상망(傷亡)한 유혼 일체가 거익을 입고, 귀천을 불문하고 칠흑같이 어두운 교차로에서 방황 하고 있는 함식 일체가 깨달음의 세계로 나아가기를.[27]

---

27) 『夢窓國師語錄』卷下之一·覺皇宝殿慶賛陞座, 『大正新脩大藏経』第80卷, 467쪽 c~469쪽b. 『夢窓國師語錄』의 해석은 다음의 선행연구를 참조한 것이다. 柳田聖山,

1345년 8월 29일 고다이고천황의 명복을 비는 덴류지(天龍寺)가 낙성되었다. 낙성공양에는 아시카가 장군가와 함께 고곤상황이 참석할 예정이었지만, 산문(山門)의 반발로 인해 상황의 행차는 중지되었다. 고곤상황은 이튿날 덴류지에 거둥했는데, 위에서 인용한 사료는 그 때 행해진 소세키의 법어의 일부이다.

소세키는 모두(冒頭)에서 감각적으로 인지되는 여러 명상이 환상에 불과하다고 강조한다. 구체적으로는 '세계'와 '중생'을 들어, '세계'에서의 '흥망치란'과 '중생' 간의 '원친' 구분은 성립할 수 없으며, '화'와 '복'은 '동원'이며 '원'과 '친'은 '일체'라고 단언한다. 이 담론을 전제로 소세키는 남북조동란의 추이를 진술하고, 이어서 안코쿠지(安國寺)·리쇼토(利生塔)의 설정 및 덴류지의 건립 경위를 설명하고 있다. 이 설명의 마지막에는 "악사가 변하여 선사로 화하고~원과 친이 일체라는 사실에 기인한다"라고 하여 모두에서 진술한 불교적 원리가 확인되고 있다. 소세키의 법어는 일단 이 지점에서 논리적 완결을 보고 있다고 할 것이다.

원친평등은 '삼가 바라건대'로 시작되는 단락에 보인다. 이 단락은 소세키가 고다이고천황의 영혼에게 말을 거는 형식을 취하고 있다. 즉, 소세키는 고다이고천황에게, 깨달음을 얻고 불법흥륭을 부촉[28]받은 것을 잊지 말며 덴류지에 머물면서 '모든 생명체', 즉 "친소를 불문하고 전장에서 상망한 유혼 일체"와 "귀천을 불문하고 칠흑같이 어두운 교차로에서 방황하고 있는 함식 일체"를 구제하여 이들을 깨달음의 세계로 인도해달

『日本の禪語錄(夢窓)』, 講談社, 1977 ; 佐々木容道, 『訓註夢窓國師語錄』, 春秋社, 2000.

28) 부처가 불법흥륭을 '諸國王'에게 부촉했다는 『仁王般若經』卷下·受持品의 고사에서 비롯된 표현이다. 이른바 영산부촉설(靈山咐囑說)은 남북조시대에도 널리 유포되었는데, 이에 대해서는 다음 논고를 참조. 玉懸博之, 「夢窓疎石と初期室町政權」, 『日本中世思想史研究』, ぺりかん社, 1998(초출 『東北大學文學部研究年報』 35, 1986) ; 西山美香, 「初期室町政權を支える〈神話〉-「靈山付囑」考」, 『武家政權と禪宗-夢窓疎石を中心に-』, 笠間書院, 2004.

라고 말을 걸고 있는 것이다. 여기서 원친평등은 고다이고천황이 도달해야
할 깨달음의 경지를 표상하는 레토릭으로 사용되고 있다.

  그런데 원친평등의 경지는 고다이고천황에게 무턱대고 요청된 것은
아니었다. 그 논리적 근거는 인용사료의 전반부에 제시되어 있다고 할
수 있을 것이다. 즉 반복이 되지만, 소세키는 여러 명상이 환상에 불과하고
'화'·'복'은 '동원'이며 '원'·'친'은 '일체'라는 담론을 전제로, 안코쿠지·
리쇼토의 설정과 덴류지의 건립은 바로 이 '화복동원', '원친일체'의
경지에서 이루어진 사업이라고 역설한다. '원친일체'라는 문구가 원친평
등에 통한다는 점은 두말할 나위 없다. 소세키는 안코쿠지·리쇼토·덴류지
를 통해 '원친일체'의 경지를 구현한 생자들의 영위를 전제로, 고다이고천
황에게 원친평등의 경지에 이를 것을 요청한 것이다. 요컨대, 소세키가
주창한 '원친평등론'이란, 생자의 작선(作善)을 전제로 원도 친도 없는
세계로 나아갈 것을 전사자에게 촉구하는 논리였던 것이다.

  소세키의 '원친평등론'은, 역설적이지만 원과 친이 준별되고 살육이
판치는 현실이 존재했기에 등장한 담론이라 할 것이다. 아시카가 장군가를
불법흥륭이 부촉된 단나로 규정한다거나[29] 방편으로서의 조복(調伏)을
인정하는 점[30]에서도 알 수 있듯이, 소세키는 단순한 이상주의자가 아니

---

29) 玉懸博之,「夢窓疎石と初期室町政權」을 참조.

30) 예컨대,『夢中問答集』[9] '진언비법(眞言秘法)의 본의'에는 다음과 같이 보인다.
  "밀종(密宗)에 조복법이라는 것은 악심사견(惡心邪見)인 중생의 마음을 비법의
  힘으로 항복시키고, 불법의 바른 이치에 들어서도록 하는 것이다. 혹은 불법에
  있어서 장애가 되는 사람이 있어 어찌 해도 사악한 마음을 번복하지 않는 자에
  대해, 우선 그의 목숨을 빼앗아 정법(正法)이 세상에 통용되게 한 후, 방편을
  세워 그 악인도 불법에 들어서게 하기 위한 것이다. 혹은 어떤 사람이 원수로
  인해 마음을 어지럽히고 불법에 들어서지 못함을 보고 그 원수를 조복하여 불법에
  들어서게 하는 일도 있다. 보살이 이 같은 역행(逆行)을 수행하는 것은 모두
  흥법이생(興法利生)을 위함이다. 세속의 명리를 위함이 아니다. (중략) 혹은 이르기
  를, 궁전(弓箭)·도장(刀杖) 등으로 사람을 죽이는 것이야말로 죄업이며, 비법·주력
  (呪力)으로 저주하여 죽이는 것은 공덕이라고 한다. 이는 크게 잘못된 사의(邪義)이
  다. 비록 궁전도장으로 죽인다 하더라도, 석가여래가 수행시절에 정법유포를

었다.31) 소세키는 동란이 계속되는 시대상을 반영한, 그러한 까닭에 설득력을 지닌 논리를 모색한 결과, 원친평등을 매개로 하는 '원친평등론'에 다다른 것으로 여겨진다.

이처럼 소세키의 '원친평등론'은 얄궂게도 동란의 참상과 불가분의 관계에 있었다고 생각한다. 그렇다면, 원과 친이 대립하는 동란이 종식되지 않는 한, 소세키는 '원친평등론'을 계속해서 주창했을 것으로 예상된다. 다음 사료에서 이 점을 확인해보자.

곰곰이 생각해보면, 진여(眞如)의 청정한 법계(法界)에는 타(他)도 없고 자(自)도 없다. 그런데 어찌 원친의 구분이 있겠는가? 한 번 혼돈이 일어나면 각양각색의 현상이 나타난다. 세계에서의 치란과 인륜에서의 원친은 실체 없이 서로 대치하고 실체 없이 서로 빼앗는 것과 같다. (중략) 원과 친은 모두 일정한 상이 없다. 왜냐하면 원친은 모두 환망이기 때문이다.

위해 악승을 멸망시키고 쇼토쿠태자(聖德太子)가 모리아(守屋)를 토벌하신 마음과 같이 한다면, 실로 공덕이라 할 것이다. (중략) 혹은 이르기를, 원수를 속히 죽여서 성불하라고 조복하는 까닭에 죄업은 되지 않는다고 한다. 실로 이 조복에 의해 다음 생에서 곧 성불한다면 참으로 신묘한 일이다. 만약 그렇다면 증오스러운 원수를 조복하여 성불시키기보다는 우선 내가 몹시 아끼는 사람을 주력으로 죽여서 빨리 성불시키고 싶다며 너무나 답답하게 여길 것이다". 소세키는 불법흥륭을 위해서라면 조복이나 살생도 있을 수 있다고 주장하고 있다. 매일같이 적군의 조복에 몰두하고 살생의 죄를 범하는 아시카가 장군가를 단나로 자리매김하는 이상, 소세키에 있어서 이와 같은 담론의 주장은 불가피한 선택이었다고 생각한다. 한편, 위에서 인용한 문장을 근거로 하라다 마사토시(原田正俊)는 "(무소 소세키는) 주저(呪詛)라는 종교적 폭력을 비판하고, 비법주력에 위한 살인을 공덕이라고 하는 것은 사의라고 단언하고 있다"고 주장한 바 있다(「中世仏教再編期としての14世紀」, 『日本史研究』 540, 2007, 54쪽). 그러나 이 주장은 인용문의 특정 부분에만 주목한 일면적인 이해라 할 것이다. 전후의 문맥에서 알 수 있듯이, 소세키가 문제 삼고 있는 것은 조복·살생행위의 목적으로(세속명리를 위함인가, 불법흥륭을 위함인가), 조복·살생행위 그 자체를 부정하고 있는 것은 아니다.

31) 스에키 후미히코(末木文美士)의 연구가 시사하듯, 소세키 사상의 특징은 이념과 현실을 절묘하게 융합시킨 점이라고 생각한다. 다음의 논고를 참조할 것. 末木文美士, 「『夢中問答集』にみる夢窓疎石の思想」, 『鎌倉仏教展開論』, トランスビュー, 2008 (초출 『東アジア仏教－その成立と展開』, 春秋社, 2002).

겐코의 대란 때에 정이장군이 특별히 칙명을 받들어 신속히 국적(國賊)을 멸망시켰다. 이에 관위는 날로 높아지고 그 명망은 세인들이 시선을 바꿀 정도가 되었다. 그러나 불현듯 수많은 참소에 직면하여 결국 천황의 분노를 사게 되었다. 이와 같은 경과의 이유를 곰곰이 생각해 보건대, 모두 장군이 신속히 공적을 세우고 그 공적이 천황의 의중에 매우 잘 부합했기 때문이다. 옛 사람이 친은 원의 매개체라고 했는데, 장군의 경우는 이에 의한 것이리라. (중략) 장군의 비탄은 예사로운 것이 아니었는데, 굳이 원한의 마음을 품지 않고 스스로 진심을 담아 선행을 수행하고 오로지 천황의 깨달음을 기원하고자 했다. (중략) 추선불사에 임하는 장군의 간절한 뜻의 연원을 생각해 보건대, 오로지 군신불화(君臣不和)에서 비롯된 것이다. 이 점을 염두에 두면, 원은 친의 매개체라 할 것이다. (중략) 삼가 바라건대, 천황이 신속하게 세속적인 생각을 전환하여 환망이라는 주재자에 구애받는 일 없이 조속히 무명(無明)에서 비롯되는 망심(妄心)을 번복하고, 무주(無住)이며 담연적정(湛然寂靜)한 신체에 구비된 묘용(妙用)을 깨달으며, 원친을 차별하는 칠흑같이 어두운 교차로를 초월하여 혼돈과 깨달음이 일체인 영묘한 경지에서 여유롭게 뛰놀고, 불법흥륭을 부탁받은 것을 잊지 말고 영원히 법문을 보호하며, 가메야마의 적멸도량을 움직이지 않고 국토의 모든 생명체를 구원하기를. 장군이 기원한 원망(願望)은 이미 이와 같은 것이다. (세상에서 회자되는) 천황의 예념(叡念)은 이 기원에 의해 사라질 것이다. (중략) 대중이 안에서 대장경을 전독(轉讀)하니, 가람과 경권(經卷)이 서로 하나가 되어 뚜렷하게 허공계(虛空界)에 널리 걸쳐 있다. 위대하도다, 예사롭지 않은 대불사여! 고다이고천황의 영혼은 곧바로 여래의 땅에 들어서서 널리 전 세계의 미망전도(迷妄顚倒)의 중생을 이끌고, 원친평등하게 깨달음의 과(果)를 성취하게 할 것이다.[32]

---

32) 『夢窓國師語錄』卷上 · 再住天龍資聖禪寺語錄, 『大正新脩大藏経』第80卷, 463쪽 c~464쪽c.

위에 인용한 사료는 1351년 재차 덴류지의 주지가 된 소세키가 같은 해 8월 16일 고다이고천황 13주기를 맞이하여 진술한 산설(散說)[33]이다. 위의 산설이, 앞서 검토한 법어를 전제로 하고 있는 점은 분명하다. 예컨대, 모두에 보이는 "진여의 청정한 법계에는 타도 없고 자도 없다~왜냐하면 원친은 모두 환망이기 때문이다"라는 구절은, 앞의 법어에 보이는 "인간이 구유하고 있는 불성은 결손된 바가 없으며, (감각적으로 인지되는) 여러 명상에서 벗어난 것이다~오로지 중생으로 하여금 이 동원일체의 세계를 깨닫게 하시기 위함이다"라는 구절과 혹사한 내용이라 할 수 있다. 또한 불교적 원리를 전제로 일본사회의 동란과 전사자공양의 경위를 설명하는 문맥도 동일하다.

다만 한 가지 주의해야 할 점은 덴류지 건립 등 작선에 대한 설명이 크게 바뀌어 있다는 사실이다. 즉, 앞서 든 법어에서 덴류지 건립 등의 경위는 '군신도합'이라는 용어로 설명되었지만, 위의 인용 사료에는 '군신도합'에 대응하는 문구가 보이지 않는다. 그 대신 덴류지 건립 등의 작선은 어디까지나 다카우지의 공덕이라고 설명되고 있다. 이러한 변화는 남북조시대의 원령진혼에서 아시카가 장군가가 차지하는 위상이 크게 변화했음을 의미하는 것으로 파악된다.

원친평등은 "삼가 바라건대" 이하, 고다이고천황[34]에게 말을 거는 구절을 전제로, 인용문의 마지막 부분에 보인다. 소세키는 덴류지에서의 추선공양으로 인해 고다이고천황이 깨달음의 세계에 도달할 것이며, 나아가 고다이고천황이 '미망전도의 중생'을 '원친평등'하게 깨달음의

---

33) 일본중세의 선림에서 성립한 법어로 보설(普說)의 변형이다. 기원은 무가쿠 소겐까지 거슬러 올라가는 듯하다(安藤嘉則, 「中世禪宗における拈香陞座法語について」, 『財団法人松ヶ岡文庫研究年報』 20, 2006, 50쪽을 참조).

34) 니시야마 미카(西山美香)는 사료상의 '천황'을 고곤상황으로 간주했다(「初期室町政權を支える〈神話〉-「靈山付囑」考-」, 95~96쪽). 그러나 전후의 문맥을 감안하면, '천황'이 고다이고천황을 가리킨다는 점은 명백하다.

세계로 이끌 것이라고 명언하고 있다. 고다이고천황이 '미망전도의 중생'을 '원친평등'하게 인도하기 위해서는, 그 자신 역시 '원친평등'의 세계로 나아가지 않으면 안 된다. 고다이고천황이 '곧바로' 들어서는 '여래의 땅'이란 다름 아닌 '원친평등'의 경지라고 할 수 있다. 생자의 작선을 전제로 전사자가 원도 친도 없는 세계로 나아간다는 논리구조가 여기서도 확인되는 것이다.

소세키는 '천황의 분노'를 사고 '역신의 오명'을 뒤집어썼음에도 불구하고 '원한의 마음'을 품는 일 없이 시종일관 고다이고천황의 명복을 비는 다카우지의 행동에 대해 "원은 친의 매개체"라고 평하고 있는데, 후반부에 보이는 "천황의 예념(叡念)은 이 기원에 의해 사라질 것이다"라는 문장은 이에 대응하는 것이라 할 것이다. 고다이고천황 사후에 끊임없이 회자되던 '예념'='원'은 다카우지의 불사에 의해 사라지고, 결국 '친'으로 전환될 것이라고 선언되고 있는 것이다.

고다이고천황에게 부채의식을 지니고 있었을 아시카가 장군가의 입장에서 볼 때, 소세키의 '원친평등론'은 매우 매력적이었음에 틀림없다. 소세키의 진의야 어쨌든 '원친평등론'은 고다이고천황의 원령을 무해화하는 논리로 읽히기 때문이다.[35] 따라서 소세키의 '원친평등론'은 소세키의 사후에도 전개되었을 것으로 예상되는데, 이 점을 밝히기에 앞서 다음 절에서는 우선 남북조시대의 원령진혼에서 아시카가 장군가가 다다른 착지점에 대해 살펴보도록 하자.

---

35) 이 점과 관련하여 "종교자가 '원친평등'을 주장하더라도 위정자에 의한 진혼의례는 사령의 관리=지배를 목적으로 하고 있다. (중략) '장군의 세상'의 실현은 사령 관리의 성공에 달려 있다"라는 니시야마 마사루(西山克)의 지적은 핵심을 찌르고 있다고 할 것이다(「太平記と予兆―怪異·妖怪·怪談―」, 『太平記を讀む』, 吉川弘文館, 2008, 198쪽).

82

제3절 제왕으로서의 장군과 원령무해화의 논리

(1)『明德記』의 담론이 의미하는 것

『太平記』의 작가는 호소카와 요리유키(細川賴之)가 아시카가 요시미쓰(足利義滿)를 보좌하는 신체제의 출범을 태평성대의 시작으로 자리매김했지만, 현실은 그리 간단치 않았다. 다만, 요시미쓰시대에 접어들어 남조의 군사적 저항이 수그러든 것은 분명한 사실이다. 단적으로, 요시미쓰는 남조세력의 압박을 받아 교토를 떠난 적이 한 번도 없다.

이처럼 남조의 위협이 사실상 사라진 상황에서 고랴쿠(康曆)의 정변을 통해 권력을 장악하게 되자, 요시미쓰는 내부의 위협에 눈을 돌려 유력 다이묘의 세력 삭감에 힘을 기울이게 된다. 이 과정에서 1390년 이후 도키씨(土岐氏)·야마나씨(山名氏)·오우치씨(大內氏)가 차례로 막부군에게 토벌되었는데, 전란에서 발생한 원령의 진혼이 재삼 현안으로 부상했을 것이라는 점은 쉽사리 짐작할 수 있다. 그 가운데 교토 우치노(內野)에서 죽어간 야마나 일족의 원념은 특히 강렬하게 의식되었던 모양이다. 이에 대해서는 메이토쿠(明德)의 난 직후 지슈(時衆)가 편찬했다고 일컬어지는 『明德記』36)에 흥미로운 내용이 보인다.

　작년 12월 말일의 전투에서 수많은 사람과 말이 죽었다. 우치노 오미야(大宮) 부근의 전적지에서는 밤이면 밤마다 수라투쟁의 소리가 들려왔다. 때때로 전투에서 죽어가는 고통스러운 소리가 사람들의 꿈속에 들리기도 하고 환청이 들리기도 했다. 그러한 까닭에 피아전사자가 여전히 원해(怨

---

36) 富倉德次郎,「明德記解說」,『平治物語, 明德記』, 思文閣出版, 1977 ; 砂川博,「明德記と時衆」,『軍記物語の硏究』, 櫻楓社, 1990(초출『日本文學』36(6), 1987)을 참조. 한편, 와다 히데미치(和田英道)는 하타케야마씨(畠山氏)의 피관(被官) 누쿠이 뉴도 가쿠아(溫井入道樂阿)를 작자로 특정한 바 있다(『明德記 : 校本と基礎的硏究』, 笠間書院, 1990, 307쪽 이하).

害를 품으며 합전도(合戰道)를 떠도는 고통을 받고, 분노로 활활 타오르는 화염에 고통받고 있는 것으로 여겨져 딱하다는 이야기가 사람들 사이에서 돌았다. 장군께서도 이 이야기를 들으시고는 "이번 전투에서 전사한 자들은 모두 내 책임이다"라고 하셨다. 지난 겐코(元弘)·겐무(建武) 때 나라의 병사들이 많이 전사한 것과 관련하여 사가(嵯峨)의 개산(開山)께서 장군(다카우지)께 제언한 바를 참조하시어, "이는 모두 일업소감(一業所感)의 결과라 하더라도 그 기원을 따지자면 책무는 제왕에게 돌아가는 것이다(責歸一人). 게다가 아군 병사들은 모두 나를 위해 충의를 다한 자들이니 여러모로 가엾이 여기는 바이다. 오슈(奧州, 야마나 우지키요[山名氏淸])도 어제까지는 공신(公臣)의 약속을 이룬 자이다. 불의의 반역을 벌주어 이미 주륙한 이상, 그 유적에 누가 남아 보리를 간절히 빌 것인지 가엾이 여기는 바이다. 이에 원수를 은혜로 갚아야 할 것이다"라고 하셨다. 쇼코쿠지(相國寺)에서 일승팔축(一乘八軸)의 묘경을 매일 1부씩 7일간 7부를 둔사(頓寫)하시어 무이무삼의 묘리를 설하고 백종의 공구(供具)를 진비(珍備)하여 오산의 청중(淸衆) 천 명으로 하여금 대시아귀를 행하게 하고, 무쓰(陸奧) 전사(前司) 우지키요 유령 및 제졸 전사의 망령, 육도의 유정(有情), 삼계의 만령이 모두 득도하기를 기원하여 회향하니, 모든 제불이 납수하시고 망혼도 기뻐할 것이라며 청문하는 귀천이 모두 눈물을 흘렸다. (중략) 금리(禁裏)·선동(仙洞)·사사(寺社)·선률(禪律)·경상(卿上)·운객(雲客)·제다이묘(諸大名)·긴쥬(近習)·도자마(外樣)·아오자무라이(靑侍)·가쿠고(格勤)의 처치까지 시비를 엄격하게 따져 재결하시고 상벌을 새로이 행하시니, 인정이 모두 이루어져 국토에는 원한을 품은 자도 없었으며 (하략)[37]

구체적인 내용분석에 들어가기에 앞서, 우선 인용사료에 보이는 불사는 아마노 후미오(天野文雄)가 지적한 바와 같이 1392년 4월 쇼코쿠지에서

---

37) 『明德記』하. 인용은 궁내청 서릉부 소장본(『明德記 : 校本と基礎的硏究』수록)에 따름.

84

행해진 것으로, 기타노(北野) 만부경회(万部経會)와는 직접 연결되는 것이
아니라는 점을 확인해 두고자 한다.38) 인용사료에 보이는 불사가 기타노
만부경회에 일정한 영향을 주었으리라는 점은 미루어 짐작되지만, 시행
장소와 시기, 내용으로 보아 양자는 준별되어야 할 것이다.

　인용사료는, '①원령출현으로 인한 세정의 불안, ②요시미쓰의 인지,
③랴쿠오(曆応)·고에이(康永) 연간에 벌어진 불사의 회상, ④원령진혼을
위한 불사의 거행, ⑤불사에 대한 세평, ⑥태평성대의 도래'의 단락으로
구분되어 있는데, 그 내용이 궁극적으로 요시미쓰시대에 대한 감축(感祝)
이라는 점은 분명하다. 즉,『明德記』의 편자는 메이토쿠의 난에서 희생된
전사자의 원령을 요시미쓰가 정성껏 잠재운 것을 계기로 "국토에는 원한
을 품은 자도" 없는 태평성대가 도래했다는 점을 감축하고 있는 것이다.

　그러나『明德記』에 서술되어 있는 메이토쿠의 난의 전개양상을 상기하
면, 이러한 끝맺음은 어색한 것이라 하지 않을 수 없다. 즉,『明德記』에는
"이번에 (장군께서) 고소데(小袖)를 착용하지 않으시고 하라마키(腹卷)를
두르신 연유는 다음과 같다. 고소데는 조가(朝家)의 적을 물리칠 때 착용하
시는 가례의 의복이다. 이번 전투는 가복(家僕)의 악역(惡逆)을 꾸짖는
전투이므로 합당하지 않은 갑옷이다"라는 구절이 보여, 요시미쓰가 야마
나 일족과의 전투에 공적 명분을 부여하지 않은 것은 분명하다. 메이토쿠
의 난은 아시카가 장군가의 사전(私戰)이었던 셈이다.

　이러한 사전의 결과 발생한 원령에 대한 진혼의식이 온 세상에 태평을
가져왔다고 작자는 이야기한다. 논리적 비약이라 하지 않을 수 없는데,
이 비약이야말로 당시 원령진혼에서 아시카가 장군가가 차지하고 있던

38) 天野文雄,「古作の鬼能≪小林≫成立の背景－足利義滿の明德の亂處理策との關連
　　をめぐって－」,『鬼と芸能－東アジアの演劇形成－』, 森話社, 2002, 207~208쪽. 한편
　　기타노 만부경회에 대해서는 臼井信義,「北野社一切経と経王堂－一切経と万部経
　　會－」,『日本仏教』3, 1959 ; 梅澤亞希子,「室町時代の北野万部経會」,『日本女子大
　　學大學院文學研究科紀要』8, 2002 등을 참조.

위상을 암시한다고 여겨진다. 이 점을 명확히 하기 위해 '일업소감' 운운의
문장에 주목해 보도록 하자.

우선 일업소감이란, 복수의 사람이 동일한 업으로 인해 동일한 업보를
받는다는 의미로, 중세의 군기모노가타리에 곧잘 등장하는 문구이다.[39]
여기서는 많은 사람들이 메이토쿠의 난에서 희생된 결과(업보)를 염두에
둔 표현이라 할 수 있다. '일업'의 내용은 제시되어 있지 않지만, 어쨌든
문맥으로 보아 일업소감은 다음에 보이는 "그 기원을 따지자면 책무는
제왕에게 돌아가는 것이다"라는 문장을 강조하기 위해 원용되었다고
할 수 있을 것이다. 앞서 보이는 "이번 전투에서 전사한 자들은 모두
내 책임이다"라는 문장 역시 "책무는 제왕에게 돌아가는 것이다"라는
문장을 이끄는 복선이라 할 것이다.

"책무는 제왕에게 돌아가는 것이다"라는 문장의 전거는 『논어』 요왈편
(堯曰篇)의 "만방에 죄가 있으매, 그 죄는 (모두) 짐에게 있다"와 "백성에게
허물이 있으매, (그 허물은 모두) 나 한 사람에게 있다"이다. 전자는 은
탕왕이, 후자는 주 무왕이 설했다고 알려진 것인데, 양자 모두 인민의
허물에 대한 책임에서 벗어날 수 없는 천자의 입장을 드러내고 있다.

그런데, "책무는 제왕에게 돌아가는 것이다"라는 문장이 전사자진혼과
관련하여 원용된 것은 이때가 처음이 아니다. 앞서 몇 차례 언급했던
스자쿠상황의 원문에는 "옛날에 만방에 죄가 있으매, 책무는 제왕에게
돌아가는 것이다"라는 문장이 보인다.[40] 『明德記』의 편자가 스자쿠상황
의 원문을 참조했는지는 알 수 없지만, 어쨌든 "책무는 제왕에게 돌아가는
것이다"라는 문장을 통해 무로마치도노(室町殿)의 입장을 공적인 것으로
연계시키는 발상은 획기적이라 할 것이다.[41]

---

39) 『平家物語』卷第3·少將都歸, 卷第12·六代 ; 『太平記』卷第10·分部關戶小手指合
　　戰の事, 卷第16·尊氏九州より御上洛の事, 卷第30·諸國の兵を扶け引き歸す事 등.

40) 「朱雀院平賊後被修法會願文」(『本朝文粹』卷第13 수록).

'가복'의 레테르가 붙은 전투라 할지라도 '제왕(一人)'이 관계하고 있는 이상, 그 전투는 공적인 무게감을 지닌다. 따라서 그 전투의 결과 발생한 원령을 잠재우는 행위는 아시카가 장군가의 사적인 불사에 그치지 않고, 온 세상에 태평을 가져오는 것으로 전환되는 것이다. 요컨대, 원령진혼에서 아시카가 장군가가 차지하는 위상은 조정에 필적하는 지점까지 상승되었던 것이다. 그렇다면 소세키가 제창한 '원친평등론'은 그 사이에 어떻게 전개되고 있었을까? 다음으로 이 점을 추적해 보도록 하자.

(2) 아시카가 장군가와 '원친평등론'

소세키가 제창한 '원친평등론'은 우선 그 제자들에게 계승되었을 것으로 예상된다. 그래서 무소파(夢窓派) 선승들의 어록을 살펴보면, 역시 그 형적이 인정된다. 먼저 류슈 슈타쿠(龍湫周澤, 1308~1388)의 경우를 살펴보도록 하자.

이 향은 제불·보살의 지혜의 경지를 나타내는 향이다. 범인(凡人)에 있어서는 마음을 어지럽히고 도리를 전도시키는 근원이며, 성인에 있어서는 어지러움을 전환하여 깨달음을 열어주는 향왕(香王)이라 한다. 염향(拈香)하면 제불사(諸佛事)를 인도하며, 소향(燒香)하면 제도량(諸道場)을 장엄한다. 대일본국 산성주(山城州) 경사(京師)에 거주하는 수보살계(受菩薩戒) 좌전구(左典廐) 요시미쓰가 오안(応安) 원년 2월 26일 다이큐지도노(大休寺殿) 고산선문(古山禪門)의 원기(遠忌)를 맞이하여 청중(淸衆)에 엄명하여 입을 모아 불정신주(佛頂神呪)[42]를 풍송(諷誦)케 하고, 특히 전

---

41) '제왕(一人)'을 무로마치도노와 지텐노기미(治天の君)를 아우르는 용어로 번역해야 하는 경우도 존재하지만, '금리'와 '선동'이 상대화되고 있는 점에서 『明德記』의 '제왕'이 요시미쓰를 가리키고 있는 점은 분명하다.

42) 대불정만행수릉엄신주(大佛頂萬行首楞嚴神呪). 『首楞嚴經』 卷7에 수록된 신주. 祕密神呪·佛頂呪 등의 이칭이 있다. 당시 선종의 불사에서 빈번하게 사용되었다.

겐닌지(建仁寺) 비구[슈타쿠]에게 명하여 삼가 보향(寶香)을 태워 현좌도
량에 공양토록 했다[표백(表白)은 항례에 따랐다]. 삼가 생각건대, 다이큐
지도노 고산선정문은 부처님의 바른 교법을 호지하고, 세상의 인연에
따르며 (이에) 거스르지 않았다. 멀리는 유마거사(維摩居士)의 선례를
잇고, 가까이는 심종국사(心宗國師)의 선에 귀의했다. 인자함으로 세상일
을 대하여 그 정치는 불편부당한 것이었다. 선정과 지혜로 몸을 닦아
그 뜻은 날로 고상하고 견실한 것이 되었다. 생전에 이미 이와 같았는데,
사후에 어찌 또한 이와 같지 않겠는가. 자잘한 유혹과 장해가 만약 아직
남아 있다면, 깨달음의 경지에 연계되는 커다란 작용은 이루어지기 어렵
다. 영묘한 마음의 작용은 명백하며, 인간의 심성은 본래 결손된 바가
없다. (본래의 심성으로 돌아가 깨달음의 세계로 나아가지 위해서는)
원친을 잊고 법요(法橈)를 평등자제(平等慈濟)의 배에 춤추고 하고, 또한
피아를 동일시하여 진실한 마음을 청정지해(淸淨智海)의 연못에 빛나게
하는 것보다 좋은 일은 없다.[43]

위에서 든 사료는 1368년 2월 26일, 아시카가 다다요시(足利直義) 17주기
를 맞이하여 설파된 류슈 슈타쿠의 염향(拈香)이다. 슈타쿠는 '전 겐닌지
비구'라고 보이듯이 겐닌지 주지를 그만둔 상태였으나, 슌오쿠 묘하(春屋
妙葩)·기도 슈신(義堂周信)과 함께 변함없이 무소파를 이끌고 있었다.[44]
한편 염향은 불전에 향을 올릴 때 진술되는 법어로, 일본 중세사회에서는
승좌(陞座)와 함께 사자공양의 장에서 빈번하게 등장했다.[45] 지극히 간단
한 것도 존재하지만, 장문화한 경우 대략 다음과 같은 형식을 취했다.

---

43) 『龍湫和尙語錄』西·拈香·大休寺殿(동경대학 사료편찬소 소장 사진장[저본=내각
   문고본], 89~90쪽). 『大日本史料』第六編之二十九, 134~135쪽에도 수록되어 있지
   만, 몇 군데 오식(誤植)이 보인다.

44) 玉村竹二, 『夢窓國師－中世禪林主流の系譜－』, 平樂寺書店, 1958, 288쪽 이하를
   참조.

45) 玉村竹二, 『五山文學』, 至文堂, 1962, 133~136쪽(초판 1955).

즉, ①불전에 바쳐진 염향의 성격과 이익이 진술되고, ②추선공양의 모습이 개관되며, ③사자의 생전의 사적이 소개된 뒤, ④사자구제의 문장이 설파되며, ⑤법어가 집약된 게송으로 마무리된다.

인용사료의 모두에는 염향의 이익과 불사의 모습이 그려지고 있으며, "삼가 생각건대" 이하로 다다요시 진혼의 문장이 진술되고 있다. 우선 다다요시 생전의 언행에 대한 찬사가 보이는데, "생전에 이미 이와 같았는데, 사후에 어찌 또한 이와 같지 않겠는가"라는 문장에서 알 수 있듯이, 이 찬사는 사자 다다요시가 생전과 같이 올바른 길을 걸었으면 하는 원망(願望)에서 비롯된 것이라 할 수 있다.

이러한 원망의 연장선상에서 슈타쿠는 다음과 같이 다다요시에게 말을 건다. 즉, "아직 자잘한 유혹과 장해에 사로잡혀 깨달음의 기연을 붙잡지 못하고 있다면, 무엇보다 차별관을 버려야 합니다. 원도 친도 없으며, 피도 아도 없습니다"라고 설득하고 있는 것이다. 원친평등의 숙어는 보이지 않지만, "원친을 잊고" 이하의 문장을 그에 준하는 것으로 본다면, 슈타쿠의 담론도 '원친평등론'으로 파악된다.

슈타쿠의 '원친평등론'에서는 생자에 의한 작선의 위상이 애매하게 처리되고 있지만, 원도 친도 없는 세계로 나아갈 것을 전사자에게 재촉하는 논리는 건재하다. 즉, 슈타쿠의 '원친평등론'의 근저에는 소세키의 논리가 살아 숨 쉬고 있는 것이다. "심종국사의 선"이라는 문구로부터 슈타쿠가 스승을 의식하며 다다요시 진혼의 장에 임했다는 점을 미루어 짐작할 수 있는데, 앞서 검토한 『再住天龍資聖禪寺語錄』의 편자가 슈타쿠라는 점도 아울러 지적해 두고자 한다.

이처럼 소세키의 '원친평등론'이 제자 슈타쿠에게 계승되었다는 점이 확인되는데, 무소파의 적자라 할 수 있는 슌오쿠 묘하의 경우는 어떠했을까? 다음 사료에서 이 점을 확인해 보자.

이 향은 부처님이 설한 여러 가르침에 존재하는 나무이며, 대대의 조사(祖師)가 전하는 향이다. (이 향은) 원친평등의 구역에서 나고 자라며, 물아일여(物我一如)의 각장(覺場)에서 우거지고 번성하는 것이다. 대일본국 산성주 경사에 거주하는 봉삼보(奉三寶) 제자 정이대장군(征夷大將軍) 아상(亞相) 미나모토노 모갑(某甲)이 이 달 22일 엎드려 전조(前朝)의 소슈(相州) 태수 천대감공(天臺鑑公) 선정문(禪定門) 및 전진망몰(戰陣亡歿)한 제위 각령(覺靈) 33주기를 맞아, 특별히 가산을 다하여 법장(法場)을 열었다. 엄히 향화등촉(香華燈燭) 등 신묘한 공양을 갖추고, 본사의 주지를 배청하여 승좌설법을 행했으며 또한 명찰의 여러 고승을 봉청했다. 마찬가지로 이번 불사의 취지를 밝히는 기회에 덴류 주지인 나를 불러 이 보향을 태워 공양토록 했다. 삼가 생각건대, 각령은 (호조씨가) 우대장가의 뒤를 이은 후 8대에 해당하며, 주아부(周亞夫)46)와 같은 정치를 30년 동안 펼쳤다. 세상사 도리의 끝과 시작은 범인이 미루어 짐작할 바가 아니며, 세상사 삶의 좋고 나쁨은 실로 자연스레 돌아오는 운명에 상당하는 것으로, 능이 변하여 계곡이 되는 일도 보게 되는 것이다. 어찌 바다가 말라 뽕밭으로 변한다 하여 이상하게 여기겠는가. 다카도키(高時) 이하가 사몰한 당시 상공(相公)은 막 네 살이 되었을 뿐으로 무위를 사방팔방에 떨치는 일은 없었다. (정이대장군의 직은) 하늘이 내려주고 사람들이 부여한 것으로, (상공은) 참되고 꾸밈없는 풍속을 일으켰다. 때가 이르러 (자연스레) 덕이 섰으며, (상공은) 군왕을 도와 나라를 다스렸다. 인화(仁化)로써 곧잘 심한 고통을 구제했으며, 인민에게 이익을 주고 구제하는 일에 한정이 없었다. 이에 33주기를 맞아 6만여 자로 이루어진 존엄한 장구(章句)를 서사(書寫)하고, 부처님을 공양하고 승려에게 식사를 대접하여 (각령의) 명복을 빌었다. 승좌설법은 종강(宗綱)을 보여주고 있다. 과연 참된 향기는 진실의 세계를 철저히 한다는 것을 알 수 있도다. 이에 더하여 무슨 망업이 있어 (생전의) 고향을 그리워하겠는가? 오늘의 작선불사는 수건의 매듭진 바를 푸는 것이라 할 수 있으며, 태고 이래로

46) 전한의 무장, 정치가. 오초칠국의 난을 평정한 것으로 저명하다.

존재한 무명(無明)의 눈(雪)에 뜨거운 물을 끼얹는 것이라 할 수 있다. (일체의 각령을) 점차 한 길로 전신(轉身)시키지 않는 바가 없으며, 대대로 사람에게 구비되어 있는 불성이 작용하는 것을 도울 것이다. 도대체 무엇을 가지고 그 증거로 삼을 것인가. 미풍에 수정으로 만든 발(簾)이 흔들리며, 화단 가득한 장미에 건물 안이 향기롭도다.[47]

위에서 든 사료는 1365년 5월 22일, 호조 다카도키 33주기를 맞아 덴류지 주지 묘하가 설한 염향이다.[48] 지금까지 읽어 온 사료와는 달리, 여기서는 원친평등의 문구가 모두에 보인다. 즉, 묘하는 자신이 태우는 향이 부처들이 설한 나무이자 조사들이 전하는 향이며, 원친평등·물아일여의 경지에서 무성하게 자라는 것이라고 설파하고 있다. 묘하는 염향을 통해 다카도키 공양의 장을 원친평등·물아일여의 장으로 설정하려 했던 것으로 보인다. 후반부의 "과연 참된 향기는 진실의 세계를 철저히 한다는 것을 알 수 있도다. 이에 더하여 무슨 망업이 있어 (생전의) 고향을 그리워하겠는가?"라는 문장도 이러한 문맥에 호응하는 것이라 할 수 있을 것이다.

이처럼 다카도키 공양의 장의 성격을 설정한 후, 묘하는 우선 불사의 모습을 묘사하고 있다. 이어서 다카도키의 사적을 진술하고 있는데, 그 내용은 "우대장가의 뒤를 이은 후 8대에 해당하며, 주아부와 같은 정치를 30년 동안 펼쳤다"는 식으로 담백하다. 다카도키의 멸망과 관련해서는 세상사의 도리와 운명이 거론되는 등, 다카도키에 대한 묘하의 시선은 다소 냉담하게 느껴진다.

한편, 발원자인 아시카가 요시아키라(足利義詮)에 대한 묘하의 배려는

---

47) 『智覺普明國師春屋和尙語錄』 卷第4·拈香·爲相州太守天臺鑑公禪定門三十三周忌 辰請平氏高時(『大正新脩大藏經』 第80卷, 676쪽 b~c).

48) 다카도키 33주기의 풍경은 『師守記』에 상세히 보인다. 특히 貞治 4년 5월 22일조에 는 우라가키(裏書)로서 아시카가 요시아키라의 원문(願文)이 필사되어 있어, 묘하 의 법어를 이해하는 데 참고가 된다.

대조적이다. 다카도키가 멸망했을 때, 요시아키라는 불과 네 살이었다고 지적하며 요시아키라에게 다카도키 멸망의 책임이 없음을 시사한다. 이어서 요시아키라의 사적에 대한 찬사를 늘어놓은 후, 요시아키라가 주최한 이번 불사의 공덕을 재삼 강조한다. 마지막으로 묘하는 이번 작선의 공덕으로 인해 망업의 작용 따위는 있을 수 없으며, 다카도키 이하는 점차 깨달음의 세계에 다가설 것이라고 주장한 후 게를 읊으며 염향을 마무리하고 있다.

모두에 등장하는 원친평등의 문구가 이상과 같은 염향의 문맥에서 어떤 위치를 차지하는지는 명확하지 않다. 바꿔 말하자면, 이 사료만을 가지고 묘하의 '원친평등론'의 내용을 단정하기는 어렵다. 그러나 여기서 주의하고자 하는 것은 묘하가 원친평등의 문구를 사용하고 있는 것이 다름 아닌 다카도키 공양의 장이라는 사실이다.

본장에서 고찰해 온 바와 같이, 아시카가 장군가는 가마쿠라막부 멸망 이래로 발생한 원령의 진혼에 부심했는데, 가장 우려된 원령으로는 호조 다카도키·고다이고천황·아시카가 다다요시·야마나 우지키요를 들 수 있다. 이 가운데 호조 다카도키·고다이고천황·아시카가 다다요시의 이름이 본장에서 검토해 온 '원친평등론'에서 발견되는 것은 우연일까? 이는 '원친평등론'이 아시카가 장군가의 골칫거리였던 원령을 무해화하는 논리로 전개되었다는 점을 시사하는 것은 아닐까? 다음에 보는 바와 같이 야마나 우지키요 등 메이토쿠의 난의 희생자들을 대상으로 하는 시아귀소(施餓鬼疏)에 원친평등의 레토릭이 사용된 것을 아울러 생각해 볼 때, 〈'원친평등론'=원령을 무해화하는 진혼의 논리〉라는 가설의 성립 가능성은 매우 높다고 생각한다.

대일본국 산성주 경사에 거주하는 봉삼보제자 준삼궁(准三宮) 종1위 정이대장군 미나모토노 요시미쓰

92

근래에 역신이 전란을 일으키고, 의사(義士)가 충성을 다했다. 검과
창끝이 맞부딪혀 적군과 아군이 모두 목숨을 잃었다. (전사자의) 간뇌(肝
腦)가 땅을 물들였으며, (그들의) 혼백은 돌아갈 곳이 없다. 이에 요시미쓰
가 특히 자비심을 일으켜 유령의 고통을 구제하고자 엄히 여섯 종류의
신묘한 공양을 갖추었다. 미리 청정한 승려들에게 여러 불경의 공양을
명했다. (그 승려들은) 날로 대승묘법화경 7부를 돈사하고, 오부대승경
1부와 모경(某經)모주(某呪)를 간송(看誦)했다. 지금 결원의 날을 맞아
삼가 천 명의 승려를 모으고, 입을 모아 대불정만행수릉엄신주를 풍송토
록 했다. 활발하게 교화·권진하여 모은 경마(經馬)⁴⁹⁾·전재(錢財) 등 이번
에 모은 미묘한 이익을 전 우주에 상주하는 모든 제불·세존, 전 우주에
상주하는 모든 보살·마가살(摩訶薩), 천계·지계·수계의 모든 선신(善神)
에게 축헌(祝獻)한다. 이들 미묘한 이익으로 인해 망령들은 구제받을
것이다. 엎드려 바라건대, (중략) 나의 주력에 편승하여 속히 생사유전을
뛰어넘고 이 범음(梵音)을 따라 해탈하며, 고해(苦海)가 변하여 법해(法海)
가 되고 과보의 원인인 인연이 변하여 불도에 이르는 인연이 되며, 자기
자신에게 갖추어져 있는 아미타의 불성에 귀의하고 마음속의 정토에서
뛰놀며, 원친평등의 영역으로 건너가고 중생과 부처가 일체인 길에 오르
기를. 이상 엎드려 바라건대, 상기의 취지를 삼보가 승인하고 만령이
숙지하기를. 삼가 소(疏)함.

메이토쿠 3년 4월 10일 산성주 경사 거주 봉삼보제자 준삼궁 종1위
정이대장군 미나모토⁵⁰⁾

---

49) "예로부터 선사(禪寺)의 기도나 우란분재(盂蘭盆齋)에 귀신을 제사지내는데 쓰인
도구"로, "심경(心經) 및 말 그림을 인쇄하여 종이돈과 함께 건물 기둥에 걸어두고
독경이 끝나면 동발(銅鉢)에 넣고 불태워 귀신에게 향응을 베푼 것"이다(『新版禪學
大辭典』).

50) 『諸回向淸規式』卷第3·諸疏之部·奧州太守古鑑居士太施餓鬼疏相國同可漏図(『大
正新脩大藏経』第81卷, 651쪽 a~b). 가루(可漏)는 봉투를 가리킴. 위에서 인용한
시아귀소를 넣는 봉투를 가리키는데, 원 사료에 보이는 형상은 생략했다.

위에서 인용한『諸回向淸規式』은 1566년 덴린 후인(天倫楓隱)에 의해 편찬되어 1657년에 간행된 서책으로, 그 내용으로부터 후인은 무소파 선승일 것으로 추정되고 있다.[51] 후인이 상기의 시아귀소를 어떤 경위에서 입수했는지는 분명치 않다. 단, 1507년 요시미쓰 100주기를 맞이하여 행해진 게이조 슈린(景徐周麟)의 승좌(陞座)[52]에는 요시미쓰 생전의 일로 "조코사(常光師, 구코쿠 밍노[空谷明應])께서 공(요시미쓰)에 대신하여 소를 작성하여 이르기를, (중략) 근래에 역신이 전란을 일으키고, 의사(義士)가 충성을 다했다. 검과 창끝이 맞부딪혀 적군과 아군이 모두 목숨을 잃었다. (전사자의) 간뇌(肝腦)가 땅을 물들였으며, (그들의) 혼백은 돌아갈 곳이 없다. 이에 요시미쓰가 특히 자비심을 일으켜 유령의 고통을 구제하고자 했다"라고 보여,『諸回向淸規式』에 수록된 요시미쓰 명의의 시아귀소가 무소파 선승들에 의해 기록·보관되고 있었다는 점은 거의 틀림없다고 판단된다.

한편 슈린이 소의 작성자로 지목한 밍노는 소세키가 후계로 중용한 무쿄쿠 시겐(無極志玄)의 법사(法嗣)로 예정되어 있었던 인물이다.[53] 즉, 밍노는 소세키의 적손(嫡孫)이라고도 할 만한 존재로, 그가 전사자공양의 장에서 원친평등을 원용하는 것은 매우 자연스러워 보인다.

그런데 슈린의 승좌에는 위 시아귀소가 1399년 9월 쇼코쿠지(相國寺) 칠중대탑의 조영에 즈음하여 작성되었다고 보여, 인용사료의 '메이토쿠 3년', 즉 1392년이라는 연기는 의심스러워 보인다. 그러나 ①『相國寺塔供養記』등 쇼코쿠지 칠중대탑공양 관련 사료[54]에 시아귀가 펼쳐진 흔적이

---

51) 石川力山,「中世曹洞宗切紙の分類試論(八)－追善·葬送供養關係を中心として(上)」,『駒澤大學仏敎學部論集』17, 1986, 주8)을 참조.

52)『翰林葫蘆集』수록(『五山文學全集』第4卷, 670쪽 이하).

53) 玉村竹二,『夢窓國師－中世禪林主流の系譜－』, 277~279쪽.

54)『大日本史料』第7編之4, 37쪽 이하를 참조.

보이지 않는 점, ②『明德記』에 1392년 4월경의 일로 쇼코쿠지에서 시아귀가 거행되었다고 보이는 점을 종합해보면, 요시미쓰의 시아귀소는 역시 1392년 4월에 시행된 시아귀에 즈음하여 작성된 것으로 이해하는 것이 타당할 것이다.

요시미쓰의 시아귀소를 살펴보면, 모두에는 우선 전란의 상황이 기술되고 이어서 요시미쓰의 자비심에 의해 거행된 불사의 풍경이 그려지고 있다. 구체적으로는『法華經』이 둔사되고 이른바 오부대승경이 간송되었으며, 4월 10일 결원의 날을 맞았다고 보인다. 그래서 요시미쓰는 승려 천 명을 불러들여 대불정만행수릉엄신주를 풍송토록 하고 이를 여러 부처와 신에게 회향했다고 기술되어 있다. 이 불사의 이익으로 인해 부처와 신들이 전사자들을 구제해줄 것이라는 점이 확인되고, "엎드려 바라건대" 이하로 전사자를 회유하는 문장이 이어진다.

원친평등의 문구는 이 문장 속에 보인다. 요시미쓰는 '원친평등'의 영역, 즉 원도 친도 없는 세계로 나아갈 것을 전사자에게 재촉하고 있는데, 그 전제가 되는 것은 "나의 주력에 편승하여"라고 재삼 확인되고 있듯이 요시미쓰 자신이 행한 작선이다. 이 구도는 소세키가 설파한 것에 다름 아니다. 요컨대, 소세키가 제창한 '원친평등론'은 남북조시대 후기에도 변함없이 전개되고 있었던 것이다.

여기까지 검토한 내용을 정리해 보면, 남북조시대의 '원친평등론'이란 소세키와 그 제자들에 의해 주창된 원령무해화의 논리이며, 아시카가 장군가를 둘러싸고 발생한 원령의 진혼과 밀접하게 연관된 것으로 이해된다.[55] 불법흥륭을 지향하는 소세키와 그 제자들의 입장에서도 가장 강력

---

55) 무소파 선승들은 간레이가(管領家)가 주최한 사자공양의 장에서도 원친평등을 원용하고 있는데, 이는 아시카가 장군가와의 관계를 축으로 전개된 '원친평등론'을 전제로 한 것으로 파악된다. 관련사례로는 다음을 참조.『龍湫和尚語錄』西·拈香·七條殿七周忌(동경대학 사료편찬소 소장 사진장, 92~93쪽) ;「讚州太守玉洲繁公三十三回遠忌拈香」(『義堂和尚語錄』卷第3 수록,『大正新脩大藏経』第80卷,

한 후원자인 아시카가 장군가의 주위를 맴도는 원령을 잠재우는 일은 매우 중요한 현안이었을 것이다.[56] 원도 친도 없는 세상으로 나아갈 것을 전사자에게 재촉하는 것은 불교적 원리에도 들어맞는 바, '원친평등론'은 이념과 현실을 절묘하게 조합한 논리였다고 생각한다.

그런데 여기서 한 가지 주의해야 할 점은 무소파 이외의 선승들도 원친평등을 원용했다는 사실이다. 모두 전사자와 관련된 사례는 아니지만, 예컨대 겐포 시돈(乾峰士曇, 1285~1361), 이치안 이치린(一庵一麟, 1329~1407), 밧쓰이 도쿠쇼(拔隊得勝, 1327~1387) 등의 어록에도 원친평등의 용례가 보인다.[57] 이들 사례가 소세키나 그 제자들의 담론에 영향을 받은 것인지는 단언하기 어렵다. 그러나 신출내기 선승이 온전히 자립하기까지 특정 파벌에 구애받는 일 없이 다양한 수행의 장을 전전했다는 점과, 사장(詞章) 등을 매개로 오산선림 내에 활발한 인적 교류가 있었다는 점을 아울러 생각해 볼 때, 일정한 영향관계도 상정할 수 있을 것이다. 이치린의 경우 특히 간노(觀応) 연간(1350~1352)에 덴류지 주지였던 소세

530쪽c~531쪽a)을 참조.

56) 사상사의 관점에서 소세키 등의 선승이 원령을 어떻게 인식하고 있었는지는 흥미로운 문제이다. 소세키에 한정하여 말하자면, 시노사키 마사루(篠崎勝)의 연구 이래, 소세키에게 원령은 있을 수 없는 존재였다는 지적이 많다(篠崎勝, 「夢窓國師」, 『夢窓國師』, 天龍寺開山夢窓國師六百年大遠諱事務局, 1950 ; 八木聖弥, 「怨靈思想と天龍寺創建」, 『太平記的世界の硏究』, 思文閣出版, 1999, 140쪽 ; 山田雄司, 『跋扈する怨靈-祟りと鎭魂の日本史-』, 吉川弘文館, 2007, 151쪽). 그러나 앞서 검토한 『夢窓國師語錄』의 관련문장에서 고다이고천황은 여전히 '업장'과 '망심'에 사로잡혀 있는 존재로 간주되고 있으며, 그 '예념'은 생자가 거행하는 불사에 의해 사라지는 것으로 규정되고 있다. 이와 같은 소세키의 육성은 스가 기쿠코(菅基久子)의 지적처럼(「護國と淸淨-天龍寺創建と夢窓疎石-」, 『國家と宗敎』, 思文閣出版, 1992, 188~191쪽), 고다이고천황의 원령을 상정하지 않으면 이해하기 어렵다.

57) 「爲大休寺殿拈香」(『五山文學新集』 別卷1, 388~389쪽) ; 「能仁寺殿乾嶺高公大禪定門五七日拈香」(『五山文學新集』 別卷2, 305~306쪽) ; 『塩山拔隊和尙語錄』 卷第1·拈香仏事·道明禪門三十三周忌就于相州靑山靑雲菴(『大正新脩大藏経』 第80卷, 563쪽a~b) 등을 참조.

키 밑에서 이노(維那)[58]로 근무했던 경력이 있어서,[59] 이때 소세키의 담론에 영향을 받았을 지도 모른다. 어쨌든 시돈 등의 사례로부터는 원친평등이 동란의 시대에 각광받았다는 사실이 새삼 확인된다.

제4절 중세후기의 '원친평등론'

여기까지 검토한 바와 같이, '원친평등론'은 연이은 전란을 배경으로 전개되었다. 15세기 이후에도 일본사회에 갖가지 전란이 끊이지 않은 점을 감안하면, '원친평등론'은 이 시기에 보다 폭넓게 전개되어갔을 것으로 예상된다. 그래서 본절에서는 몇 가지 관련 용례를 검토하며 중세후기의 '원친평등론'에 대해 생각해보고자 한다.

우선, 난젠지(南禪寺) 쇼린인(少林院)의 소도 도쿠호(草堂得芳)의 법맥을 이은 이쇼 도쿠간(惟肖得嚴, 1360~1437)의 용례를 확인해보고자 한다. 도쿠간은 아시카가 요시모치(足利義持)의 특명으로 쇼코쿠지(相國寺) 승려들에게 강의를 펼친 경력이 있을 정도로 학예에 통달한 인물로,[60] 그가 원친평등에 다다른 경위는 단정하기 어렵다. 다만, 참고로 말하자면 도쿠간은 1403년 당시 난젠지 주지였던 이치안 이치린 아래서 힝포쓰(秉拂)[61]를 행하고 있어서,[62] 이치린을 통해 원친평등의 담론에 접했을 가능성도 있다. 그럼, 도쿠간의 법어를 검토해 보자.

---

58) 선림에서 일반승려들의 수행을 감독하고, 경내의 사무를 총람하는 직책.

59) 玉村竹二, 「天祥和尙語錄解題」, 『五山文學新集』 別卷2, 685쪽.

60) 玉村竹二, 『五山禪僧伝記集成』, 講談社, 1983, [惟肖得嚴]항을 참조.

61) 선림에서 주지에 대신하여 일반승려들에 대해 설법하는 것. 주지가 되기 위해 반드시 통과해야 하는 일종의 구두시험이었다.

62) 玉村竹二, 「惟肖得嚴集解題」, 『五山文學新集』 第2卷, 1281쪽.

이 향은 일어나고 사라짐에 본래 정해진 방향이 없다. 즉, 후세에 남는 악취와 좋은 향기를 논해도 (추호의 차별이 없으며) 원친·피아는 평등으로 귀결된다. 이를 여래해탈향이라 한다. 엎드려 바라건대, 시간을 초월하여 상주하는 불타야중(佛陀耶衆), 달마야중(達磨耶衆), 수륙계 귀신중 등이 이 영묘한 향에 올라 황송하게도 깨달음의 세계를 드러내시길. 이어 자리에 올라 (중략) 또한 말하기를, 오에이(応永) 30년 12월 그믐날은 곧 고토쿠지도노(弘德寺) 고 소슈(摠州) 태수 결수청공대선정문(潔叟淸公大禪定門)의 33주기이다. 좋은 후계자이자 현임 소슈 태수인 히로다카(熙高)는 미리 10월 그믐날을 골라 세이신선원(栖眞禪院)에 청정한 승려들을 모아 청결한 음식을 대접하고, 허공장일존(虛空藏一尊)을 주조하여 오부(五部)의 진실한 장구를 전독(轉讀)케 했다. (중략) 고인은 진국공(鎭國公)의 막내아들로 야마나씨(山名氏)의 위인이라고 한다. (중략) 중형(仲兄)인 오슈군(奧州君)이 (공을) 자식처럼 사랑했고 공 역시 오슈군을 아버지처럼 섬겼다. (중략) 우치노(內野) 전투 때 공은 난관에 부딪혀, "(일족과) 힘을 합하여 한바탕 전투를 벌여 자제로서의 책무를 다한 후, 동으로 조정에 귀의하여 훗날의 공훈을 도모하고 과거의 잘못을 회복하자"고 생각했다. 충의의 마음에 독려되어 군세의 선두에 섰던 바, 수많은 화살을 맞고 무수한 창에 찔렸다. 온몸에 상처를 입었으며, 생사의 기로에 섰다. 진실하고 간절한 마음을 아직 드날리지 못하고, (공은) 그 뜻을 품은 채 서거했다.[63]

위 사료는 도쿠간이 1423년 결수대선정문의 33주기를 맞아, 야마나 도키히로(山名時熙)가 개창한 세이신선원(栖眞禪院)[64]에서 설한 염향(拈香)과 승좌(陞座)이다. 염향과 승좌는 분담되는 경우가 많았지만, 한 사람이

---

63) 「潔叟大禪定門三十三回忌拈香·陞座」, 『東海璚華集』(『五山文學新集』 第2卷, 592~593쪽).

64) 岡部恒, 「守護大名山名氏と禪宗ーとくに栖眞院開創についてー」, 『禪文化研究所紀要』 26, 2002, 90~91쪽.

행하는 경우도 종종 있었다. 인용사료에서는 "깨달음의 세계를 드러내시길"까지가 염향이고, 염향을 마친 도쿠간이 "이어 자리에 올라" 승좌법어를 설한 것이다. 한편 고증은 생략하지만, 공양대상인 결수대선정문은 야마나 도키우지(山名時氏)의 9번째 아들인 다카요시(高義)를 가리키는 것으로 판단된다. 인용사료의 후반에 보이듯, 다카요시는 우치노 전투에서 야마나 우지키요 편에 서서 분전하다 장렬히 전사했다.

인용사료의 모두에는 염향의 성격·이익이 제시되고 있는데, 그 가운데 "원친·피아는 평등으로 귀결된다"는 문구가 보인다. 이는 호조 다카도키 33주기 때 설파된 슌오쿠 묘하의 법어에서도 확인한 수법이다. 도쿠간의 염두에는 적군과 아군이 사활을 걸고 싸웠던 우치노 전투의 참상과 야마나 다카요시의 처절한 죽음이 있었음에 틀림없다. 아마도 도쿠간은 기정사실은 인정하면서도 불교적 원리를 환기함으로써, 다카요시가 해탈할 수 있는 길을 설정하고자 했던 것이라 생각한다. 인용은 생략했지만, 승좌법어의 후반에서 도쿠간은 "역연(逆緣) 또한 공(空)이고, 은원(恩怨) 또한 공이며, 승리이해 또한 공이고, 생사열반 또한 공이다"라고 설파하는데, 이는 염향을 통해 이야기하고자 한 바를 환언한 것이라 할 것이다.

당시 다카요시가 원령으로 인지되었는지 여부는 확실치 않지만, 도쿠간이 원도 친도 없는 세계로 나아갈 것을 전사자 다카요시에게 재촉하고 있는 것은 분명하다. 따라서 '원친평등론'은 15세기에 들어서도 여전히 전개되고 있었다고 상정 가능할 것이다. 관련 사례를 하나 더 살펴보도록 하자.

시주(施主)가 대중에게 법어를 설할 것을 청했다. (부처의) 가르침에 이르기를, 나타태자(哪吒太子)는 뼈를 발라 부친에게 돌려주고, 살을 발라 모친에게 돌려주었다. 그 후 본래의 모습을 드러내고 대신력(大神力)을 일으켜 부모를 위해 설법했다. (중략) 오늘은 정암덕공대선정문(貞巖德公

大禪定門)의 삼칠일이다. 이에 사이토(齊藤) 슌슈(駿州) 태수 모토히로(基
廣)가 특별히 청정한 재화를 모아 후지선암(不二禪庵)에서 엄숙히 공불재
승(供佛齋僧)의 법회를 열어 추천(追薦) 의식으로 삼았다. 이에 암주(庵主)
인 (나에게) 명하여 대중에 대하여 법어를 설하도록 했다. 곧 (나는)
크게 기뻐하고 감탄하여 문득 이 (나타태자에 관련된) 법어를 예시한
것이다. 바라보라, 사자의 영혼(神儀)이 지금 막 이 법석에 임하여 양친과
제군(諸軍)을 위해 원친이 평등하다는 부처의 가르침(冤親平等法門)을
풀어 보이고 있다.65)

　위 사료는 후지암(훗날의 다이센지[大仙寺])주 도요 에이초(東陽英朝)가
1494년,66) 정암덕공대선정문의 삼칠일을 맞아 설한 수시(垂示, 대중에
대한 법어)이다. 에이초는 임제종 묘신지파(妙心寺派) 중흥에 진력한 것으
로 저명한데, 처음에는 무소파 선승으로 약 30년간 활동한 이색적인
경력의 소유자이기도 하다.67) 즉, 에이초는 어린시절 교쿠슈 에이슈(玉岫
英種)68)에게 맡겨져 이후 에이슈를 따라 덴류지(天龍寺)·난젠지(南禪寺)에
서 수행했다. 원친평등에 관한 에이초의 발상은 이러한 수행시절에 연원을
두는 것일지도 모른다.
　한편, 시주인 사이토 모토히로는 도키씨(土岐氏)의 피관으로 활약했던
인물로, 훗날 에이초의 정상자찬(頂相自贊)69)을 구할 정도로 에이초에게
깊이 귀의한 인물이다.70) 공양의 대상인 정암덕공대선정문은 사이토

65) 「住濃州賀茂郡不二菴語」, 『少林無孔笛』 卷第2(『大正新脩大藏経』 第81卷, 362쪽b).
66) 橫山住雄, 「東陽英朝禪師の生涯(二)」, 『禪文化』 187, 2003, 32쪽에 의함.
67) 이하, 에이초의 경력에 대해서는 橫山住雄, 「東陽英朝禪師の生涯(一)」, 『禪文化』
　　186, 2002, 94~95쪽을 참조.
68) 법계는 무소 소세키－도쿠소 슈사(德叟周佐)－교쿠슈 에이슈.
69) 정상은 선승의 초상화. 여기서는 에이초를 그린 초상화에 에이초의 자찬 글귀를
　　받았다는 의미이다.
70) 상세한 내용에 대해서는 橫山住雄, 『美濃の土岐·齋藤氏－利永·妙椿と一族－』,

일족으로 추측되지만, 특정하기는 어렵다.

인용사료는 크게 두 단락으로 구성되어 있다. 우선 수시의 전반에 해당하는 부분이 서술되고 있으며("시주가~부모를 위해 설법했다"), 이어서 추선불사의 경위와 함께 수시법어의 후반에 해당하는 부분이 기록되어 있다. 첫 번째 단락에서는 저명한 나타태자전설이 제시되고 있다. 이 전설의 핵심은, 본래의 자기란 감각적으로 인지되는 형상(뼈, 살)에 의한 것이 아니라는 점에 있다.

두 번째 단락은 이러한 나타태자전설을 바탕으로 한 것이라 할 수 있다. 즉, 에이초는 형상이 없는 사자의 영혼을 나타태자에 빗대고, 사자의 영혼이 양친과 제군을 위해 설법하고 있다고 주장한 것이다. 그 설법의 내용이 "원친이 평등하다는 부처의 가르침"인데, '제군'이라는 표현에 주의하면 사자의 영혼의 설법은 사이토 묘친(齋藤妙椿) 사후 사이토 일족의 분열을 중심으로 전개된 미노국(美濃國)의 혼란을 전제로 하고 있는 것으로도 보인다. 사이토씨의 분열에 장군가와 다이묘 등의 이해관계가 뒤얽혀 후나다(船田)의 난이 발발한 것도 다름 아닌 1494년 12월이었다.[71]

그런데, 인용사료에 보이는 원친평등의 문구가 전사자공양의 문맥에서 원용되고 있다고 단정하기는 어렵다. 왜냐하면, 사자의 영혼이 설법의 주체인데다 설법의 객체인 '양친'과 '제군'도 전사자인지 분명하지 않기 때문이다. '양친'과 '제군'은 생자일 가능성조차 있는 것이다. 따라서 위 인용사료를 '원친평등론'의 사례로 확정할 수는 없다. 단, 앞서 언급한 바와 같이, 이 사료의 배경으로는 전국시대로 돌입해가는 미노국의 혼란한 정세가 상정되며, 적어도 에이초 주변에서 '원친평등론'이 전개될 만한 환경은 갖춰져 있었다고 할 수 있을 것이다.

教育出版文化協會, 1992, 204~209쪽을 참조.
71) 橫山住雄, 『美濃の土岐·齋藤氏 －利永·妙椿と一族－』, 124쪽 이하를 참조.

에이초의 용례와 앞서 검토한 도쿠간의 용례를 아울러 생각해보면, 중세후기에 '원친평등론'이 폭넓게 전개되었을 가능성도 충분히 상정 가능할 것이다. 그러나 필자가 검토한 바로는, 이를 뒷받침해줄 만한 사료는 존재하지 않는다. 예컨대, 15세기 이후에 발생한 전사자를 공양하는 장에서 원친평등이라는 숙어는 좀처럼 발견되지 않으며,[72] 고다이고천황·아시카가 다다요시·야마나 우지키요의 원기 때에도 원친평등의 문구는 확인되지 않는다.[73] 지방으로 눈을 돌려보아도 사정은 다르지 않다. 예컨대, 시마즈씨(島津氏) 등 센고쿠다이묘(戰國大名)들이 전후에 곧잘 거행한 시아귀(施餓鬼)법회의 관련 사료[74]에도 원친평등의 문구는 보이지 않는다.

그렇다고 하여 전사자공양과 원친평등의 문구 사이에 전혀 접점이 존재하지 않았다고 할 수는 없다. 앞서 검토한 바와 같이 중세후기에도 관련 용례가 보이며, 게이조 슈린의 담론에서 확인한 바와 같이 '원친평등론'이 삽입되어 있는 남북조시대의 전사자공양 법어는 무소파 선승들에 의해 관리·기억되고 있었던 것으로 보이기 때문이다. 다음 사료 역시 그 흔적이라고 할 수 있을 것이다.

　　게이초(慶長) 2년 8월, 대상국(大相國)께서 우리나라의 장수들에게 명령하여 재차 조선국을 정벌했다. 이에 대명(大明)의 황제가 순망치한의

---

72) 「円修寺殿三十三白忌」(『五山文學新集』第3卷, 506~507쪽) ; 「播州矢野庄兜率庵法華経書寫讀誦募緣疏幷叙」(『五山文學新集』第6卷, 226~227쪽) ; 「一色泰雲居士大祥忌拈香」(『五山文學新集』別卷1, 16~17쪽) ; 「群靈拈香」(『五山文學新集』第1卷, 109~113쪽) 등을 참조.

73) 「後醍醐天皇御忌拈香偈」(『五山文學新集』第5卷, 116쪽) ; 「大休寺殿拈香」(『五山文學新集』別卷1, 21~22쪽) ; 「大休寺殿拈香」(『五山文學新集』第3卷, 505쪽) ; 「宗鑑寺殿古鑑衡公大禪定門三十三回忌陞座」(『五山文學新集』第2卷, 596~598쪽) 등을 참조.

74) 주요 사료는 辻善之助, 『日本人の博愛』, 金港堂, 1932에서 확인할 수 있다.

긴 안목에서 수만의 갑병을 보내 이를 구원하였다. 우리나라의 정예 군사들은 성을 공략하고 땅을 공략하여 무수한 장사(將士)들을 격살했다. 머리를 베어 전공(首功)으로 삼아야 하지만, 강과 바다가 가로놓인 머나먼 땅인 까닭에 코를 베어 대상국께서 고람(高覽)하시도록 했다. 상국께서는 원수의 마음을 품지 않으시고, 오히려 자민(慈愍)의 마음을 깊이 하셨다. 이에 오산의 청중(清衆)에게 명하여 수륙묘공(水陸妙供)을 펼치고 이를 원친평등공양으로 삼았다.[75]

이 사료는 1597년, 정유재란에서 희생된 조선·명의 '장사'들을 위해 세워진 이른바 귀무덤(耳塚[미미즈카])[76]의 공양관련기사이다. 이 문장의 작자인 사이쇼 조타이(西笑承兌)는 1584년 무소파로 전신하여 로쿠온소로쿠(鹿苑僧録)에 취임한 이래 도요토미 히데요시의 브레인으로 크게 활약한 인물이다. 특히 외교상의 문필활동은 저명한데, 1597년 당시에는 로쿠온소로쿠에 재임되어 있었다.[77]

위 인용사료에서 쇼타이는 귀무덤공양에 맞춰 시행된 수륙회를 '원친평등공양'이라고 진술하고 있다. "상국께서는~자민의 마음을 깊이 하셨다"라는 문맥에서 알 수 있듯이, 원친평등은 시주 히데요시의 의중(실제로

75) 『鹿苑日録』 慶長 2년 9월 28일조.

76) 귀무덤에 대해서는 다음 논고를 참조할 것. 柳田國男, 「耳塚の由來に就て」, 『定本柳田國男集12』, 筑摩書房, 1963 ; 南方熊楠, 『南方熊楠全集9』, 平凡社, 1973, 338~347 쪽 ; 琴秉洞, 『耳塚ー秀吉の耳斬り・鼻斬りをめぐってー(增補改訂版)』, 總和社, 1994 (초판 二月社, 1978) ; 李在範, 「왜 朝鮮人의 코를 잘라 갔는가」, 『韓國과 日本 歪曲과 콤플렉스의 歷史(2)』, 자작나무, 1988 ; ロナルド・トビ, 「近世の都名所方廣寺前と耳塚ー洛中洛外図・京繪図・名所案内を中心にー」, 『歷史學研究』 842, 2008 ; 노성환, 「역사 민속학에서 본 교토 귀무덤」, 『일어일문학』 41, 2009 ; 노성환, 「교토의 귀무덤에 대한 일고찰」, 『동북아 문화연구』 18, 2009.

77) 사이쇼 조타이에 대해서는 다음 논고를 참조할 것. 北島万次, 「豊臣政權の朝鮮侵略と五山僧」, 『幕藩制國家と異域・異國』, 校倉書房, 1989 ; 伊藤眞昭, 「大和の寺社と西笑承兌ー關ヶ原の戰い後におけるー」, 『仏教史學研究』 42(2), 2000 ; 同, 「關ヶ原の戰い以前の西笑承兌」, 『戰國史研究』 45, 2003.

는 쇼타이의 추측이지만)을 보여주기 위해 원용되고 있다. 그런데, 이 용례는 지금까지 검토해온 원친평등 용례와는 성격이 다르다고 할 수 있다. 왜냐하면, 소세키 이래의 '전통적인' 용례는 사자를 축으로 한 것이었는데, 쇼타이의 용례는 공양주체인 생자를 축으로 한 것이기 때문이다. 말하자면, 사자공양의 장의 주역이 사자에서 생자로 전환되고 있는 것으로, 이러한 관점의 전환은 거시적으로 말하자면 사자와 생자의 역학관계[78]를 반영하는 것으로 판단된다. 그러나 이 밖에 관련 사료가 보이지 않으므로, 쇼타이의 '원친평등론'의 위상에 대해서는 검토의 여지가 남는다.

어쨌든 쇼타이의 '원친평등론'은 오늘날의 〈원친평등='피아전사자공양'〉 인식을 방불케 한다. 그러나 『鹿苑日錄』에 보이는 '원친평등공양'이라는 문구 자체는 그 후 의외로 거의 주목받지 못했다. 예컨대, 귀무덤은 근세 풍토기에도 종종 등장하지만, '원친평등공양'이라는 문구는 눈에 띄지 않는다. 1898년에 조영된 귀무덤 수영(修營) 공양비[79]에도 '자인(慈仁)' 혹은 '박애'의 문구는 보여도 '원친평등공양'은 보이지 않는다. 공양주체를 축으로 하는 '원친평등론'이 본격적으로 전개되어 사회일반에 보급되기까지는 보다 오랜 세월이 필요했다.

이상, 본장에서 검토한 바와 같이, 소겐이 제시한 '원친평등론'은 남북조 시대에 접어들어 전사자 회유라는 문맥에서 눈에 띄는 전개를 보였다. 단순한 이상주의자가 아니었던 무소 소세키는 원·친이 사활을 걸고 다투는 동란기의 현실을 전제로, 고다이고천황의 원령을 무해화하는 취지의 '원친평등론'을 설파했다. 소세키의 논리는 제자들에게 계승되어, 호조

---

78) 池上良正, 『死者の救濟史―供養と憑依の宗敎學―』, 角川書店, 2003, 第一章~第三章을 참조.

79) 비문에 대해서는 琴秉洞, 『耳塚―秀吉の耳斬り·鼻斬りをめぐって―(增補改訂版)』, 91쪽 이하를 참조.

다카도키·아시카가 다다요시·야마나 우지기요 등, 아시카가 장군가의 주위를 맴도는 원령을 잠재우는 법회에서 '원친평등론'은 계속해서 설파되었다. 요컨대, 남북조시대에 '원친평등론'은 무소파 선승들에 의해 원령을 무해화하는 논리로서 전개되었던 것이다.

'원친평등론'의 전개에 따라, 원친평등의 문구는 곧잘 원용되게 된다. 그러나 그것이 단순히 '원친평등론'의 폭넓은 유포로 연계되었던 것은 아니다. 중세후기에 '원친평등론'은 기본적으로 '오산문화권'에서 기억되었으며, 폭넓은 전개는 인정되지 않는다.

이러한 검토 결과를 감안하면, 오늘날 학계일반에서 통용되고 있는 〈원친평등='피아전사자공양'〉 인식과 원친평등을 둘러싼 중세사회의 인식 사이에는 커다란 격차가 존재한다고 하지 않을 수 없다. 왜냐하면, 중세사회에서 원친평등이 전사자공양과 밀접하게 얽혀 있었던 것은 남북조시대에 불과하며, 그나마 당시 전개되었던 '원친평등론'은 적군전사자를 축으로 하는 원령무해화의 논리였기 때문이다.

다만 한 가지 주의해야 할 것은, 중세의 '원친평등론'과 생자·속(俗) 중심의 세계관 사이에 접점이 존재한다는 사실이다. 중세의 '원친평등론'은 원령을 극복하고자 하는 관념의 산물이라고 할 수 있다. 원령의 해코지에 대해 마냥 전율하며 사죄하는 것이 아니라 원령에게 적극적으로 말을 걸고 그 원념을 근본적으로 제거하려 하는 태도는 정당하게 평가하지 않으면 안 될 것이다. 중세의 '원친평등론'은 사자·성(聖) 측을 관리하고자 하는 생자·속 측의 부단한 움직임의 흔적이라고도 볼 수 있는 것이다.

한편, 16세기에 이르러 중세의 '원친평등론' 자체에 변화의 조짐이 보인다는 점도 간과할 수 없다. 쇼타이의 '원친평등론'에 보이는 관점의 전환은 우연의 결과라기보다는 시대조류의 반영으로 파악된다. 잘 알려진 바와 같이, 중세에서 근세로의 전환기에는 성속의 관계가 크게 전환되었다.[80] 도요쿠니 다이묘진(豊國大明神), 도쇼 다이곤겐(東照權現)의 출현을 필두로 사람을 신으로 제사지내는(사후뿐만 아니라 심지어 생전에도) 관습이 사회일반에 정착하는 등, 사람과 신의 관계는 한층 즉물적이고 형이하학적인 것이 되었다. 바꿔 말하자면, 일부 성의 영역이 점차 속의 영역으로 편입되고 있었던 것인데, 생자의 관점에서 설파되는 쇼타이의 '원친평등론'은 이와 같은 시대조류와 밀접하게 연관되어 있는 것으로 생각한다.

그렇다면, 이처럼 다양한 면모를 지니고 있었던 중세의 '원친평등론'은 그 후 어떻게 계승되어 갔을까? 다음 장에서는 근세 '원친평등론'의 전개 가능성에 대해 생각해 보도록 하자.

---

80) 중·근세 전환기에 대한 서술은 다음 논고를 참조했다. 曾根原理, 『神君家康の誕生 －東照宮と權現樣－』, 吉川弘文館, 2008.

제3장 근세~근대초기 '원친평등론'의 행방

제1절 평화시대의 도래와 '원친평등론'의 단절

'원친평등론'은 대규모 전란을 전제로 한다. 그래서 우선 근세의 대규모 전란을 생각해보면, 오사카(大坂)의 진(陣)과 시마바라(島原)의 난을 들 수 있을 것이다. 오사카의 진에서 희생된 전사자의 공양으로는 도쿠가와 히데타다(德川秀忠)의 부인인 스겐인(崇源院)과 도도 다카토라(藤堂高虎)에 의한 공양이 알려져 있으며,[1] 그 밖에 산마이히지리(三昧聖)에 의한 사체처리, 정토종 잇신지(一心寺)에서의 공양이 알려져 있다.[2] 그러나 어느 것도 구체적인 내용은 알 수 없다. 이에 반해 시마바라의 난과 관련해서는 아마쿠사(天草) 대관(代官) 스즈키 시게나리(鈴木重成)에 의해 건립된 기리시탄(キリシタン)전사자공양비가 현존한다.[3]

1637년 10월에 발생한 시마바라의 난은 다음 해 2월에 진압되었다. 1641년 아마쿠사를 덴료(天領)로 삼은 막부는 대관으로 스즈키 시게나리를 현지에 파견한다. 시게나리는 황폐해진 아마쿠사의 경제부흥을 도모하

---

1) 『義演准后日記』元和 2年 5月 7日條 ;『公室年譜略』寬永 4年 6月 26日條(上野市古文獻刊行會編, 『公室年譜略 − 藤堂藩初期史料 −』, 淸文堂, 2002, 411쪽).
2) 木下光生, 『近世三昧聖と葬送文化』, 塙書房, 2010, 104·342쪽을 참조.
3) 공양비의 전문은 다음 자료에 수록되어 있다. 田口孝雄 ほか編, 『天草代官鈴木重成 鈴木重辰關係史料集』, 鈴木神社社務所, 2003, 205~206쪽·221~222쪽.

는 한편, 스즈키 쇼산(鈴木正三), 잇테이 유톤(一庭融頓)과 협의하여 새로이
사원을 건립하는 등 불교를 매개로 전후의 민심을 수습하고자 했다.[4]
1647년과 1648년에 도미오카(富岡)와 하라조(原城)에 세워진 기리시탄전
사자공양비도 시게나리의 종교시책이라는 관점에서 파악된다.

　전문의 인용은 생략하지만, 두 비문의 문맥은 매우 흡사하다. 이는
동일인물이 두 비문을 작성한 데에서 비롯된 것이라고 여겨진다. 비문의
작성자인 주카 게이호(中華珪法,[5] 당시 조동종 메이토쿠지[明德寺]의 주
지)는 기리시탄의 봉기과정과 막부군에 의한 진압, 수총(首塚)의 조성,
대관으로 부임한 스즈키 시게나리의 인물됨, 공양의 공덕 등을 비교적
평이한 문체로 기록하고 있다. 게이호와 시게나리는 시게나리의 형인
스즈키 쇼산을 통해 접촉했다고도 전해지지만, 상세한 내역은 알 수
없다.

　시게나리에 의한 기리시탄전사자공양은 원친평등의 사례로 곧잘 인용
되지만, 그 비문에 원친평등의 문구는 존재하지 않는다. 한편 기리시탄전
사자공양의 배경으로는 시게나리의 됨됨이가 강조되고 있지만, 하라조의
기리시탄전사자공양비에는 "(기리시탄전사자의) 망혼이 혹은 충치(虫豸)
로 화하고 요괴로 변하여 오곡에 들러붙고 초목에 들러붙어 그 가지와
이파리가 시들어 떨어졌다. 민가에 들어가 학질을 일으키고 남녀를 병들게
하였다. 수많은 정령이 산란하여 그치지 않았다"라고도 보인다. 일찍이
다마무로 다이조(圭室諦成)가 지적한 바와 같이, 기리시탄전사자공양의
배경으로는 공양주체의 자비심과 더불어 원령에 대한 공포가 상정되는
것이다.[6]

---

4) 이상의 사정에 대해서는 村上直,「天草における幕領の成立と代官支配ー鈴木重成·
　重辰を中心にー」,『對外關係と政治文化(第三)』, 吉川弘文館, 1974를 참조.

5) 주카 게이호에 대해서는「正覺寺住山記」(『曹洞宗全書』室中·法語·頌德·歌頌·寺
　誌·金石文類, 491쪽) ; 曹洞宗出版部 編,『曹洞宗近世僧伝集成』, 曹洞宗宗務廳,
　1986, 541쪽을 참조.

그런데, 시마바라의 난 이후 대략 200년간 일본사회에서는 이렇다 할 대규모 전란이 발생하지 않았다. 근세에는 새삼스레 '원친평등론'이 제기될 만한 계기가 존재하지 않았던 것이며, 남북조시대를 풍미했던 무소 소세키(夢窓疎石)류의 '원친평등론'도 전사자공양의 장에서 새로이 해석되거나 채용될 여지는 거의 존재하지 않았다.

그러나 서장에서 언급한 바와 같이, 근대 이후 특히 청일전쟁기 이후에는 원친평등을 둘러싸고 불교계에서 수많은 담론이 등장한다. 게다가 그것은 종파를 불문하고 기지(旣知)의 것으로 설파되었다. 이러한 사실은 근세~근대 초기에도 원친평등의 용례가 일본사회에서 모종의 형태로 복류하고 있었다는 점을 시사한다. 그래서 다음 절에서는 전사자공양에서 벗어나, 근세의 불교계에서 원친평등이 어떻게 보관되고 있었는지를 살펴보고자 한다.

제2절 근세불교계의 동향과 원친평등 용례

근세의 원친평등 용례를 생각하기에 앞서, 우선 다음 두 가지 사실을 확인해 두고자 한다. 첫째, 원친평등이라는 용어가 근세의 승려 특히 학승들에게 결코 낯선 용어가 아니었다는 점이다. 본래 원친평등은 『過去現在因果經』, 『華嚴經』 등 각종 한역(漢譯) 불경과 기타 불교전적(典籍)에 빈출하는 용어로, 근세의 학승들이 경우에 따라 충분히 원용할 수 있는 용어였다. 둘째, 간에이(寬永)~겐로쿠(元祿) 연간을 경계로 출판문화가 비약적으로 발달했다는 점이다. 이 시기에는 인쇄기술의 발달에 따라 상업적 출판이 개시되어, 점차 지(知)의 유통망이 구축되어갔다.7) 이러한

6) 『葬式仏教(オンデマンド版)』, 大法輪閣, 2004(초판 1963), 201~202쪽.

7) 長友千代治, 『江戸時代の書物と讀書』, 東京堂出版, 2001, 3~37쪽 ; 辻本雅央, 「文字

110

두 가지 사실을 전제로, 이하 원친평등의 용례를 검토해 보자.

(1) 조사(祖師)신앙과 원친평등

근세의 원친평등 용례를 생각하는 데 있어서 우선 주목되는 것은, 근세불교의 주류를 이룬 몇몇 종파의 조사들이 원친평등의 용례를 남기고 있다는 점이다. 이에 대해서는 이미 서장에서 일부 사례를 소개한 바 있는데, 여기서는 이들 사례의 근세적 전개에 대해 살펴보도록 하자.

먼저 정토종의 호넨(法然)은 이른바 네 가지 무량심(無量心)에 대해 언급하면서 "사무량(捨無量)은 원친평등의 마음이다"라고 설파했다.[8] 이 문장이 실린『黑谷上人語燈錄』은 1630년, 1643년, 1705년, 1715년 등에 반복해서 판행(版行)되었는데,[9] 이러한 동향은 조사신앙의 맥락에서 이해된다.

근세에는 각 종파의 자기인식이 심화되어 조사의 일대기가 편찬되는 한편,[10] 조사의 저작도 재조명되었다. 정토종에서는 특히 호넨의 기일을 중심으로 대규모 출판사업이 거듭 추진되었다.[11]『黑谷上人語燈錄』도 이와 같은 경위를 거쳐 판행되었던 것인데, 이렇게 유포된『黑谷上人語燈錄』은 근세의 정토종계 전적에서『選擇本願念佛集』,『一枚起請文』,『法然上人行狀繪圖』(속칭『勅修御傳』) 등과 더불어 곧잘 인용되었다. '원친평등의 마음'이라는 문구 자체가 인용된 사례는 아직 발견하지 못했지만,

---

社會の成立と出版メディア」,『新体系日本史16 教育社會史』, 山川出版社, 2002를 참조.

8)『黑谷上人語登錄』 卷第8(『大正新脩大藏経』 第83卷, 150쪽b).

9) 이하 관련서적들의 판행사정은, 별도로 표기하지 않는 한『國書總目錄』에 의함.

10) 渡辺昭五·林雅彦 編,『伝承文學資料集成 第15輯 宗祖高僧繪伝(繪解き)集』, 三弥生書店, 1996 ; 堤邦彦,『近世說話と禪僧』, 和泉書院, 1999, 214쪽 이하를 참조.

11) 北城伸子,「法然伝と出版文化」,『大谷大學大學院研究紀要』17, 2000을 참조.

『黑谷上人語燈錄』의 독자가 이 문구를 통해 원친평등이라는 용어를 새삼 숙지하게 되었으리라는 점은 두말할 나위 없다.

정토종의 조사신앙과 관련해서는 『御傳撮要講說』이라는 서적도 주목된다. 이 서적은 호넨 전기류의 최고봉이라 할 수 있는 『法然上人行狀繪圖』에 대한 강설집으로, 호넨 서거 650주년을 기념하여 1858년에 간행되었다. 강설한 것은 조슈(長州) 오히비(大日比) 사이엔지(西円寺)의 호슈(法洲, 1765~1839)로, 호슈의 사후에 제자 호도(法道, 1804~1863)와 기타 문도들이 스승의 담론을 편집한 것이다. 지온인(知恩院) 관주(貫主) 대승정(大僧正) 겐도(顯道)는 『御傳撮要講說』의 서문에서 "진실한 믿음의 염불, 심오하고 미묘한 뜻이 여기에 실려 있다. 우리 종문의 사람이 이외에 무엇을 구하랴"라 하며 호슈 등을 상찬하고 있다. 이러한 『御傳撮要講說』에도 원친평등의 문구가 등장한다.

종래의 도리를 염두에 두고 도키쿠니(時國)의 최후의 모습을 잘 살펴보아야 할 것이다. 이러한 위기에 처하면서도 마음이 조금도 동요하지 않고 있는 것이다. 자연히 원친평등 보살의 관행(觀行)에도 부합하고[네 가지 무량심 가운데 원친평등관을 가리킴] 인과응보의 도리에도 들어맞으며 (중략) 뿐만 아니라, 너는 세간에서 일컬어지는 적에 대한 응징, 복수 같은 것은 생각지 말고, 하루빨리 출가하여 내 보리(菩提)를 빌고 네 자신의 출리생사(出離生死)의 길을 구하며 자타가 원친평등하게 구제되기를 기원해야 한다고 하였다.[12]

위 인용문은 호넨의 생부인 우루마 도키쿠니(漆間時國)의 유언에 대한

---

12) 世良諦元 編, 『大日比三師講說集(中卷)』, 西円寺, 1910 수록. 이 서적은 일본 국회도서관의 近代デジタルライブラリー에 공개되어 있다. 또한 본문에 인용한 부분을 포함하여 『御伝撮要講說』의 일부 내용은 中野隆元 編著, 『淨土宗敎學大系(布敎編 6)』, 大東出版社, 1976(초판 1932)에도 수록되어 있다.

112

평어이다. 미마사카국(美作國)의 재청관인(在廳官人)이었던 도키쿠니는, 이나오카장(稻岡庄)의 아즈카리도코로(預所) 아카시 겐나이무샤 사다아키라(明石源內武者定明)와 대립하고 있었다. 어느 날 도키쿠니는 사다아키라의 야습을 받고 중상을 입는다. 도키쿠니는 아들인 세이시마루(勢至丸, 어린시절 호넨의 이름)를 불러 사다아키라에게 원한을 품지 말고 불도수행에 전념할 것을 당부하며 세상을 떠난다. 이 장면에 대한『法然上人行狀繪圖』의 기술은 간략하지만, 진종(眞宗) 계통의 것을 포함하여 사회일반에 유포된 호넨 전기류에는 대부분 상세한 설명이 보인다.[13] 특히 도키쿠니의 유언과 관련해서는 자타평등(自他平等)이라는 용어가 곧잘 원용되었다. 자타평등이 원친평등과 상통한다는 점은 두말할 나위 없지만, 일반적으로 자타평등이 원용되는 상황에서 굳이 원친평등을 원용한 호슈의 담론은 독특한 것이라 할 것이다.

　지온인 공인의 강설집인『御傳撮要講說』은 이른바 오히비 삼사(三師)[14]의 지명도에도 힘입어 정토교계에서 상당히 주목받았던 것 같다. 예컨대, 메이지(明治) 초기 정토종 설교계의 일인자였던 호조 데키몬(北條的門)은『円光大師御傳縮圖辨釋』[15]에서 도키쿠니의 유언에 대해 "역연(逆緣)을 성불의 길잡이로 삼아 세간에서 일컬어지는 적에 대한 응징, 복수에 대한 생각을 버리고 승려가 되어 원친평등하게 널리 세상을 이롭게 하라는 뜻이다"라고 진술한 후,『御傳撮要講說』을 인용하고 있다. 오늘날 정토종계에서는 원친평등이 거론될 때 도키쿠니의 유언이 곧잘 원용되는데, 이러한 담론의 단서는 바로『御傳撮要講說』,『円光大師御傳縮圖辨釋』의

13) 호넨 전기류의 대표적인 판본들은 다음 책에서 확인할 수 있다. 井川定慶,『法然上人繪伝の研究』, 法然上人伝全集刊行會, 1961.
14) 야마구치현(山口縣) 오우미지마(靑海島) 오히비의 사이엔지에 기거한 호간(法岸, 1744~1815)·호슈·호도 삼대의 통칭이다. 이들은 호넨의 가르침으로의 회귀를 주창하며 지계(持戒)를 강조했다.
15) 1867년에 성립했지만, 1892~1893년(大雲敎會出版部)에 간행되었다.

기술에 존재한다고 판단된다.

이처럼 원친평등은 조사 호넨에 대한 신앙을 매개로 정토종계에서 유포되어 갔다고 판단되는데, 호넨과 그 저작은 진종계에서도 존중되었다. 교판(教判)상의 문제도 있어서 진종의 승려들은 호넨을 원조(元祖)로 존중하지 않을 수 없었으며, 그의 저작도 숙지하지 않을 수 없었다. 근세에 진종의 승려들은 정토종의 승려들과 수많은 논쟁을 벌였는데, 그들이 주장하는 바의 핵심은 진종이 결코 이단이 아니라는 점, 즉 진종의 교리가 어디까지나 호넨의 가르침에 근거한 것이라는 점이었다.[16] 실제로 당시의 진종계 전적을 살펴보면, 진종계에서도 호넨의 저작이 존중되고 있었음을 도처에서 확인할 수 있다. 요컨대, 진종의 승려들도 우선 호넨을 통해 원친평등에 접하고 있었을 것으로 추정되는 것이다.

그러나 진종의 승려들로 하여금 원친평등을 연상케 하는 단서는 이외에도 존재했다. 그것은 조사 신란(親鸞)이 저술한 진종의 본전(本典)『教行信證』의 화신토권(化身土卷)에 준비되어 있었다.

신란은 아쟈세왕(阿闍世王)과 데바닷타(提婆達多)에 얽힌 고사(古事)[17]를 예시하며 불교를 비판하는 도교 측의 주장에 대해, 불교적 원리를 들어 원친의 구분은 무의미하며 그것에 구애받는 것은 미혹에 다름 아니라고 갈파했다. 여기에서 우리는 쉽사리 원친평등을 연상할 수 있는데, 근세 진종의 승려들도 그러했던 것 같다. 즉, 근세의 저명한『教行信證』주석서들을 살펴보면 이 구절과 관련하여 심심찮게 원친평등의 용례를

16) 引野亨輔,「近世仏教における「宗祖」のかたち－浄土宗と眞宗の宗論を事例として－」,『日本歷史』756, 2011 ; 上野大輔,「長州大日比宗論の展開－近世後期における宗教的對立の樣相－」,『日本史研究』562, 2009를 참조.

17) 아쟈세왕은 고대 인도 마가다국의 왕. 부왕을 살해하고 왕위에 올랐다. 데바닷타는 석가모니의 제자 가운데 한 사람으로, 석가모니의 종형제이기도 했다. 계율문제를 둘러싸고 석가모니와 대립, 석가모니를 죽이려 했다고도 전해지지만, 진위여부는 분명치 않다.

발견할 수 있다. 예컨대, 1800년 무렵 히가시혼간지파(東本願寺派)의 학승 호레이(鳳嶺)가 저술한 『教行信證報恩記』에는 "불교의 법문에 점돈(漸頓) 의 두 가지 길이 있다면 원친평등은 점법문이라 할 것이다. (중략) 외론에서 이미 데바닷타와 아쟈세왕의 불인불효를 들어 불교를 비판한 까닭에, 원친평등점법문을 들어 이에 대응한 것이다"라고 보인다.[18] 인용은 생략 하지만, 1830년을 전후하여 성립한 니시혼간지파(西本願寺派)의 『教行信 證集成記』, 『本典指授鈔』에도 원친평등의 용례를 확인할 수 있다.[19] 요컨 대, 근세의 진종계에서도 조사신앙을 매개로 원친평등의 용례가 공유되고 있었던 것이다.

이처럼 원친평등과 조사신앙이 결부되는 패턴은 진언종에서도 확인된 다. 서장에서 살펴본 바와 같이, 진언종의 조사 구카이(空海)는 종문의 비보(秘寶)인 여의보주(如意寶珠)에 대해, '원친평등관행(觀行)'을 행한 후 에 능력 있는 적임자를 선별하여 맡기라고 유언했다.[20] 이 문구가 실린 구카이의 유언집 『御遺告』는 중세 이후 몇 번이고 전사(轉寫)되었으며, 각종 『御遺告』 주석서도 널리 유통되었다. 대표적인 주석서로는 중세 학승 라이유(賴瑜, 1226~1304)의 『御遺告釋疑抄』와 세이오(成雄, 1381~1451)의 『御遺告傳授頭書抄』를 들 수 있는데, 이들 주석서에 여의보 주와 관련하여 '원친평등관행'이 상세하게 해설되어 있음은 두말할 나위 없다.[21] 1262년에 성립한 『御遺告釋疑抄』는 1676년, 1680년, 1682년에 판을 거듭했으며, 가장 상세한 주석서로도 저명한 『御遺告傳授頭書抄』는

---

18) 『教行信証報恩記』 卷13(『眞宗全書』 第21卷, 479쪽).

19) 『教行信証集成記』(『眞宗全書』 第33卷, 533쪽), 『本典指授鈔』(『眞宗全書』 第35卷, 261쪽).

20) 『御遺告』 東寺座主大阿闍梨耶可護持如意宝珠縁起第24(『大正新脩大藏経』 第77卷, 413쪽c).

21) 『御遺告釋疑抄』下(『續眞言宗全書』 第26, 90쪽), 『御遺告伝授頭書抄』下(『續眞言宗 全書』 第26, 235~236쪽).

1832년의 사본이 확인되고 있다.

구카이와 함께 이른바 남도육종(南都六宗)에 반기를 들었던 천태종의 조사 사이초(最澄) 역시 원친평등의 문구를 남겼다. 이미 살펴본 바와 같이, 804년 당에 건너간 사이초는 각종 불교전적에 대한 필사작업을 마치고 작성한 발문에서 원친평등의 문구를 원용했다. 이 발문을 포함하는 『傳教大師將來台州錄』은 1821년에 판행된 사실이 알려져 있다. 이러한 판행도 천태종계의 조사신앙이라는 관점에서 파악할 수 있을 것이다.

천태종의 경우 한 가지 더 주목할 만한 것은 천태종의 성전(聖典)이라 할 수 있는 『摩訶止觀』에도 원친평등의 용례가 보인다는 점이다. 저자인 천태대사(天台大師) 지의(智顗)는 지관(止觀) 상태에서 생기는 자비심을 설명하면서, "원친평등하여 다시금 원수를 두려워하고 근친을 염려하는 고통이 없음을 희지(喜支)라 한다"라고 설파했다.[22]

천태종의 시조가 기록한 『摩訶止觀』이 천태종의 필독서라는 점은 두말할 나위 없지만, 선정(禪定)에 대해 상설하고 있는 만큼 『摩訶止觀』이 선종 등 여타 종파에서도 널리 읽히고 있었다는 점, 17세기 이후 막말에 이르기까지 『摩訶止觀』의 각종 주석서와 강설집이 판행되었다는 점[23]도 아울러 기억해 둘 필요가 있을 것이다. 원친평등은 『摩訶止觀』을 통해서도 재생산되고 있었던 것이다.

한편, 중세에 원친평등을 즐겨 사용하던 선종계에서도 원친평등은 지속적으로 인지되고 있었다.

우선 지적할 수 있는 것은 '원친평등론'을 설파한 임제종(臨濟宗) 무소파(夢窓派) 선승들의 용례가 근세의 출판문화를 통해 재삼 유포되었다는 사실이다. 그 대표격이라고 할 수 있는 『夢窓國師語錄』은 1650년, 1700년

---

22) 『摩訶止觀』 卷九下(『大正新脩大藏経』 第46卷, 124쪽c~125쪽a).

23) 『國書總目錄』 第4卷, 24~28쪽 ; 『國書總目錄』 第7卷, 430~431쪽 ; 澁谷亮泰 編, 『增補版 昭和現存天台書籍綜合目錄(上)』, 法藏館, 1978, 44쪽 이하를 참조.

116

등에 판행된 사실이 확인되고 있다. 그 밖에『龍湫和尙語錄』은 1707년,
『智覺普明春屋和尙語錄』은 1837년,『諸回向淸規式』은 1657년 등에 판행된
사실이 확인된다.

또한, 황벽종(黃蘗宗)의 조사라 할 수 있는 도래승 인겐 류키(隱元隆琦,
1592~1673)도 "萬靈同體, 寃親平等, 逆順合轍"이라 설파했는데,[24] 이 구절
을 담고 있는『普照國師語錄』과『普照國師廣錄』의 판본도 현존한다.

이처럼 원친평등은 우선 조사신앙을 매개로 근세 불교계에서 보관되고
있었던 것으로 보이는데, 원친평등의 보관과 관련해서는 또 하나 간과할
수 없는 큰 맥락이 존재했다.

(2) 교학(敎學)진흥과 원친평등

앞서 살펴본 조사신앙과도 관련되는 것이지만, 근세에는 교학이 크게
발달했다. 교학진흥의 배경으로는, 불교관련의 여러 법도(法度)가 제정됨
에 따라 종파를 불문하고 주지에 선임되기까지 일정한 수학기간이 강제되
었다는 점, 각 종파 사이에 각종 논쟁이 빈발했다는 점 등을 지적할
수 있다.[25]

이러한 교학진흥의 동향 속에서도 원친평등의 용례가 확인되는데,
정토계 종파의 경우, 근본경전인 이른바 정토삼부경(淨土三部經)에 대한
주석서 가운데 용례가 보인다. 예컨대, 정토종의 하쿠벤(白弁)은 1724년
조조지(增上寺)에서 행한 강설에서,『無量壽經』의 "그 부처님의 나라에
태어난 여러 보살 등은 (중략) 뜻에 따라 자유로움에도 친하고 소원한
바가 없다"는 구절에 대해, "사사로이 살펴보건대, 중생 속에서 원친평등

---

24)『普照國師語錄』卷上(『大正新脩大藏経』第82卷, 743쪽c).

25) 引野亨輔,「近世日本の書物知と仏教諸宗」,『史學研究』244, 2004 ; 同,「近世仏教に
おける「宗祖」のかたち-淨土宗と眞宗の宗論を事例として-」; 西村玲,「近世教団と
その學問」,『民衆仏教の定着』, 佼成出版社, 2010 등을 참조.

을 얻는 까닭에 친하고 소원한 바가 없다는 것이다"라고 해설했다.[26]

진종에도 『無量壽經』에 대한 강설집이 존재했다. 『無量壽經』에 대한 진종 최초의 강설집으로 일컬어지는 쇼카이(性海)의 『無量壽經顯宗疏』 (1683년 성립)에는 아미타불의 11번째 서원과 관련하여 『華嚴經』 정행품 (淨行品)의 "처자가 모일 때에는 마땅히 중생이 원친평등하여 영원히 탐착(貪着)함에서 벗어나기를 바라야 한다"는 구절을 인용하고 있다.[27] 또한 니시혼간지파의 에운(慧雲)은 『大經安永錄』(1775년 성립)에서 『無量 壽經』의 "혹은 불성(佛聲) (중략) 중묘법성(衆妙法聲)을 듣는다"의 구절을 해설하며, 『大乘義章』을 전제로 "원친평등한 까닭에" "이상(異想)이 없는" 경지가 펼쳐진다는 점을 도시(圖示)했다.[28]

근본경전의 해석에 대한 관심은 정토계 종파에 국한된 것이 아니었다. 예컨대, 진언종에서는 『大日經』 관련주석 작업이 일찍부터 진전되었는데, 특히 근세에 중시되었던 것이 앞서 언급했던 학승 라이유의 『大日經疏指心鈔』 였다. 이 저서에서 라이유는 무연(無緣)의 자비를 해설하며 "원친평등관에 머물며 널리 일체중생을 이롭게 하는 까닭에 무연이라 하는 것이다"라고 언급했다.[29] 『大日經疏指心鈔』는 1635년, 1661년, 1724년 등에 거듭 판행되 었는데, 그 배경의 하나로는 근세의 진언종계에서 『大日經』의 교주(敎主)를 둘러싸고 격렬한 논쟁이 전개된 사실을 들 수 있다. 이 논쟁은 이른바 고의파(古義派)와 신의파(新義派) 사이에서 전개되었는데, 『大日經疏指心鈔』 는 신의파의 입장을 대변하는 서적으로 중시되었다.[30]

---

26) 『無量壽経集解』第12(『淨土宗全書』續第1卷, 349쪽). 하쿠벤의 인물상과 『無量壽経 集解』의 성립사정 등에 대해서는 『淨土宗全書』 續第1卷에 수록된 坪井俊映, 「淨土 宗における無量壽経釋書について」를 참조.

27) 『眞宗全書』 第2卷, 268쪽.

28) 『眞宗全書』 第3卷, 217쪽.

29) 『大正新脩大藏経』 第59卷, 728쪽c.

30) 羽生智産, 「近世密敎の大日経敎主論」, 『東洋大學大學院紀要』 19, 1982 ; 鎌田茂雄

118

한편, 천태종에서는 『梵網經』에 근거한 보살계(菩薩戒)의 해석과 관련하여 원친평등의 유통이 확인된다. 구체적으로는 원수에게 복수해서는 안 된다는 계율과 관련하여 용례가 보인다. 예컨대 지의의 주석을 바탕으로 저술된 명광(明曠)의 『天台菩薩戒疏』에는 "菩薩理應怨親平等"이라는 표현이 보이는데,[31] 이 저서는 간에이(寬永)·게이안(慶安) 무렵에 판행되었다. 또한 1691년에 판행된 지센(慈泉, 1645~1707)의 『天台菩薩戒疏順正記』에는 "유교는 세상에 예법을 세우는 까닭에 원수에게 보복하는 것을 허용한다. 지금 출세보자(出世普慈)하여 원친평등한 까닭에 다만 덕을 가지고 원수에 보답해야 하는 것이다"라는 『梵網菩薩戒經疏註』의 구절이 인용되고 있다.[32] 엔닌(円仁)이 저술한 『顯揚大戒論』에도 "여러 중생을 위해 원친평등하게 미묘한 법을 설한다"(『大乘本生心地觀經』), "처자가 모일 때에는 마땅히 중생이 원친평등하여 영원히 탐착(貪着)함에서 벗어나기를 바라야 한다"(『華嚴經』)라는 문장이 인용되고 있는데,[33] 본 저서에도 근세의 판본이 존재한다.

보살계에 대한 새삼스러운 관심은 계율부흥이라는 근세 불교계의 동향과도 연관되어 있는 듯하다. 막부의 후원 하에 일정한 경제기반이 확보되자, 불교계에서는 종종 승려들의 부패와 타락문제가 불거졌다. 이러한 상황을 타개하고자 개혁성향의 승려들이 주목한 것이 바로 계율의 부흥이었다.[34] 천태종도 예외는 아니었는데, 특히 안라쿠율원(安樂律院) 주지 레이쿠(靈空, 1652~1739)의 계율부흥운동에서 비롯된 이른바 안라쿠율

ほか編, 『大藏経全解說大事典』, 雄山閣出版, 1998, 655쪽을 참조.

31) 『大正新脩大藏経』 第40卷, 593쪽a.

32) 인용은 佛敎公論社 간행의 1892년판에 따름. 본서는 近代デジタルライブラリー에 공개되어 있다.

33) 『大正新脩大藏経』 第74卷, 714쪽a·752쪽c.

34) 末木文美士, 『近世の仏敎－華ひらく思想と文化－』, 吉川弘文館, 2010, 111쪽 이하를 참조.

(安樂律) 논쟁은 저명하다. 레이쿠는 불교계의 부패와 타락을 비판하며 보살계뿐만 아니라 소승계(小乘戒)도 실천해야 한다고 주장했다. 소승계를 부정하고 독자적인 보살계를 주창하며 성립한 것이 천태종이라는 점을 감안할 때, 레이쿠의 문제제기는 천태종의 존립근거에 대한 문제제기로 비화할 수 있는 성질의 것이었다. 레이쿠의 문제제기를 둘러싸고 격렬한 논쟁이 벌어진 것은 당연한 결과였다.[35) 안라쿠율 논쟁이 계율전반에 대한 주의를 환기시켰으리라는 점은 두말할 나위 없다. 이는 자연히 계율 관련서적에 대한 관심으로 이어지기 마련으로, 앞서 검토한 보살계 관련서적의 판행은 이와 같은 맥락에서도 이해할 수 있을 것이다.

이상에서 검토한 바와 같이, 근세의 승려들이 원친평등에 접촉할 만한 루트는 다양한 방식으로 준비되어 있었다. 원친평등은 우선 학승들의 세계에서 통용된 기술용어였다고 여겨지지만, 원친평등과 일반사회가 접촉할 만한 계기가 전혀 없었던 것 같지는 않다. 예컨대, 오히비 삼사의 한 사람인 호도는 설법용 비망록인 『托事辨』에서, 한신(韓信)이 갖은 치욕을 견디고 왕위에 오른 뒤 예전의 원수에게도 덕으로 대했다는 고사를 예시하며, 정토종의 신자도 타 종파의 해코지에 동요하지 말고 원친평등의 입장에서 대응해야 한다고 역설했다.[36) 이 사례에서는 원친평등이 설법의 장에서 제시되어 일반신자 층으로 침투되어가는 모습이 상상된다. 이와 관련해서는 말년의 다누마 오키쓰구(田沼意次)가 기록한 「降魔願文」[37)에 "대원수존(大元帥尊)께서 밖으로는 악마를 항복시켜 (내가) 충근하여 태만함이 없었고 지조가 있었음을 밝히시고, 안으로는 자비를 내리시어 (내가)

---

35) 이상 안라쿠율 논쟁에 대해서는 石田瑞磨, 「安樂律の紛爭(上)(下)」, 『日本仏敎史』 23, 1957 ; 曾根原理, 「安樂律をめぐる論爭－宝曆8年安樂律廢止に到るまで－」, 『東北大學付屬図書館硏究年報』 24, 1991을 참조.

36) 『托事辨』 事實之部・卷4(『大日比三師講說集』 下卷, 552쪽).

37) 『相良町史』 資料編・近世1, 471~472쪽. 이 문서명은 深谷克己, 『田沼意次－「産業革命」と江戶城政治家－』, 山川出版社, 2010, 12~13쪽의 지적에 따른 것임.

추호도 기만하지 않았다는 뜻을 밝히시고 (중략) 나를 비방하고 나를
미워하는 사람들이 오키쓰구에게는 조금도 거짓이 없었음을 알게 하시고,
세상이 잡설을 버리고 원친평등의 생각을 지니도록 하시기를 우러러
바라옵니다"라고 보이는 점도 참고가 될 것이다. 근세를 거치며 불교계
일반에서 통용된 원친평등은 점차 일반사회에도 스며들고 있었던 것으로
추정된다.

(3) 원친평등의 주위를 맴도는 서적들

지금까지 근대의 '원친평등론'을 의식하며 근세의 원친평등 용례에
대해 살펴보았다. 근대에 대한 논의에 앞서 한 가지 더 확인해 두고자
하는 것은, 피아전사자공양과 적군전사자공양 혹은 원친평등의 주위를
맴도는 근세의 서적이 다수 존재했다는 점이다. 그러한 서적들은 역사적
사실에 대한 기억과 불교적 원리에 대한 환기가 어우러지는 지점에서
나타났다.

예컨대 17세기 이후 교토의 명소로 자리 잡은 귀무덤에 대해서는 각종
안내기가 작성되었다.[38] 귀무덤은 전공현창이라는 맥락에서 축조된 것으
로 여겨지지만, 어쨌든 이러한 안내기를 통해 일본 근세사회에서 적군전사
자공양이 환기되었다는 점은 분명하다 할 것이다. 제6장에서 상술하겠지
만, 임진왜란 직후에 건립된 고려진공양비에서도 비슷한 패턴을 확인할
수 있다.

한편 불교의 민중화에 힘쓴 구야(空也)를 소재로 한『西院河原口號傳』
(1761년 판행)에는 딸의 복수를 마친 주인공 헤이조(平藏)가 "적군도 아군
도 평등하게" 구제하기 위해 불도수행에 전념했다고 보이며, 구야도

---

38) ロナルド·トビ,「近世の都名所 方廣寺前と耳塚－洛中洛外図·京繪図·名所案内を中
心に－」,『歷史學研究』 842, 2008을 참조.

"깨달음에는 적군도 없고, 아군도 없다"고 설파했다고 보인다.[39]

또한 진언종의 승려가 저술한『瑞應塵露集』(1733년 판행)에는 원령의 해코지를 두려워 한 주인공 이치넨(一念)이 "대대의 원친과 부모를 위해 자타평등의 회향을 하고자" 출가하는 장면이 수록되어 있으며, 교토 다이후쿠지(大福寺) 약사여래의 공덕과 관련해서는 "부처는 항상 원친중 (怨親中)의 세 가지 평등에 머물며, 대자비심을 가지고 널리 법계(法界)의 유정(有情)을 하나 뿐인 자식처럼 바라보신다"라는 문장이 보인다.[40]

다음으로 도진마치(唐人町)에 거주하던 로슈쿠(露宿)라는 자가 저술한 『善惡業報因緣集』(1788년 판행)에는 추선공양과 관련하여 "자타를 차별 하는 마음 없이" 독경하는 자세가 중요하다고 강조되고 있으며, 아울러 '생불불이평등(生佛不二平等)', '자타평등'이라는 표현이 원용되고 있 다.[41]

근세 최고의 베스트셀러라 할 수 있는 바킨(馬琴)의『南總里見八犬伝』에 도 관련문장들이 보인다. 15세기 중엽의 유키전투(結城合戰)를 축으로 전개되는『南總里見八犬伝』의 후반부에는 전란에서 희생된 자들을 적군, 아군 구별 없이 소생시키는 이누에 신베 마사시(犬江親兵衛仁)의 활약상이 두드러진다. 또한 주인공들의 길잡이 역할을 해 왔던 선승 주다이(ヽ大)는 적군과 아군의 전사자를 위해 추선공양을 거행하는데, 이 장면에서는 자타평등의 문구가 원용되고 있다. 참고로 이러한 바킨의 서술은 일찍이 니토베 이나조(新渡戶稻造)의 *Bushido: the soul of Japan, an exposition of Japanese thought*에도 소개된 바 있다.

이와 같은 서적군(群)의 존재와 앞서 살펴본 원친평등의 용례를 아울러 생각해 볼 때, '원친평등론'은 원친의 대립구도가 부상하는 막말부터

---

39)『仏敎說話集成[一]』, 國書刊行會, 1990, 429쪽·448쪽.

40)『仏敎說話集成[二]』, 國書刊行會, 1998, 138쪽·144쪽.

41)『仏敎說話集成[二]』, 515쪽.

등장해도 이상할 것은 없어 보인다. 그 흔적으로 여겨지는 사례도 존재하기는 하지만,[42] '원친평등론'이 재차 표면화되기까지는 좀 더 시간이 필요했다. 메이지유신기의 급변하는 정세는 불교계의 전사자공양 방식에도 적지 않은 영향을 미쳤던 것인데, 상세한 내용에 대해서는 다음 절에서 살펴보도록 하자.

제3절 전사자제사에 대한 메이지정부의 방침과 불교계의 입장

1853년 돌연 흑선(黑船)이 우라가(浦賀)에 모습을 드러내자, 에도의 평화에도 균열이 생기기 시작했다. 구미열강과의 불평등조약 체결을 둘러싸고 여론은 사분오열하고 연이어 정변이 발생했다. 치열한 권력투쟁 끝에 왕정복고가 이루어졌지만, 250여 년이나 지속된 구체제가 한 순간에 사라지는 것에 대해서는 역시 상당한 저항이 뒤따랐다. 도바(鳥羽)·후시미(伏見) 전투를 시작으로 일본사회는 길고 긴 내란의 시대로 돌입했으며, 수많은 사람들이 거듭된 전란에서 희생되었다.

무진(戊辰)전쟁기의 전사자공양의 특징으로는 관군전사자에 대한 공양만이 정중하게 집행되고, 적군전사자의 경우 사체처리조차 엄격하게 제한되었다는 점을 들 수 있다.[43] 물론 우에노(上野)에서 전사한 쇼기타이(彰義隊) 병사들의 매장과 공양,[44] 하코다테(箱館) 전투 후에 이루어진

---

42) 도쿄 시바(芝)공원의 속칭 마루야마(丸山)에는 "전투 중에 전사한 수많은 정령들이 원친평등하게 정토에 왕생토록 하기 위해" 건립된 공양탑이 현존한다. 막말의 혼란기에 세워진 것이라는 설도 있지만(『大日』 246, 1941, 56~57쪽), 자세한 건립사정은 알 수 없다.

43) 今井昭彦, 『近代日本と戰死者祭祀』, 東洋書林, 2005, 제1부를 참조.

44) 今井昭彦, 「近代日本における戰死者祭祀－彰義隊士の埋葬をめぐって－」, 『近代仏教』 12, 2006을 참조.

구(舊)막부군전사자의 매장[45] 등에서 엿보이듯이 적군전사자의 사체처리
와 공양은 종종 정부의 묵인 하에 이루어지기도 했지만, 그것은 말 그대로
묵인이었으며, 관군과 적군의 준별이라는 정부의 방침이 근본적으로
뒤바뀌는 일은 없었다. 이러한 메이지정부의 방침은 전사자제사의 틀에서
보면 보다 명확한데, 특히 아군전사자만을 제사지내는 국가적 종교시설인
도쿄초혼사(東京招魂社, 야스쿠니신사의 전신)의 건립과 그 존재방식은
상징적인 의미를 지니고 있다고 할 것이다.

공양·제사를 둘러싼 메이지정부의 방침이 '전통'으로부터의 일탈인지
연속인지는 차치하더라도, 메이지정부에게 선택지가 존재했다는 점은
분명하다. 예컨대 1864년 7월 조슈번(長州藩) 군대와 교토 슈고직(守護職)
마쓰다이라 가타모리(松平容保, 아이즈번주[會津藩主])가 이끄는 관군이
충돌한 이른바 금문(禁門)의 변 직후에는 칙명으로 관군과 적군의 명복을
비는 불사가 지온인에서 거행되었다.[46] 메이지정부가 이 선례에 따라
적군전사자와 아군전사자를 평등하게 제사지낸다는 방침을 취했다 해도
이상할 것은 없다. 그러나 메이지정부는 아군전사자만을 제사지낸다는
방침을 선택했던 것인데, 이는 불안한 국내외정세를 배경으로 향후 발발할
것으로 예상되는 전란에 대응하고자 취해진 선택으로 이해된다.[47]

관군과 적군의 준별이라는 메이지정부의 방침은 메이지의 내란기 내내
관철되었지만, 한편으로 적군전사자의 제사에 대해서는 1874년에 커다란
변화가 나타난다.[48] 이미 1872년에는 "무사(戊辰·己巳=인용자) 때 관군에

---

45) 今井昭彦,「上野彰義隊墓碑と函館碧血碑」,『ビエネス』 1, 1995를 참조.

46) 德重淺吉,『孝明天皇御事績紀』, 東光社, 1936, 110~111쪽 ;『孝明天皇紀(第5)』,
    平安神宮, 1969, 379~382쪽.

47) 小堀桂一郎,「靖國信仰に見る日本人の靈魂觀」,『明治聖德記念學會紀要』 44(復刊),
    2007, 86쪽을 참조.

48) 메이지정부의 방침에 대한 이하의 기술은 다음 논고에 근거한다. 藤田大誠,
    「戰死者の靈魂をめぐる慰靈·追悼·顯彰と神仏兩式 — 明治前期における招魂祭の展開

저항하여 전사형사(刑死)한 무리들"을 위해 묘표(墓標)를 세우는 것이 허용되었는데,[49] 1874년에 이르러 적군전사자제사가 공인되었다. 즉 1874년 7월 14일에 제출된 좌원(左院)의 의안(議案)[50]을 전제로, 같은 해 8월 18일 다음과 같은 태정관달(太政官達)이 포고되었던 것이다.

　　무진기사 때 일시적으로 조정의 명령에 거역하고 왕사(王師)에 저항한 자에 대해 항복하고 사죄하는 길이 세워져, (천황께서는) 각각에 대해 관전(寬典)의 처분을 내리셨다. 그런데 각지에서 전몰한 자에 대해서는 별도의 조치도 없어서 그 친족들이 제사 등을 꺼려한다고 들리니 불쌍히 여길 일이다. 앞선 조목과 같이 (천황께서는) 관대하게 처분한다는 취의(趣意)이시므로, 사자의 친족과 붕우가 제사 등을 집행하는 것에는 아무런 구애가 없다는 점에 대해, 지방관은 (천황의) 취의가 확고하시다는 점을 알려서 깨우쳐야 할 것이다. 이러한 뜻을 알게 하고자 하달하는 바이다.[51]

　　이 태정관달에 근거하여 시가현(滋賀縣)에서는 적군제사허가의 포달이 발포되었으며,[52] 시즈오카(靜岡)의 사족(士族)들은 적군으로 전사한 동료들의 명복을 빌 요량으로 제사에 상응하는 땅을 지정해 줄 것을 출원했다.[53] 이와 같은 움직임은 다른 곳에서도 이루어지고 있었을 것으로 추정된다.

　　を中心に－」, 『靈魂・慰靈・顯彰－死者への記憶裝置－』, 錦正社, 2010.

49) 『太政類典』第2編・第362卷・治罪16・赦宥「辰巳ノ際官軍ニ抗シ戰死刑死ノ徒寬典ヲ以テ追弔ノ爲墓表建立等ノ願ヲ許ス」(國立公文書館所藏).

50) 『太政類典』第2編・第362卷・治罪16・赦宥「辰巳ノ際官軍ニ抗シ戰死刑死ノ徒親族朋友ニ於テ祭祀等執行ヲ許ス」에 수록(國立公文書館所藏).

51) JACAR(アジア歷史資料センター) Ref.C07040011300, 明治七年從六月至十二月・太政官達・坤・第七一号第一七八号.

52) 田中知邦 編, 『現行滋賀縣布令類纂(第三冊)』, 水口村, 1882, 629~630쪽.

53) 森まゆみ, 『彰義隊遺聞』, 新潮社, 2004, 22쪽.

그런데, 1874년의 변화는 적군전사자의 유족과 동료들의 요구를 정부 측이 받아들인 결과로 보인다. 예컨대 태정관달의 전제가 되는 좌원의 의안에는 "본래 사자의 죄를 용서하지 않는다는 것은 아닐 터인데, 왕왕 이와 관련된 사정을 건백하고 유명일리(幽明一理)의 입장에서 자비를 내려주기를 바라는 자도 또한 적지 않다"라고 보여, 전사자제사에 대한 패자 측의 건백이 이어지고 있었음을 알 수 있다. 이와 직접적으로 관련되는 건백서를 발견하지는 못했지만, 1872년의 단계에서 "오늘날에 이르러서는 순도(順道)에서 벗어나 조정의 명령에 저항한 자들도 평등하게 채용하셔서 각각 중요한 직책도 수행하도록 하고 계십니다. (중략) 이와 관련해서는 초혼사에서도 위의 조치와 같은 (조치를 취해야 할 것입니다). 일단 방향을 잘못 잡아 죽은 자들도 얼마간 있을 것입니다. 그 자들도 평등하게 동사(同社)에 제사지내신다면 실로 천하의 인민은 모두 감사한 치세라고 감대(感戴)할 것입니다"라는 건백이 보여,54) 1872~1874년 사이에 적군전사자의 제사가 사회문제로 부상한 점은 거의 틀림없다고 판단된다.

실태는 불분명하지만, 1873년 5월에 미야기현(宮城縣) 주도쿠지(壽德寺) 주지 시미즈 다이조(清水泰成)가 "게이오(慶應) 연간, 제국(諸國)의 전사영혼을 위한 공양"으로 대시아귀(大施餓鬼)를 거행한 사실,55) 1875년 하코다테야마(函館山)에 구막부군전사자의 명복을 비는 벽혈비(碧血碑)가 건립된 사실,56) 그리고 1876년의 이른바 신문지공양 때 "각사의 신문지상에 기재되는 익사·액사(縊死)·아사·전사 등의 제명령(冥靈) 및 확탕(鑊湯)·단명·방화·손생(損生) 등의 일체함식(含識)에게 회시(回施)하며"라는 시아귀소(疏)가 봉독되었다는 사실57)은 전사자의 공양·제사를 둘러싼 메이지

54) 川原十郎, 「招魂社建白」(『明治建白書集成(第2卷)』, 筑摩書房, 1990, 62~63쪽).
55) 「年々施餓鬼立札願書」(『仙台市史』 資料編7, 302~303쪽).
56) 今井昭彦, 「上野彰義隊墓碑と函館碧血碑」를 참조.

정부의 태도변화를 배경으로 하고 있다고 판단된다.

  적군전사자의 공양·제사에 대한 논의의 격화는 경우에 따라서는 정부 비판으로 이어질 가능성이 있다. 당시 각종 근대화정책을 추진하던 메이지정부로서는 뜻하지 않은 국면에서 반정부여론이 들끓는 것은 결코 달가운 일이 아니었을 것이다. 그러한 의미에서 1874년의 태정관달은 반정부여론을 잠재우기 위해 취해진 무민정책이라는 관점에서 파악될 수 있을 것이다.

  이처럼 1872~1874년 사이에, 전사자제사에 대한 메이지정부의 방침에는 미묘한 변화가 나타났다. 물론 관군과 적군의 준별이라는 근간이 흔들리는 일은 없었지만, 적군전사자제사의 허가는 적군전사자공양을 환기시켰다. 이러한 변화 속에서 '원친평등론'이 재부상할 가능성은 충분히 생각할 수 있을 것이다. 그러나 필자가 조사한 바에 의하면, 무진전쟁의 발발에서 서남전쟁의 발발에 이르기까지 불교계에서 공공연하게 '원친평등론'이 설파된 적은 없다. 메이지유신기의 불교계를 둘러싼 환경은 '원친평등론'이 쉽사리 표면화될 만한 것이 아니었다.

  메이지유신기에 불교계가 처한 상황이라고 하면, 우선 폐불훼석(廢佛毁釋)을 빼놓을 수 없을 것이다. 물론 정부의 방침은 어디까지나 신불의 분리였으며 폐불훼석은 아니었다고 알려져 있지만,[58] 신도를 중추로 삼은 정부의 종교정책 하에서 불교계의 입지가 좁아진 것은 틀림없다. 불교계가 신불분리의 세례를 받고 있는 와중에도 처대육식(妻帶肉食)의 허용 등을 통해 승려의 성성(聖性)이 부정되었으며, 상지령(上知令)을 통해 사원의 경제적 특권이 부정되었다. 메이지유신기의 불교계는 제방면에서 실로 사활문제에 직면하고 있었던 것이다. 메이지시대에 불교계가 정부

---

57) 『明敎新誌』 308, 1876.7.1, 1~2쪽.
58) 安丸良夫, 『神々の明治維新 - 神仏分離と廢仏毁釋 -』, 岩波書店, 1979를 참조.

측에 적극적으로 접근한 것은 이상과 같은 맥락에서 이해된다.[59]

이와 같은 불교계의 상황을 감안하면, 무진전쟁의 발발에서 서남전쟁의 발발에 이르기까지 이렇다 할 '원친평등론'이 확인되지 않는 것은 수긍할 만하다. '원친평등론'에는 관군과 적군의 준별이라는 정부의 방침을 거스른다는 인상을 남길 여지도 있어서, 불교계는 '원친평등론'을 공공연하게 설파할 수 없었던 것으로 판단된다. 단, 1872~1874년의 전환은 역시 커다란 의미가 있어서, 전사자공양의 존재방식에도 변화의 조짐이 보이기 시작했다는 점은 앞서 확인한 바와 같다. 오랜 기간 동안 복류해 온 '원친평등론'이 다시 한 번 모습을 드러내는 것은 시간문제인 것으로 여겨지는데, 이 점에 대해서는 다음 절에서 검토하도록 하자.

제4절 서남전쟁의 발발과 '원친평등론'의 부활

무진전쟁기와는 달리, 서남전쟁기에는 적군전사자의 매장이 관군에 의해 엄격하게 통제되지는 않았다. 그것이 옛 벗에 대한 동정인지 박애사(博愛社) 설립[60]에 수반된 정책인지는 분명치 않지만, 확실히 서남전쟁기의 관련기록을 살펴보면, 적군전사자의 매장을 금하는 관군의 모습은 포착되지 않는다. 오히려 적군전사자는 종종 정중하게 매장되었던 것으로 보인다. 예컨대 사이고 다카모리(西鄕隆盛)에 동조한 죄로 1877년 9월 나가사키에서 참수된 전 가고시마현령(鹿兒島縣令) 오야마 쓰나요시(大山

---

59) 메이지유신기의 불교계 동향의 개략에 대해서는 다음 논고를 참조. 池田英俊, 「近代的開明思潮と仏教」, 『論集日本仏教史 第8卷 明治時代』, 雄山閣, 1987 ; 柏原祐泉, 「維新政治の成立と仏教」, 『日本仏教史(近代)』, 吉川弘文館, 1990 ; 谷川穰, 「明治維新と仏教」, 『近代國家と仏教』, 佼成出版社, 2011.

60) 박애사의 설립과정과 일본적십자사로의 전환에 대해서는 다음의 논고를 참조. 黑澤文貴, 「近代日本と赤十字」 ; 小菅信子, 「博愛社から日本赤十字社へ」(두 논고 모두 『日本赤十字社と人道援助』, 東京大學出版會, 2009에 수록).

128

綱良)는 "조동종 고다이지(皓臺寺)에 정중하게 매장"되었다.[61]

　서남전쟁기에도 공양·제사의 중심은 관군전사자였지만, 이미 전시 중에도 피아전사자공양 혹은 적군전사자공양이 의식되고 있었던 것 같다. 지면 관계상 상세한 내용을 소개할 수 없지만, 예컨대 『明教新誌』 1877~1879년의 기사에서는 약 400건의 전사자공양 사례가 확인된다(부록 참조). 이들 사례를 일별해보면, 종파를 불문하고 가장 많이 거행된 것이 시아귀였음을 알 수 있다. 물론 모든 시아귀가 피아전사자공양에 연계된다고는 볼 수 없지만, '법계(法界)평등이익'을 내세우는 시아귀의 원리를 생각하면, 서남전쟁기에 거행된 시아귀의 일부가 피아전사자를 공양하는 맥락의 것이었으리라는 점은 미루어 짐작할 수 있다.

　시아귀 외에도 다음과 같은 관련사례가 눈에 띈다. 예컨대 효고현(兵庫縣) 팔등경부(八等警部) 구나이 아이료(宮內愛亮, 가고시마 사족 출신)는 자신이 후쿠오카현(福岡縣) 엔조지(円乘寺)에서 체포한 오치 히코시로(越智彦四郎) 등이 참수되자, 엔노지(円応寺)라는 정토종사원에 추선공양을 의뢰했으며,[62] 미나미가지정(南鍛冶町)에서는 1879년 10월 '관적(官賊)전사의 추복' 법회가 개최되었다.[63] 또한 1893년 무렵의 일이기는 하지만, 미우라 고로(三浦梧樓)는 서남전쟁을 회상하면서 "그들(적군전사자＝인용자)이 비명횡사한 옛 전장에서 대오륜탑을 한 기 세워 전사자 원친 제(諸)영혼을 위해 추조회향할 요량으로 고향에 귀성했다"고 진술했다.[64] 아울러 서남전쟁기에는 무진전쟁기의 적군전사자도 환기되어 아이즈 측 전사자의 공양이 개최되기도 했으며,[65] 적군전사자의 사체가 개장되기

61) 『明敎新誌』 537, 1877.10.14, 4쪽.
62) 『明敎新誌』 628, 1878.4.26, 6쪽.
63) 『法の灯火』 82, 1879.10, 1쪽.
64) 『伝灯』 48, 1893.6.28, 22쪽.
65) 『明敎新誌』 874, 1879.9.26, 3쪽.

도 했다.66)

이렇듯 시아귀 등을 매개로 피아전사자공양과 적군전사자공양이 환기
되자, 관군전사자만을 공양하는 것에 대한 비판여론도 등장한다. 예컨대,
『明教新誌』의 한 독자는 1877년 11월 5일 시마네현(島根縣)의 조동종
중교원(中教院)에서 펼쳐진 전사자공양에 참석한 후, '서남관병충사추복
(西南官兵忠死追福)'이라는 공양의 취지를 비판하고 마땅히 '관적피아'가
모두 공양의 대상이 되어야 한다며 불만을 토로하고 있다.67) 이러한
비판은 당시 일정한 공감대를 형성하고 있었던 것으로 보인다. 예컨대,
1878년 9월 사이카이지(濟海寺) 주지 대강의(大講義) 요시미즈 겐쿄(吉水玄
洪)와 고조지(光成寺) 주지 훈도(訓導) 고스기 료카이(小杉了快)는 조조지
내에 전사자공양탑 건립을 추진하면서 다음과 같이 발기의 취지를 설명하
고 있다. 즉, "조정은 일찍이 초혼사에서 성대히 임시 제전을 거행하고
죽은 자를 위로하셨다. 그러나 (이는) 관군에 종사한 장교와 사졸에 그치는
것이며, 세상사람 가운데도 가고시마 사졸들의 영혼을 제사지내는 자가
있다고는 아직껏 들은 바 없다", "이번에 시바(芝) 조조지 산문에 일대
비석을 건립하여 관군 장교로부터 가고시마 사졸에 이르기까지 전장에서
목숨을 잃은 자들의 위패를 조조지 본당에 안치하여 망령을 제사지내고,
매년 두 차례 봄가을대법회를 거행하여 영원히 사자의 세계를 추조하고
이를 통해 태평의 홍은(鴻恩)에 보답하고자 한다"라고 언급하고 있다.68)
요시미즈와 고스기의 노력이 열매를 맺었는지는 불분명하지만, 『明教新
誌』에는 이후로도 관련기사가 보인다. 이들의 활동은 피아전사자공양과
적군전사자공양을 재삼 환기시키는 계기가 되었을 것이다.

이상과 같이 서남전쟁기에는 무진전쟁기와는 달리 일체중생을 구제한

---

66) 『壬生町史』 資料編·近現代1, 92~93쪽.

67) 『明教新誌』 556, 1877.11.22, 5쪽.

68) 『明教新誌』 705, 1878.10.4, 附錄.

다는 불교적 원리를 근거로 피아전사자공양과 적군전사자공양이 공공연하게 거행되었으며, 관군전사자만을 제사지내는 풍조가 의문시되기도 했다. 이러한 환경 하에서 원친평등은 다시 한 번 전사자공양과 연계되었다.

메이지 10년 6월 8일 밀종(密宗) 사문(沙門) 모 등이 삼가 산화(散花)와 향을 올려 전몰진망(陣亡)한 혼백의 명복을 빕니다. (중략) 서주(西州) 시마즈의 신민들이 앞으로는 하야토(隼人)가 반역한 바에 따르고 뒤로는 구마소(熊襲)의 무도함에 따랐다. (이에) 왕이 진노하여 장사(將師)로 하여금 사족을 멸하게 하였다. (중략) 피아가 분투할 제 쓰러져 죽은 시체가 겹겹이 쌓였다. 어찌 슬퍼하고 통탄하지 아니하겠는가? (중략) 이들 영혼을 위무하기 위해 오상(五相)·삼밀(三密)·염송(念誦)·유가(瑜伽)의 밀교수법에 기대고, 이틀에 걸쳐 여섯 자리 가지토사(加持土砂)의 비밀스러운 관행을 행하였다. 충을 위해 사(邪)를 위해 목숨을 버린 고혼(孤魂), 공과 사에 몸을 던진 적단(赤團)이 이생에서의 수라 고역(苦域)에서 벗어나 내세에 해탈 정국(淨國)으로 향하기를 우러러 바라옵니다. (중략)

기자가 말하기를, "제문(祭文)에 말하는 바를 보면 그 종파 교원(敎院)에서 거행한 법회는 단지 관군사졸로 전사한 자만의 명복을 빈 것이 아닙니다. 아울러 적군의 망령에게 회향하여 모두 수라의 망집을 벗어나 다 같이 부처님의 드넓은 지혜의 바다에 들어서기를 기원하는 것으로, 매우 기꺼운 일이라고 생각합니다. 실로 종교인의 마음가짐은 이렇듯 원친평등하게 널리 불법의 혜택을 받게 하고자 하는 것이라 하겠습니다".[69]

1877년 6월 8일 진언종 대교원에서 서남전쟁 전사자의 명복을 기원하는 법회가 거행되었으며, 다음 날에는 같은 법회가 진언종 중교원에서 거행되었다. 도쿄 소재의 대·중교원에서의 법회였던 만큼 이들 법회는 꽤 주목되

---

69) 『明敎新誌』 475, 1877.6.10, 1~2쪽.

었던 듯, 1877년 6월 9일부 『東京日〻新聞』에도 관련기사가 보인다.

제문을 살펴보면, 우선 서남전쟁의 발발과 정부군의 파견, 전사자의 발생이 서술되고 있으며, 이어서 전사자를 위한 공양의 내역이 기록되어 있다. 이 공양이 피아전사자공양이었다는 점은, "충을 위해 사(邪)를 위해 목숨을 버린 고혼(孤魂), 공과 사에 몸을 던진 적단(赤團)"이라는 구절에서 확인할 수 있는데, 이 공양에 참석한 한 신자가 읊은 "佛眼一視無怨親" 운운의 한시도 참고가 된다.[70] 『明敎新誌』의 기자는 이 공양을 높게 평가하고, '종교인의 마음가짐'으로 '원친평등'을 들고 있다. 여기서 원친평등은 다시 한 번 전사자공양과 연계된 것인데, 원친평등은 다음과 같이 제문에 직접 원용되는 경우도 있었다.

> 메이지 11년 무인(戊寅)해 2월 17일 시가현(滋賀縣) 오미국(近江國) 진종 혼간지파 승려 등이 법연(法筵) 한 자리를 펼치고 삼부묘경(三部妙經)을 염송하여 서남전몰의 제령(諸靈)을 위무한다. (중략) 지금 명복을 비는 바는 실로 왕사(王事)에 목숨을 바친 자들을 위한 것이다. 그러나 적도(賊徒)도 또한 정식(情識)이 있는 존재이다. 불안(佛眼)은 이를 버리지 않는다. 원친평등은 실로 연유가 있는 말이다. 그러한 까닭에 이 법연도 펼쳐지는 것이다. 추복작선(作善)은 본종의 소의(素意)가 아니지만, 어찌 묘경의 위력을 알면서도 이 다대한 이익을 베풀지 아니 하겠는가? 하물며 대경(大經)에 이르기를, "만약 삼도근고(三途勤苦)에 처하여 이 광명을 보면 모두 휴식을 얻고 두 번 다시 고뇌가 없을 것이다. 수명이 다한 후에 모두 해탈을 얻을 것이다"라고 하였다.[71]

위 인용문은 1878년 2월 17일 오미 오쓰역(大津驛) 소재의 진종 혼간지파 집의소(集議所)에서 거행된 정토삼매(淨土三昧) 법회에서 봉독된 제문의

---

70) 『明敎新誌』 476, 1877.6.12, 6쪽.

71) 『明敎新誌』 601, 1878.2.28, 3~4쪽.

일부이다.

제문의 모두를 보면 정토삼부경의 염송공양은 우선 관군전사자에게 회향되었음을 알 수 있다. 그러나 곧바로 전사한 '적도'도 '정식', 즉 미혹의 마음을 지닌 구제의 대상이며, 일체중생을 섭수불사(攝受不捨)하는 아미타불은 '적도'도 구제한다는 사실이 확인되고 있다. 그리고 원친평등은 실로 연유가 있는 말이며, 이번 공양은 원친평등이라는 아미타불의 입장에 근거하여 펼쳐진 것이라고 진술되고 있다. 그 뒤의 구절은 절대타력(絶對他力)이라는 진종의 교리와 자력(自力)으로서의 전사자공양의 양립이라는 난제와 관련된 것으로, 진종 측의 입장이 솔직하게 표명되어 있어서 흥미롭다. 이어서 진종의 근본경전이라 할 수 있는 『無量壽經』의 문장이 인용되어 일체중생에 대한 아미타불의 대자비가 재삼 확인되고 있다.

여기서 원용된 원친평등은 아미타불을 주체로 한 것으로, 앞서 진언종 대교원에서의 공양과 관련하여 원용된 원친평등과는 맥락을 달리한다. 여기서 말하는 원친평등은 진종의 교리에 연관된 것으로, 피아전사자공양이 어디까지나 아미타불의 본원(本願)에 이끌린 것이며, 따라서 사자의 구제는 어디까지나 아마타불의 본원에 연계되는 것이라는 점이 표명되고 있다고 할 수 있다.

서남전쟁의 전사자공양과 관련된 원친평등의 용례는 이 이상 확인되지 않지만, 여기서는 당시의 '원친평등론'이 공양주체의 자비라는 틀에서 온전히 파악되지 않는다는 점에 주의하고자 한다. 아마타불의 본원에 연관된 원친평등의 용례는 근대불교계에서 '원친평등론'이 복잡한 문맥을 지니고 있었다는 점을 예기하는 것이라 하겠다. 이 예상과 관련해서는 다음의 회고담도 참고가 된다.

오이타현(大分縣) 오이타군 호후촌(豊府村)에 임제종 붓코지(仏光寺)

주지 나가야마 시준(永山志順)이라는 분이 계셨습니다. 내 포교의 동무로
나라를 사랑하는 스님이었습니다. (메이지) 10년의 전쟁에서 희생된 자의
망혼을 인도한 이야기입니다. 이 스님은 메이지 11년 겨울, 눈은 보슬보슬
처마를 메우고 바람은 덜컹덜컹 창문을 두드려 적막한 가운데 선탑(禪榻)
에 기대어 참선을 하고 있었습니다. 그 때 온 몸이 피투성이인 군인
한 사람이 검총(劍銃)을 지팡이 삼아 피눈물을 흘리며 헐떡이며 다가와서
말하기를 "스님, 바라건대 인도해주소서"라고 했습니다. 스님이 누구냐
고 묻자, 군인이 말하기를 "저는 이번 전쟁에 참가한 관군의 한 사람으로
하리마(播州) 출신입니다. 다바루자카(田原坂)에서 전사하여 수라도(修羅
道)를 떠돌고 있습니다. 경전을 염송하고 법어를 설하시어 해탈시켜
주시기를 청합니다"라고 했습니다. 이에 스님은 "법당 앞에 우물이 있다.
물을 길어 몸을 깨끗이 하고 오라"고 했습니다. 군인은 기뻐하며 가르침대
로 몸을 정갈히 하고 돌아왔습니다. 스님은 보문품(普門品)의 염송을
마치고 "怨親一如是心是佛淸涼放法水忽滅瞋火"라고 대갈일성을 하며 꿈
에서 깨어났습니다. 소승이 놀라 무슨 일이냐고 물었더니, 스님은 자초지
종을 이야기했습니다. 법당 앞에 나가 우물을 바라보니, 우물의 사면에
물이 튀긴 자국이 있고 눈은 점점이 피에 물들어 있었습니다.[72)]

위의 회고담은 『伝灯』(고의 진언종의 기관지)의 주필 야마가타 겐조(山
縣玄淨)가 1894년 8월 19일 고야산 센조인(千藏院)에서 개최된 피아전사자
공양법회에서 행한 연설의 일부이다. 수라도를 떠도는 관군전사자가
'怨親一如' 운운의 게를 통해 구제되었다는 꿈 이야기는, '원친평등론'이
아군을 포함하는 전사자일반의 원념을 위무하고 그들을 구제하는 논리로
서 기능했을 가능성을 시사하며, 아울러 전사자를 주체로 하는 '원친평등
론'이 근대에도 통용되었음을 상상케 한다.
한편 원친평등의 용례는 청일전쟁 이후 폭발적으로 등장하지만, 그

---

72) 「蓮華の說」(『明敎新誌』 3467, 1894.9.8, 10~11쪽).

134

전조는 서남전쟁 이후 청일전쟁에 이르는 시기에도 탐지된다. 이 시기의 원친평등 용례는 전사자공양과는 거리가 있는 것이지만, 설교를 매개로 하여 원용되고 있다는 특징이 있다.[73] 구체적인 인용은 생략하지만, 이들 용례들은 원친평등의 대중화라는 맥락에서 간과할 수 없다. 서남전쟁 이후 청일전쟁의 발발에 이르는 시기는 '원친평등론'의 폭넓은 전개를 보장하는 사회적 기반이 준비된 시기로 자리매김할 수 있을 것이다.

끝으로 본장에서 검토한 내용을 정리해 보자. 중세에 대두된 '원친평등론'은 평화시대의 도래와 함께 단절되었다. 그러나 원친평등의 용례 자체는 평화시대를 거치며 오히려 폭넓게 유포되었다. 원친평등을 설파하는 근대의 승려들은 대부분의 경우 전거를 제시하지 않는데, 이는 그들에게 있어서 원친평등이 상식에 가까운 용어였다는 점을 시사한다. 그들의 상식은 조사신앙·교학진흥·출판문화가 어우러진 근세 불교의 전개과정을 통해 구축된 것으로, 근대의 '원친평등론'으로 이어지는 레일은 근세를 거치며 점진적으로 부설되었다고 할 수 있다.

근세의 원친평등 용례의 유포 등을 감안하면, '원친평등론'은 무진전쟁기부터 전개되어도 이상할 것은 없었다. 그러나 '원친평등론'의 확실한 형적은 서남전쟁기부터 보이기 시작한다. 이러한 동향은 전사자제사에 대한 메이지정부의 방침에 연동된 것이었다. 폐불훼석의 위기 속에서 관적의 준별이라는 정부의 방침을 목도하고 있던 불교계는 공공연하게 '원친평등론'을 설파할 수 없었다.

그러나 1874년에 발포된 태정관달을 계기로 피아전사자공양과 적군전사자공양이 환기되었으며, 그 결과 '원친평등론'이 부활했다. 그 내용을 살펴보면, 〈원친평등=피아전사자공양〉설로 설명 가능한 '원친평등론'

73) 『明治仏教思想資料集成』第6卷, 211·333·340·359쪽 ; 撫松惰衲述·木全源道 編, 『改良南針 說教の材料』, 螻蛄窟, 1887, 36쪽 ; 能仁達朗·梅岡達洞, 『道理之鏡』, 自費出版, 1892, 3~6쪽.

도 존재했는가 하면, 아미타불을 주체로 하는 색다른 문맥의 '원친평등론'
도 존재했다. 서남전쟁기에 확인되는 '원친평등론'은, 근대의 '원친평등
론'이 공양주체의 자비라는 틀에서 온전히 파악되지 않는다는 점을 예기
하는 것이었다. 한편 서남전쟁 후 청일전쟁에 이르는 사이에도 원친평등은
설교를 통해 사회일반에 보급되고 있었다.

　몇 차례 언급한 바와 같이 청일전쟁 이후 '원친평등론'은 폭넓게 전개되
는데, 거기에는 특정한 문맥이 존재했다. 그 문맥은 서구열강과 어깨를
나란히 하고자 한 일본정부의 자세와도 관련되는데, 이에 대해서는 다음
장에서 살펴보도록 하자.

제4장 '문명' 전쟁의 전개와 '원친평등론'의 확산

제1절 '문명' 정신으로서의 원친평등

1894년 7월말에 발발한 청일전쟁은 '문명'과 '야만'의 전쟁으로 규정되었다.[1] 일본이 스스로를 '문명'이라고 자리매김한 근거는, 일본이 불평등조약의 개정 등을 염두에 두며 국제법에 근거한 전쟁수행을 선언한 점에 있었다.[2] 당시 '문명'을 보증하는 국제법의 중핵을 이루고 있던 것은 '전쟁의 문명화'[3]를 제창하는 적십자조약이었다. 일본은 1886년 적십자조약에 가입했으므로, 그 후 10년 남짓하여 발발한 청일전쟁은 '문명일본'의 시금석이었다고도 할 수 있다. 청일전쟁이 발발하자마자 육군대장 오야마 이와오(大山巖)가 적십자조약의 준수를 이야기한 것도[4] 우연은 아니었다.

---

1) 喜多義人, 「「文明の戰爭」としての日淸戰爭」, 『日本赤十字社と人道援助』, 東京大學出版會, 2009 ; 三輪公忠, 「「文明の日本」と「野蛮の中國」 — 日淸戰爭時「平壤攻略」と「旅順虐殺」のジェイムス·クリールマン報道を巡る日本の評判 —」, 『軍事史學』 45(1), 2009 등을 참조.

2) 예컨대, 1894년 8월 1일에 공포된 '淸國ニ對スル宣戰ノ詔勅'의 모두에는 "조금도 국제법에 어긋나지 않는 범위 내에서 각각의 권능에 따라 일체의 수단을 다하여"라는 표현이 보인다.

3) 黑澤文貴, 「近代日本と赤十字」, 『日本赤十字社と人道援助』, 5~6쪽을 참조.

4) 『明治二十七八年戰役陸軍衛生紀事摘要』, 大本營野戰衛生長官部, 1900, 819~820쪽.

138

불교계는 1877년 박애사(일본적십자사의 전신)의 설립 이래 일본적십 자사와 친밀한 관계를 유지해왔다.[5] 불교계는 청일전쟁기에도 적십자사 업에 대해 호의적이었는데, 적군과 아군을 구별하지 않고 일체의 부상병을 원호하는 적십자사업은 불교적 원리를 환기시키기도 했다. 우선 다음 사료를 검토해 보자.

일청 양국의 부상병사는 이미 박애의 적십자사에서 이를 구호한다고는 하지만, 전사진망(戰死陣亡)한 영혼을 불러들이고 혼백을 불러들여 이고 득락(離苦得樂)을 기원하고 전미개오(轉迷開悟)를 권하는 것은 우리 불교 에 의하지 않는다면 어찌하겠는가. 우리 불교는 자비원만의 일대종교이 다. 일본군 충사자는 물론 저 야만한 청의 탐욕·분노·어리석음으로 인해 진망한 되놈(豚尾奴) 역시 사람이다. 자비로운 눈으로 또한 연민을 떨구어 추조(追弔)의 탑에 같이 불러들여 경전을 읊조리고 주문을 외워 수라의 고통에서 벗어나 청정의 불계(佛界)에서 뛰놀게 해야 할 것이다. (중략) 일본에 세우는 일청양국전사자원친평등개성불도(日淸兩國戰死者怨親平 等皆成佛道) 탑의 맑은 그림자는 계림(鶴林)의 8도와 지나의 400주도 뒤덮을 것이다. 그러한 까닭에 아산전투, 풍도전투, 평양전투, 황해전투, 육상과 해저에서 전사진망한 수백 명 아군의 망혼도 수천 명 적군의 미혼(迷魂)도 원친평등하게 대구소(大鉤召)의 인(印)으로 법은탑(法恩塔) 에 불러들여 광명진언법(光明眞言法), 이취삼매(理趣三昧), 토사가지(土砂 加持) 등의 비법을 수행하여 (하략)[6]

위에서 인용한 사료는 『伝灯』의 주필 야마가타 겐조(山縣玄淨)의 문장이 다. 야마가타는 불교적 원리에 근거한 피아전사자공양의 시행을 주장하고

---

5) 『明敎新誌』 512, 1877.8.24, 5쪽 ; 日本赤十字社 編, 『日本赤十字社史稿』, 日本赤十
    字社, 1911, 157~158쪽 등을 참조.
6) 『明敎新誌』 3492, 1894.10.28, 10~11쪽.

있는데, 그 자신 이미 1894년 8월에 고야산(高野山) 센조인(千藏院)에서 피아전사자공양을 거행한 바 있다(이에 대해선 후술하겠다).

인용문의 모두에 보이듯이, 피아전사자공양을 내세우는 야마가타의 주장은 적십자사업에 자극받은 것이었다. 아군과 적군을 구별하지 않는 적십자사업은 불교계로 하여금 전시 불교의 사회적 역할을 환기시켰고, 그 과정에서 피아전사자공양과 더불어 원친평등의 문구가 재삼 부상했던 것으로 판단된다.

야마가타의 담론에서 또 하나 주목되는 것은 "저 야만한 청의 탐욕·분노·어리석음으로 인해 진망한 되놈(豚尾奴) 역시 사람이다"라고 보이듯이, 원친평등의 피아전사자공양이 위('문명일본')에서 아래('야만청국')로의 시혜라는 관점에서 시도되고 있다는 점이다. '문명↔야만'의 구도는 불교계에서도 통용되고 있었던 것으로, 인용사료에서 원친평등은 '문명' 정신으로서 설파되고 있다고 할 수 있다. 이와 관련해서는 비슷한 시기에 공포된 묘신지파(妙心寺派) 관장 명의의 '從軍僧及慰問使派遣主意書'에 "완미(頑迷)한 저들을 감화 교도함으로써 우리 의로운 군대의 걸림돌을 없애는 것은 어찌 우리 불교도의 급무가 아니겠는가", "자비삼매에 머물며 원친평등하게 저들을 문명으로 이끈다"[7]라고 보이는 것도 참고가 될 것이다.

그런데, 불교계와 적십자사업의 실질적인 접점은 포로문제에 있었다. 전장에서 발생한 포로는 적십자사업의 일환으로 일본의 포로수용소에 후송되었는데, 불교계는 일본에 흘러들어온 청국의 포로에 대해 적극적으로 교회(教誨) 활동을 펼쳤다. 이러한 일련의 흐름 속에서도 원친평등은 설파되었다. 다음 사료를 살펴보자.

---

7) 『正法輪』 37, 1894.12.15, 4~5쪽.

140

　예성문무지인(叡聖文武至仁)하신 천황폐하께서는 청국에 대해 일시동
인(一視同仁) 혜애(惠愛)의 마음으로 포로를 국내 각지에 분치(分置)하고
구호하셨으니 누가 성은에 감격하지 않겠는가. 우리 종교는 원친평등,
자비심중(慈悲深重)을 그 취지로 삼고 있다. 적국의 포로라 하더라도
종교계의 중생이며 동포의 인종이니, 그 질고(疾苦)를 위자하고 울정(鬱情)
을 무휼(撫恤)하며 폐하의 박애의 형덕(馨德)을 간절히 설하고 종교자비의
법리를 설하여 점차 감화시키고, 부족하나마 몇 가지 물품[물품은 향후
허가를 거쳐]을 베풀고자 합니다.[8]

　예성지인하신 대일본 황제폐하께서는 서력 1864년 8월 22일 스위스국
쥬네브부(府)에서 스위스국 외 11개국 간에 체결된 적십자조약에 가맹하
셨다. 위 조약에 가입하지 않은 청국에 대해서도 일시동인하여 수백
명의 포로를 전국 각지에 배치하고 구호하시니 누가 성은에 감읍하지
않겠는가. 우리 불교는 원친평등, 자비보급(普及)을 본령으로 한다. 저들
포로도 인류 동포이니 저들의 병고를 위문하고 유울(幽鬱)을 무휼하여
폐하의 박애의 성덕을 간절히 보이며 불교의 자비의 교리를 진술하고,
약간의 물품을 베풀고자 특별히 포로무휼사를 각지에 파견하고자 한다.[9]

　위에 인용한 두 사료는 1894년 12월 청국포로의 무휼허가를 구하고자
육군대신 사이고 쓰구미치(西鄕從道)에게 제출된 것들이다. 두 사료의
내용은 매우 흡사한데, 불교계도 적십자사업에 보조를 맞추기 위해 원친평
등의 견지에서 포로의 무휼에 관여하고자 한다는 취지가 담겨 있다.
　이들 사료에서 특히 주목되는 것은 불교계의 '원친평등자비'가 적십자
정신에 연계되는 천황의 '성은'에 수렴되고 있는 점이다. 그 배경으로는

---

8) 澁谷慈鎧 編, 『校訂增補 天台座主記』, 比叡山延曆寺開創記念事務局, 1935, 938~939
　　쪽.

9) JACAR(アジア歷史資料センター)Ref.C06021779600, 陸軍省大日記·日淸戰役·陸軍省
　　戰役日記·明治27年11月「二十七八年戰役日記」(防衛省防衛研究所).「俘虜撫恤使」
　　(『密嚴敎報』 124, 1894.11.25, 9~10쪽)도 아울러 참조.

'문명' 전쟁을 관철시키고자 한 메이지정부의 방침, 그리고 그러한 방침에 적극적으로 대응하고자 한 불교계의 태도가 상정된다. 이 논리구조는 근대 '원친평등론'의 핵심에 해당한다고 여겨지므로, 뒤에서 상세히 살펴 보기로 한다.

위의 인용사료에서도 알 수 있듯이, 원친평등은 청일전쟁기에 이르러 '문명' 정신을 표상하는 불교 측의 용어로 새삼 각광받았는데, 이러한 맥락은 청일전쟁의 종료 후에도 확인된다. 예컨대, 막말 이래의 전란에서 희생된 "일체의 제령(諸靈)원친평등내지법계함령(含靈)의 명복"을 기원 하는 부단염불에 대해 『淨土敎報』의 기자는 "수행하는 바 사은(四恩)에 보답한다는 취지는 원에 대해 은으로 보답한다는 불심대비이다. 또한 세상에서 일컫는 적십자사라는 것은 원친을 평등하게 구호하는 좋은 법이라고 한다. 군자국의 일대 미사(美事)인 평등대비의 불심에 부합한다" 고 평했다.10) 또한 대교원(大敎院) 체제의 와해와 정교분리를 이끈 것으로 저명한 시마지 모쿠라이(島地默雷)11)는 일본적십자사 창설 25주년을 맞아 "나는 지금 이 축사를 마무리하는 데 즈음하여 우리 적십자사업이 본인이 받드는 부처의 대비에 부합하는 미거(美擧)임을 상찬하지 않을 수 없다. 대저 적십자사업의 숭상하는 바는 박애 홍제(弘濟)하여 은수(恩讎)를 동일 시하고 자안(慈眼)평등하여 피아를 구별하지 않는 것이다. 부상당하여

10) 『淨土敎報』 257, 1896.7.5, 7쪽.

11) 시마지 모쿠라이에 대해서는 다음 논고들을 참조할 것. 吉田久一, 「大敎院分離運動 について－島地默電を中心に－」, 『吉田久一著作集4 日本近代仏敎史硏究』, 川島書 店, 1992 ; 同, 「文明開化から國粹主義勃興期へ－島地默電を中心に－」, 『吉田久一 著作集6 改訂增補版 日本近代仏敎社會史硏究(下)』, 川島書店, 1991 ; 小川原正道, 「大敎院の崩壞－島地默電の大敎院分離運動－」, 『大敎院の硏究－明治初期宗敎行 政の展開と挫折－』, 慶應義塾大學出版會, 2004 ; 川村覺昭, 『島地默電の敎育思想 硏究－明治維新と異文化理解－』, 法藏館, 2004 ; 戶浪裕之, 「明治八年大敎院の解 散と島地默電」, 『國家神道再考』, 弘文堂, 2006 ; 村上護, 『島地默電伝－劍を帶した 異端の聖－』, ミネルヴァ書房, 2011.

저항할 기력이 없고 전투력을 상실한 자는 가령 적군이라 할지라도 이를
연민하고 친절하게 구호하여 형제나 붕우를 대하는 것도 똑같이 한다.
이것이 적십자사가 공애(公愛)하는 바이다. 우리 부처께서 중생을 애민(哀
愍)하시는 것은 또한 이와 완전히 일치한다. 원친평등하여 애증을 달리하
지 않으며 모두 동일한 자식과 같이 연민하고 자기자신처럼 이를 보호한
다"라고 설파했다.12)

　이들 사례는 '문명' 정신으로서의 원친평등이라는 문맥이 청일전쟁기
를 거치며 불교계의 공통인식으로 확산되어갔다는 점을 재삼 확인시켜주
며, 아울러 러일전쟁기에도 비슷한 문맥이 존재했으리라는 점을 예상케
한다.

　물론 러일전쟁기에 접어들면 위에서 아래로의 시혜라는 담론이나 그와
연관된 원친평등의 용례는 거의 보이지 않는다. 청일전쟁과 달리 러일전쟁
은 문명국 간의 전쟁으로 간주되었던 까닭에 '문명↔야만'의 구도는
성립할 여지가 거의 존재하지 않았다.

　그러나 원친평등을 매개로 '문명'을 설파하는 논법 자체는 러일전쟁기
에도 건재했다. 그것은 러시아의 사상전략에 대한 일본의 대응과 밀접하게
연관되어 있었다. 러시아는 삼국간섭 때 부상한 황화론을 재삼 제기하며
러일전쟁을 '기독교국/백인종↔비기독교국/황인종'의 구도로 몰아가고
자 했다. 군사비용의 상당액을 구미로부터 조달해야 했던 일본의 입장에서
러시아 측 주장의 통용은 치명상이 될 수도 있었다. 이에 일본은, 일본이
러시아에 비해 보다 '문명적'이라는 점, 일본이 도덕적 우위에 있다는
점을 주장하며 전쟁에 돌입해갔다.13) 이러한 문맥은 개전 초기의 불교계

12) 「島地常議員の談」, 『日本赤十字』 115, 1902.10.15.
13) 러일전쟁을 둘러싼 정치·경제적 배경에 대해서는 이하의 논고를 참조할 것.
　　松村正義, 『日露戰爭と金子堅太郎-廣報外交の硏究-』, 新有堂, 1980 ; 松下佐知
　　子, 「日露戰爭における國際法の發信-有賀長雄を起点として-」, 『軍事史學』 40(2·
　　3), 2004 ; 鈴木俊夫, 「日露戰時公債發行とロンドン金融市場」, 『日露戰爭硏究の新視

에서도 확인된다. 다음 사료를 살펴보자.

본파(本派)를 대표하여 제3사단에 부속하고, 전지(戰地)에 파출(派出)하여 선교에 종사할 것을 명한다. 그 뜻을 체득하여 색신(色身)을 보중(保重)하고 직지단전(直指單傳)의 오묘한 뜻을 발휘하여 일심결정, 생사일여의 뜻을 명확히 함으로써 우리 충용한 군대의 사기를 고무하고, 또한 상병자, 진망자 등에 대해서는 위문, 조위(弔慰)의 성심을 두텁게 해야 할 것이다. 적군 포로와 진망자에 대해서도 마찬가지로 조위하여 원친평등의 자비를 내보이고, 직접 간접으로 문명의 의로운 전쟁이라는 주지를 관철시키도록 노력해야 할 것이다.[14]

위 사료는 1904년 3월 우메야마 겐슈(梅山玄秀)가 종군승으로 전지에 파견되었을 때 공포된 묘신지파 관장 세키 짓소(關實叢)의 교시이다. 원친평등 정신에 입각한 포로위문과 피아전사자공양 혹은 적군전사자공양이 '문명의 의로운 전쟁'의 표상으로 자리매김 되고 있는데, 거기에 '문명↔야만'의 구도가 보이지 않는 것에는 충분히 주의할 필요가 있다. 똑같이 '문명', '원친평등'이 설파되어도 청일전쟁기의 담론과 러일전쟁기의 담론 사이에는 미묘한 엇갈림이 인정되는 것이다.

한편 일본이 '문명' 전쟁을 수행하는 과정에서 현안으로 부상한 것이 재일러시아인, 러시아정교도에 대한 대응이었다.[15] '세계우방의 환시(環視)'를 의식하며 '문명' 전쟁을 관철시키고자 한 정부의 방침[16]에 근거하

点』, 成文社, 2005 ; 二村宮國,「ジェイコブ・H・シフと日露戰爭―アメリカのユダヤ人銀行家はなぜ日本を助けたか―」,『帝京國際文化』19, 2006 ; 飯倉章,「日露戰爭中の黃禍論の宣伝に對する日本側の對応」,『國際文化硏究所紀要』11, 2006 ; 平間洋一,「日露プロパガンダの戰い」,『日露戰爭を世界はどう報じたか』, 芙蓉書房出版, 2010.

14)『正法輪』193, 1904.3.25, 10쪽.

15) 小川原正道,『近代日本の戰爭と宗敎』, 講談社, 2010, 136쪽 이하를 참조. 본 저서에는 관련논고가 망라되어 있어 좋은 참고가 된다.

여, 불교계에서도 "원친평등하게 세계적으로 인류를 대우한다"는 견지에
서 "러시아 거류민을 위험에 처하게 하지" 않는다는 점이 확인되었다.[17]

이처럼 '문명' 전쟁이 제창되자, 필연적으로 적십자조약과 그 정신이
재삼 주목받게 되었다. 예컨대, 진언종의 모리 세이가(毛利清雅)는 「일러
양군의 전사자를 추도해야 한다」는 제하의 기사에서 "적군이 되고 아군이
되어 싸우는 것도 모두 나라를 위함이다. 개인적으로 무슨 원념이 있겠는
가. 그러한즉 적십자의 깃발이 움직이는 곳에 피아의 구별이 없다. (중략)
나는 우리 종교가(宗敎家) 제군이 원친평등의 관념을 떨쳐 양군 전몰자를
위해 일대 추조회를 개최하기를 바라는 바이다"라고 진술했다.[18]

두말할 나위 없지만, 적십자사업은 부상병과 포로에 관련된 것으로,
전사자처리와 직접적으로 연관된 것은 아니다. 모리의 담론은 러일전쟁기
의 불교계에서 적십자와 원친평등이 불가분의 것으로 인식되고 있었음을
시사한다고 할 것이다.

한편 진종 오타니파(大谷派)의 고이즈미 료테이(小泉了諦)는 러일전쟁
에서 희생된 일체의 생명을 포함하는 원친평등공양의 시행을 주장하며

---

16) 「內務省訓令第二号」(『宗報(眞宗)号外』, 1904.2.15, 4쪽) ; 「內務省訓令第三号」(『宗
報(眞宗)』 31, 1904.3.20, 23쪽) ; 「異敎徒に對する待遇」(『中外日報』 1337, 1904.4.3,
1면). 한편 『六大新報』 37(1904.4.17, 12쪽)에 일부 소개되어 있는 『戰時における國民
の心得』(帝國敎育會編)는 당시의 분위기를 짐작케 한다. "외국인에게는 친절을
다하고, 나부터 흥분하는 일이 없도록 하며, 또한 나의 행동을 바로 함으로써
업신여겨지지 않도록 하는 것이 중요하다. 적국의 사람이라도 우리나라에 머물고
있는 자를 증오하지 않고, 업신여기지 않으며 다른 외국인과 동등하게 대하지
않으면 안 된다", "전쟁 중에는 특히 외국인이 우리 국민에 주목하고 있으므로,
우리 국민은 서로 사이좋게 지내고 모르는 사이라 하더라도 행동거지를 좋게
하여 (중략) 외국인으로부터 비웃음을 사거나 천시되지 않도록 하지 않으면
안 된다".

17) 「怨親平等」(『宗報(曹洞宗)』 174, 1904.3.15, 1~3쪽).

18) 『牟婁新報』 400, 1904.9.27, 1면. 또한 원친평등의 문구는 보이지 않지만 다음
기사에도 피아전사자공양과 관련하여 적십자가 언급되고 있다. 「彼我の忠魂を合
祀すべし(上)」(『中外日報』 1882, 1906.4.24, 5면).

"솔페(솔페리노=인용자) 대전쟁에서 비롯된 적십자사의 취지는 박애에 있어서, 아타피차(我他彼此)의 편견도 지니지 않습니다. 적군도 아군도 구조하는 것입니다. 이는 곧 원친평등을 설한 부처님의 뜻이다. (중략) 원친평등의 대자비를 들어 본가(本家)이며 근원이라고 자부하는 불교가의 소위(所為)가 적십자사에 뒤지는 것도 불가한 일로, 무슨 면목이 있겠습니까"라고 진술했다.[19]

　불교계가 적십자사업에 대해 호의적이었다는 것은 분명하지만, 고이즈미의 주장을 감안하면 그 이면에서 서양문명에 대한 대항의식이 꿈틀대고 있었다는 사실이 추측된다. 원친평등의 문구는 보이지 않지만, 청일전쟁기에도 예컨대 모리 나오키(森直樹)가 적십자운동에 대해 언급하며 "우리 일본불교도가 이번 청일전쟁 개전에 즈음하여 분연히 궐연히 (일어나), 불교가 수천 년 동안 동양 각국에서 키워온 박애·인혜(仁惠)의 이상을 현실화하고 운동을 펼쳐야 하는 것은 이때가 아니겠는가"라고 주장했다.[20] 서장에서 검토한 원친평등을 둘러싼 와시오 등의 담론도 갑작스레 등장한 것이 아니라, 사상계의 전회를 배경으로, 청일·러일전쟁기를 통해 축적되어온 불교계의 공통인식이 표면화된 것으로 파악할 수 있을 것이다.

　여기까지 검토한 바와 같이, 청일·러일전쟁기에 원친평등은 '문명' 정신으로 각광받았다. 이러한 동향은 '문명' 전쟁을 내세운 정부의 방침을 바탕으로 한 것으로, 청일·러일전쟁기에 원친평등이 폭넓게 유포된 것은 이 점과 깊이 관련되어 있다고 생각한다. 인용사료에서 추측되듯, '문명' 정신으로서의 원친평등은 청일·러일전쟁기에 상명하달의 방식으로 유포되어 간 것으로 보인다. 다음 절에서는 이러한 기반 위에서 '원친평등론'이

19) 「戰死軍人追吊會の眞髓」(松田善六 編, 『布教資料 戰時応用説教』, 顯道書院, 1904 수록). 고이즈미 료테이에 대해서는 다음 논고를 참조할 것. 石井公成, 「明治期における海外渡航僧の諸相－北畠道龍, 小泉了諦, 織田得能, 井上秀天, A·ダルマパーラー」, 『近代仏教』15, 2008.

20) 『明教新誌』3454, 1894.8.12, 10~11쪽.

146

어떻게 전개되었는지에 대해 검토해 보도록 하자.

제2절 피아전사자공양, 적군전사자공양과 원친평등

(1) 원친평등의 종교적 문맥

1894년 7월 청일전쟁이 발발하자, 종군승의 파견과 전사자공양문제가 불거졌다. 전사자공양은 종군승이 현지에서 행하는 것도 문제가 되지만, 일본국내에서의 실시도 초미의 관심사였다. 그 흔적은 일본이 청국에 대해 선전포고한 8월부터 확인된다. 본항에서는 우선 피아전사자공양과 적군전사자공양의 종교적 문맥에 대해 생각해 보고자 한다. 우선 다음 사료에 주목해 보자.

> 지난 19일 동산(同山) 센조인(千藏院)에서 거행된 바, 참가자는 약 200여 명이었다. 법단의 좌우에 두 기의 큰 탑을 세워, 하나는 대불정다라니를 쓰고 겉면에 일본제국군위혁열주역제흉결승전공(日本帝國軍威赫烈誅逆除兇決勝全功)이라고 했으며[국가적 관념에서 비롯된 것], 다른 하나는 대수구다라니를 쓰고 겉면에 일청한전사자원친평등일련탁생(日淸韓戰死者怨親平一蓮托生)이라고 했다[우주적 관념에서 비롯된 것].21)

1894년 8월 19일, 고야산 센조인에서 전승기원법회와 피아전사자추선법회가 거행되었다.22) 인용사료에 보이듯, 후자와 관련하여 원친평등의 문구가 원용되었다. 전승기원과 피아전사자공양이라는 상호 모순되는 듯한 두 가지 불사는 각각 '국가적 관념'과 '우주적 관념'에 근거하고

---

21) 「高野山に於ける日淸兩國戰死者の追悼」, 『伝灯』 76, 1894.8.28, 29쪽.
22) 이 추도회에서 행해진 야마가타 겐조(山縣玄淨)의 연설은 『明教新誌』 3463·3467에 게재되어 있다.

있는 것으로 제시되고 있지만, 이 두 가지 관념에 대한 논리적 근거는
제시되고 있지 않다. 별다른 논리적 근거의 제시 없이 기묘한 조합의
불사가 진행된 것에 대해 위화감을 느끼지 않을 수 없지만, 이 사실은
오히려 이 두 가지 관념을 제시하는 법회에 대해 이미 일정한 사회적
합의가 이루어져 있었다는 것을 의미하는 것은 아닐까 싶다. 이러한
추측을 염두에 두며 다음 사료를 살펴보도록 하자.

　　부처님에게 두 가지 커다란 자재력(自在力)이 있어, (이를) 절복(折伏)이
　라 하며 섭수(攝受)라 한다. 절복은 살적(殺賊)이며 섭수는 자민(慈愍)이다.
　자민인 까닭에 일체중생원친평등이며, 살적인 까닭에 악마항복의 날카
　로운 칼을 휘두른다. 섭수는 평등의 마음에 존재하며, 절복은 차별의
　관념을 이룬다. 평등문인 까닭에 우주적 관념을 지니며, 차별문인 까닭에
　국가적 관념을 지닌다. (중략) 성환·아산의 전투에서 피아의 맹장건졸(猛
　將健卒)로 죽은 자가 몇 천인가. 평양·황해의 전투에서 또 몇 천의 강기용병
　(强騎勇兵)을 잃었던가. 문야(文野)가 주군을 달리 하고 사정(邪正)이 나라
　를 달리하지만, 그 가문과 국가, 군주와 황제를 위해 전장에서 목숨을
　잃은 충절에 이르러서는 누가 또한 원친평등의 관심(觀心)을 품지 않겠는
　가. (중략) 사해평등의 뜻에 따라 삼가 이취삼매(理趣三昧)를 공양하여
　피아의 망령에 회향한다. 게(偈)에 이르기를,
　　일청양국의 전사자들이 원친평등하게 이 공덕에 따라 다시 그 나라에
　　태어나기를.
　　메이지 27년 9월 23일[23]

이 조제문(弔祭文)[24]을 작성한 모리 세이가(1871~1938)에 대해서는

---

23) 「祭日清兩國戰死者文」, 『伝灯』 79, 1894.10.13, 30~31쪽.
24) 청일·러일전쟁기에는 조문(弔文)과 제문(祭文)의 구분이 있었던 듯, 당시에 발간된
　　조제관련 문례집의 모두에는 종종 양자에 대한 해설이 보인다. 예컨대, 『戰時弔祭
　　慰問文敎範』(大畑裕 編, 求光閣, 1904)에 따르면 제문은 공물(供物)이 갖춰지고

앞서 잠시 언급했는데, 당시 그는 고야산대학림에 재학 중으로 고잔지(高山寺)의 부주지를 겸하고 있었다. 훗날 신불교운동에 참가한 것으로 잘 알려져 있으며, 고향에서도 『牟婁新報』를 발간하는 등 청일·러일전쟁기는 물론 1930년대에 이르기까지 정력적으로 활동한 인물이다.[25]

모리는 청일 양국의 전사자를 제사지내며 그 근거로 섭수를 제시하고 있다. 즉, 모리는 절복과 섭수라는 교화상의 두 가지 방편을 환기하고, 전자에 근거한 전쟁수행과 후자에 근거한 피아전사자공양을 역설하고 있는 것이다. 모리는 각각의 방향성을 보여주는 키워드를 열거하고 있는데, 그 가운데 앞서 검토한 두 가지 관념도 확인된다. 여기서는 특히 피아전사자공양에 연계되는 키워드로 원친평등이 제시되어 있는 점에 주목하고 싶다.

이 무렵 미쓰몬 유항(密門有範, 훗날의 고야산관장[管長])도 절복에 입각한 '원적조복기도'와 섭수에 입각한 '원친평등조제'의 겸수를 강조하고 있으며,[26] 『伝灯』 85(明治 28年 1月 13日)에 수록된 「密宗教徒赤心報國表」에

기원의 대상이 연장자인 경우에 존경심을 담아 사용하는 용어라고 규정되어 있다. 단, 동년배나 연소자라도 원기(遠忌)를 지나 정령화한 경우에는 제문이 봉납된다고 한다. 조문은 제문의 반대로, 특별히 공물이 갖춰지지 않고, 기원의 대상이 동년배나 연소자인 경우에 사용하는 용어라고 규정되어 있다. 이상의 해설은 일정한 고증을 거치고 있어서 마냥 무시할 수는 없다. 그러나 공양문의 구체적인 표현을 분석하고자 하는 본서의 방법론에 입각하여 말하자면, 조문·제문의 엄밀한 구분은 그다지 중요한 의미를 지니지 않는다. 왜냐하면, 위에서 예시한 바와 같이, 양자의 구분은 공양문의 구체적인 문체나 문의에 따른 것이 아니기 때문이다. 그래서 본서에서는, 이하 전사자를 대상으로 하는 근대의 공양문 일체를 조제문으로 통일하여 표기하도록 하겠다.

25) 모리 세이가에 대해서는 다음 논고를 참조할 것. 宮坂有勝·小谷成男 共編, 「毛利淸雅年譜－ある社會主義者の生涯－」, 『密教文化』 96, 1971 ; 武內善信, 「新仏敎徒·毛利柴庵の思想と行動」, 『同志社法學』 37(5), 1986 ; 堀口節子, 「毛利柴庵に於ける明治社會主義の受容－足尾鑛毒問題を契機として－」, 『龍谷史檀』 99·100, 1992 ; 門奈直樹, 「『牟婁新報』と毛利淸雅」, 『牟婁新報』 第 I 期 解說·執筆者索引」, 不二出版, 2002 ; 武內善信, 「毛利柴庵の思想と行動」, 『『牟婁新報』 第 I 期 解說·執筆者索引』, 不二出版, 2002.

도 "낮에는 국가적 절복문으로 전승기도를 하고, 밤에는 우주적 섭수문으로 원친평등 추조회를 거행한다"라고 보인다. 당시 진언종계에서 '피아전사자공양=섭수=원친평등'이라는 인식이 통용되고 있었다는 점은 틀림없어 보인다.

전사자공양을 둘러싼 섭수와 절복의 대비는 이 이상 검출되지 않지만, 섭수와 절복의 대비 자체는 불교계가 청일·러일전쟁기 내내 전쟁을 정당화하기 위해 내세웠던 레토릭이었다.[27] 진언종의 독자성은 그 레토릭을 전사자공양의 장으로 끌어들인 점에 있다고 하겠다.

이처럼 청일전쟁기의 '원친평등론'에는 종교적 문맥이 인정되지만, 거기서 발견되는 레토릭은 섭수에 한정되지 않는다. 다음 사료를 살펴보자.

삼가 우리 충실 용무(勇武)한 왕사(王師)의 순사자를 제사지내는 데 즈음하여 그 여경(餘慶)을 받들어 (중략) 너, 무지몽매한(頑冥不靈) 되놈(豚尾)군 전사자의 혼을 추도한다. (중략) 너희는 왕사에 대항한 이유로 장차 구제되려 한다. 우리 황제, 묘법연화경왕의 대세위맹(大勢威猛) 아래서 너의 나라는 장차 문명의 통치를 얻어 영원히 동양에 존재하는 광영을 부여받으려 한다. 그러한 까닭에 너희의 전사가 살아 있는 동포로 하여금 지극한 안온함의 과실을 얻게 하리라는 것은 분명하다. 너희들은 죽어서 넘치는 광영이 있다고 할 것이다. (중략)

우러러 바라건대, 대자대비 원친평등한 석가성주(釋迦聖主)와 일련교조(日蓮教祖)께서 가엾이 여기는 마음을 다하시어 이 무지몽매한 되놈군 전사자로 하여금 역연성불(逆緣成佛)의 대과(大果)를 성취토록 하시기를.

---

26) 「怨親平等」(『同學』 49, 1894.11.21, 1~6쪽).

27) 勢外石堂惠猛, 「戰爭と博愛」(『伝灯』 89, 1895.3.13) ; 大內靑巒, 「折伏を舒述して本誌の滿二百号を祝す」(『四明余霞』 200, 1904.8.24) ; 島地默電, 「戰爭と仏敎」(『四明余霞』 201, 1904.9.24) 등을 참조.

　　　　대일본 메이지 27년 9월 26일 린쇼지(林昌寺) 34대 주지
　　　　가토 분가(加藤文雅) 경백(敬白)[28]

　　1894년 9월 26일 일련종 린쇼지에서 '충용순사자'를 기리는 추도회가
펼쳐졌다. 정오부터 거행된 시아귀의 장에서는 추도회의 발기인이기도
한 린쇼지 주지 가토 분가가 청국 전사자의 명복을 기원하는 조제문을
낭독했다. 참고로 가토는 『日蓮聖人御遺文』을 편찬한 것으로 저명한 인물
이다.[29]

　　가토에 의하면, '되놈군 전사자'의 죽음은 무의미한 것이 아니었다.
그들의 죽음은 그들 자신과 동포들의 구제로 이어질 뿐만 아니라, 모국을
'문명'으로 이끄는 계기도 되었다. 가토는 이러한 '되놈군 전사자'의
구제를 석가와 니치렌(日蓮)에게 의탁하고 있는데, 양자의 입장을 보여주
는 문구로 '대자대비 원친평등'이 제시되고 있다.

　　여기서 원친평등은 중생 일체를 불사섭수(不捨攝受)하는 부처·보살의
입장을 재삼 확인하는 맥락에서 원용되고 있으며, 공양주체의 태도와는
직접적으로 관련되지 않는다. 이와 같은 종교적 문맥의 존재는 이미
제3장 제4절에서도 확인한 바 있는데, 여기서 한 가지 주의하고 싶은
것은 청일전쟁기 이후 원친평등의 종교적 문맥이 종종 정치적 문맥과
뒤얽힌다는 점이다. "윤문윤무(允文允武)하신 대일본제국 황제폐하"로
시작되는 가토의 조제문도 예외는 아니지만, 그 내용은 생략하기로 하고,
'원친평등론'의 정치적 문맥에 대해서는 다음 항에서 구체적으로 검토하
기로 한다.

---

28) 「祭豚尾軍戰死者逆緣菩提文」(『明教新誌』 3483, 1894.10.10, 7쪽).
29) 安中尚史, 「近代日蓮宗の動向－加藤文雅についての一考察－」, 『日蓮教學研究所紀
　　要』 16, 1989를 참조.

(2) 원친평등의 정치적 문맥

우선 청일전쟁기에 종군승이 작성한 조제문을 살펴보자.

　사람은 제 각각 자신의 주군에게 충성을 바친다. 그대들은 이미 죽음으로써 국은(國恩)에 보답하고자 충절을 다했다. (중략) 우리 천황폐하께서는 어짊(仁)이 하늘과 같고 자비로움(慈)이 부처와 같다. 팔굉(八紘)을 무육하고 구해(九海)를 통솔하신다. 대장 이하 또한 (천황폐하의) 인자한 뜻에 따라 포로를 구휼하며 부상자를 돕고, 널리 전적지에서 적의 시체를 모아 지극히 정중하게 이를 매장하게 하셨다. (중략) 우리 제2군 대장 오야마 이와오(大山巖) 및 금주(金州) 민정장관 소장 이바라키 고레아키(茨木惟昭)는 위로는 성지(聖旨)에 보답하고 아래로는 무휼의 자비를 이루기 위해 널리 유해를 수색토록 하고 이를 성의 동서 두 문 밖의 광야에서 다비(茶毘)하고 비를 세워 유적을 남기게 했으며, 오늘 승려 등에게 의뢰하여 추도회를 거행토록 했다. 생각건대, 대저 우리 불교의 요체인 원친평등의 대비(大悲)에 준거하여 널리 일체중생으로 하여금 몽매에서 벗어나 깨달음을 얻게 하는 것이다. (중략)
　　메이지 28년 5월 30일
　　진언종 특파 종군포교사 이와호리 지도(岩堀智道)
　　정토종 서산파 특파 종군포교사 곤도 료곤(近藤亮嚴)
　　진종 오타니파 특파 종군포교사 지하라 엔쿠(千原円空)[30]

　1894년 12월, 히로시마의 대본영으로부터 특허증을 얻은 각 종파의 종군승이 전쟁터로 향했다. 각 종파의 종군승은 위의 인용사료에서도 짐작할 수 있듯이, 전사자공양 등을 매개로 현지에서 종종 행동을 같이 했다. 참고로 위 사료에 보이는 인물들에 대해 약기하자면, 이와호리는 신의(新義) 진언종 풍산파(豊山派)의 인물로, 당시 『密嚴敎報』의 주필로

30) 「祭淸國戰亡軍人」(『密嚴敎報』 140, 1895.7.25, 25쪽).

활약하고 있었다.[31] 이와호리는 훗날 풍산파 관장직에도 오른다. 곤도는 미노(美濃) 출신으로, 1910년 정토종 서산파 관장이 되는 인물이다. 지하라는 이와테현(岩手縣)의 진종 오타니파 사찰 고쇼지(光照寺)에서 태어났다. 청일전쟁 후에도 군대포교에 관여하는 한편, 진종 오타니파의 학사(學事) 정비에 분투한다.

조제문의 모두에 보이는 '국은'은 이른바 사은(四恩 : 국왕의 은혜, 부모의 은혜, 삼보의 은혜, 중생의 은혜)의 하나이다. 청국의 전사자들은 '국은'에 보답하고자 청국 황제에 대해 '충절'을 다한 자들로 자리매김 되고 있으며, 바로 그러한 까닭에 공양할 만한 존재로 규정되고 있다. 이어서 공양의 계기가 서술되고 있는데, 그것은 천황의 인자함에 수렴되고 있다. 그리고 천황의 인자함은 "불교의 요체인 원친평등의 대비"와 상통하는 것으로 규정되고 있다.[32]

원친평등과 천황의 인자함의 연계를 생각하기 위해서는 근대불교계가 처한 상황을 되돌아보지 않을 수 없다. 두말할 나위 없이, 근대는 불교계에게 고난의 시대였다. 제3장에서도 언급한 바와 같이, 신불분리의 확대해석으로 인해 폐불훼석이 빈발한데다, 상지령(上知令)에 의해 불교계는 경제적 특권을 빼앗겼다. 나아가 처대육식의 허용 등으로 인해 승려의 성성(聖性)마저 부정되었다. 거듭된 위기에 대응하고자, 불교계가 메이지정부에 접근을 시도하고, 그 결과 진속이체(眞俗二諦)와 왕법위본(王法爲本)의 담론이 폭넓게 유포되었다는 점은 잘 알려진 바와 같다.

원친평등과 천황의 인자함의 연계도 이러한 문맥에서 이해할 수 있을 것이다. 아마도 불교계는 천황을 '국체'의 중핵으로 자리매김한 메이지정

---

31) 이와호리 등의 약력에 대해서는, 井上泰岳 編, 『現代仏教家人名辭典(複製本)』, 東出版, 1997(원본 1917)을 참조했다.

32) 여기서 인용한 조제문은 일종의 범형으로 유통되었던 듯, 유사한 문례들이 보인다. 예컨대, 「淸兵戰死者ヲ祭ル文」(『征露軍人祝賀弔祭文範』, 玉潤堂, 1904 수록)을 참조.

부의 입장에 근거하여, '문명' 행위로서의 원친평등공양을 천황의 인자함에 수렴시킨 것으로 보인다. 만주사변 이후, 특히 중일전쟁기에 접어들면 원친평등을 둘러싼 불교계와 정부·군부의 협의가 표면화되는데(제5장 참조), 그 단서는 청일전쟁기에 준비되어 있었다고 할 것이다.

일찍이 시라카와 데쓰오(白川哲夫)는 "제1차 세계대전기까지의 '원친평등'은 '적국병사'에 대한 일정한 '경의' 내지는 (그들을) 전쟁희생자로 보는 것이었던 데 반해", 만주사변 이후에는 "일본과 중국의 우호를 연출하는 국책의 일환으로 사용되었다"고 지적한 바 있다.[33] 제5장에서 상론하겠지만, 만주사변을 계기로 '원친평등론'이 변용되는 것은 분명하지만, 그렇다고 하여 청일·러일전쟁기의 '원친평등론'이 단순히 "'적국병사'에 대한 일정한 '경의' 내지는 (그들을) 전쟁희생자로 보는 것이었던" 것은 아니다. '원친평등론'을 둘러싼 시대구분에는 보다 신중한 검토가 필요하다고 생각한다.

그런데, 금주에서의 적군전사자공양에는 선례가 존재했다. 이미 1895년 1월에 금주 산동회관이라는 곳에서 청국전사자의 명복을 비는 불사가 천태종·진언종·임제종·조동종·진종의 합동불사로 거행되었다. 임제종 종군승 사카가미 소센(坂上宗詮)은 법회에 대해 "공양의 게에 이르기를, '아! 이 무봉탑(無縫塔)이여! 모든 원친을 근절시키도다. 성은(聖恩)과 불덕(佛德)은 일시대동인(一視大同仁)이라'고 하였다. 참석자는 민정청 제관원, 헌병부 제원(諸員), 청국인 50~60명으로, 청국인은 일본승의 원친평등에 감읍하지 않은 자가 없었다"라고 기록하고 있다.[34] 여기서도 천황의 인자함과 원친평등의 일치를 내세우는 담론이 확인되는데, 유사한 사례는

---

33) 「大正·昭和期における戦死者追弔行事―「戦没者慰霊」と仏教界―」, 『ヒストリア』 209, 2008, 71쪽.

34) 「従軍報國(第三回)」(『正法輪』 40, 1895.3.15, 23쪽) ; 『本山事務報告』 17, 1895.2.25, 11~12쪽도 아울러 참조.

일련종의 기관지『日宗新報』에도 보여,[35] 전사자공양을 둘러싼 천황의
인자함과 원친평등의 뒤얽힘이 불교계 공통의 인식이었음을 알 수 있다.

천황의 인자함과 원친평등의 연계는 러일전쟁기에도 확인되는데,[36]
양자를 직결시키는 담론조차 등장한다. 예컨대, 메이지 불교계의 거장으
로 특히 계율부흥을 제창한 것으로 저명한 샤쿠 운쇼(釋雲照)는 '태원수명
왕비법(太元帥明王祕法)'의 수행에 앞서, "우리 황제폐하원친평등의 인덕
을 통해 저 군민(君民)의 원망하는 적개심이 영원히 사라지고, (중략)
피차에 비명횡사한 전사자의 정령이 고통에서 벗어나 즐거움을 얻고
구품(九品)의 연꽃 받침에 올라"라고 기원했다.[37]

이상과 같이 피아전사자공양, 적군전사자공양으로서의 원친평등은
종종 정치적 문맥을 수반했는데, 이때 원친평등과 관련된 레토릭은 천황의
인자함에 한정되지는 않았다. 예컨대, 고야산 조키인(常喜院)의 주지 다이
조 다이엔(大乘大円)은 러일전쟁 후에 피아전사자를 공양하고자 보주탑(寶
珠塔) 조성에 착수했을 때 "메이지 37·8년 전투에서 희생된 충사자의
영혼(英魂)을 제사지내고, 아울러 러시아 군인 전사병몰자의 혼령도 합사
함으로써 원친이 평등하게 깨달음을 얻게 하고자 합니다. 이를 위해
높이 1장 4척의 동제(銅製) 여의보주탑을 당산에 건립하여 국위를 불후하
게 기념하고, 국민의 사기를 고무하고자 합니다"라고 진술하고 있다.[38]
보주탑에는 "원친이 평등하게 깨달음을 얻게" 한다는 종교적 맥락이
존재했지만, 한편으로 전승기념비라는 함의도 부여되었던 것이다.[39]

---

35) 「從軍日記(七)」(『日宗新報』 568, 1895.7.8, 12쪽).

36) 「東京に於ける日露戰死者大追吊會」(『六大新報』 65, 1904.10.30, 14쪽) ; 「兩軍戰死
   者を祭る文」(『六大新報』 77, 1905.1.22, 14쪽) 등.

37) 『六大新報』 78, 1905.1.29, 8쪽.

38) 「戰役死沒者人員ノ件」(JACAR[アジア歴史資料センター] Ref.C04014441100, 陸軍省
   大日記·壹大日記·明治四十一年十二月「壹大日記」[防衛省防衛研究所]).

39) 후지타 히로마사(藤田大誠)는 인용사료에 대해 "(보주탑의) 건설목적으로는 국위

여기까지 검토한 바와 같이, 피아전사자공양, 적군전사자공양의 장에서 원친평등은 종교적 맥락에서 설파되었을 뿐만 아니라, 천황의 인자함에 연계되거나 전승기념의 맥락과 뒤얽히기도 했다. 피아전사자공양, 적군전사자공양으로서의 원친평등은 다양한 문맥을 지니고 있었던 것인데, 다음 절에서 검토하듯 근대의 원친평등은 의외의 국면에서도 원용되었다.

제3절 아군전사자공양과 원친평등

(1) 삽입구로서의 원용

앞서 검토한 바와 같이, 청일·러일전쟁기에는 피아전사자공양과 적군전사자공양이 많이 거행되었다. 그러나 이 시기 전사자공양의 중심은 역시 아군전사자공양이었다. 국가권력의 입장에서 보았을 때, 아군전사자공양은 원활한 군사동원을 위해서도 결코 소홀히 할 수 없는 중대사였다.

아군전사자공양과 원친평등이라 하면 다소 어색한 조합으로 느껴질 수도 있지만, 아군전사자공양의 장에서도 원친평등은 설파되었다. 거기에는 두 가지 방향성이 있었다. 우선, 다음 사료를 살펴보도록 하자.

메이지 27년 7월 무렵부터 우리 이웃 지나와 사단이 난 이래, 뭍으로 바다로 황군이 나아가는 곳에 대적할 바 없어, (황군은) 연전연승하고 있다. 전국에서 즐기며 노래하고 기꺼워 춤추며 연이은 승전을 축하하매, 손발 둘 곳을 모를 지경에 이르렀다. 이는 실로 천황의 위광(威稜)과 외정장사(外征將士)들의 무용에 의한 것이다. 우리 정토종 도쿄 대교회는

선양적, 즉 '현창'적 성격이 강한 점이 주목된다"고 지적한 바 있다(「近代日本における「怨親平等」觀の系譜」, 『明治聖德記念學會紀要』 44[復刊], 2007, 110쪽).

156

외정에서 전사한 자들의 충혼을 위무하고자 이달 오늘을 정하여 조제의
단을 만들고 정찬(精饌)의 공물을 벌여 놓은 바, 장엄이 이미 갖춰졌다.
(중략) 삼가 돌아보건대, 아미타불의 너른 서원은 오로지 유계(幽界)를
구원하는 자비로운 배이다. 아미타불의 광명은 영원히 어두운 밤을 밝히
는 영묘한 빛이다. 바라건대, 이 불사로 인해 유현(幽顯)의 구별 없이
원친의 차별 없이 평등하게 아미타불의 광명한 이름에 접하여 교화되기
를.40)

1894년 세모에 '외정' 전사자들의 명복을 비는 성대한 법회가 도쿄
우에노(上野) 공원에서 도쿄부(府) 정토종사원의 주최로 열렸다. 위에
든 조제문은 법회의 도사(導師) 히노 레이즈이(日野靈瑞, 당시 정토종
관장)에 의해 봉독된 것이다.

히노는 시종일관 '외정'에서 희생된 아군전사자의 충혼을 상찬하면서
도, 마지막에 "원친의 차별 없이" 피아전사자 일체가 구제되어야 한다는
점을 설파하고 있다. 히노는 1894년 10월 5일의 유시(諭示)에서도 "원친
전사자의 영혼을 조제하는 것은 가장 중요한 일"이라고 밝히고 있어서,41)
그가 피아전사자공양을 중시하고 있었음을 알 수 있다.

그런데, 아군전사자공양의 장에서 피아전사자공양으로서의 원친평등
을 설파하는 것이 정토종의 전매특허는 아니었다. 예컨대, 1895년 1월,
진언종·임제종·천태종의 종군승들은 '보병 제15연대 제6중대 중위 고
히고 노부히로(肥後信廣) 외 100여 명의 충사 영혼'을 공양하면서 '원친평
등 법계보윤(法界普潤)'을 내세웠으며,42) 1895년 4월에는 천태종 사이라이

---

40) 「外征戰死者追薦大法會の景況」(『淨土敎報』 201, 1894.12.15, 6~7쪽).

41) 『淨土敎報』 195, 1894.10.15, 1쪽.

42) 「興亞敎信」(『密嚴敎報』 129, 1895.2.12, 20쪽). 공양문이 '법계평등' 운운의 문구로
마무리되는 것은 극히 일반적이라 할 수 있다. 그러나 거기에 '원친평등'이 삽입되
고 있는 것은 근대적인 용법이라 할 수 있다.

지(西來寺)의 주지 하나야마 간코(華山觀高)가 미에현(三重縣) 출신 이등
군조 구와나 간이치(桑名貫一) 이하 아군전사자의 명복을 빌며 "승려
등이 원친평등의 혜안을 굳게 하여 피아정령의 명복을 기원한다"고 설파
했다.[43]

러일전쟁 후에도 다음과 같이 유사한 사례가 보인다.

> 여러 장병들이 부모의 나라를 떠나 형제자매와 헤어지고 결연히 일어
> 나 원정길에 올랐다. (중략) 용감히 싸우고 분투하며 끝내 국난에 순사(殉
> 死)하여 이역(異域)의 귀신이 되었다. (중략) 이에 이자와 지자에몬(井澤治
> 左衛門)이 원주(願主)가 되어 메이지 37·38년 전쟁에서 순난한 여러 장병
> 들에 대한 보덕과 추복을 위해 공양탑 1기를 세우고 가지토사(加持土砂)의
> 법회를 열었다. 삼가 광명진언(光明眞言)가지토사비법을 봉행했다. 바라
> 건대, 이 공덕으로 (중략) 수라의 망집을 떨쳐버리고 원친이 평등하게
> 모두 최상의 가르침(一味醍醐)의 법익을 맛보기를. 이에 범경(梵磬)을
> 때려 오지삼밀(五智三密)의 제존성중(諸尊聖衆)을 불러일으키고 오분향
> (五分香)을 태우며 육도화(六度華)를 흩날린다. 삼가 순난한 여러 장병들이
> 깨달음의 세계로 점차 나아가게 하기 위한 것이다.[44]

1910년 5월 30일, 러일전쟁에서 희생된 '순난자'의 7주기 법요가 하리마
국(播磨國)에서 거행되었다. 원주 이자와 지자에몬이 미리 건립한 공양탑
에 광명진언으로 가지(加持)된 토사가 뿌려지고 조제문이 봉독되었다.
조제문에 따르면, 이번 공양에 임한 생자들은 아군전사자인 '순난자'들
이 '수라의 망집'을 떨쳐버리기를 기원하는 한편, "원친이 평등하게 모두
최상의 가르침의 법익을 맛보기를" 기원했다. 아군전사자공양과 피아전
사자공양이 뒤얽혀 진행되었다고 할 수 있는데, 조제문의 마지막에 "삼가

---

43) 「祭皇軍忠死英魂文」(『四明余霞』89, 1895.5.24, 33~34쪽).

44) 「播磨教信」(『六大新報』353, 1910.6.19, 18~19쪽).

순난한 여러 장병들이~"라고 보이는 데에서 알 수 있듯이, 이 법회의
기본성격은 아군전사자공양이었다. "원친이~맛보기를"의 문장은 삽입
되어 있다고 할 수 있을 것이다.

　아군전사자공양의 장에 원친평등이 원용되는 것은 당시 피아전사자공
양·적군전사자공양이 폭넓게 전개되고 있었다는 점, 아울러 피아전사자
공양·적군전사자공양하면 원친평등, 원친평등하면 피아전사자공양·적
군전사자공양이라는 인식이 존재했다는 점을 짐작케 한다. 당시의 불교계
잡지에 '원친평등 추조회', '원친평등 공양' 등의 관용구가 빈출하는
것도[45] 우연은 아닐 것이다. 청일·러일전쟁기의 전사자공양에서 원친평
등을 매개로 한 피아전사자공양·적군전사자공양이 커다란 문맥을 형성
하고 있었던 것은 틀림없어 보인다.

　그렇다면, 오늘날 통용되고 있는 〈원친평등='피아전사자공양'〉 인식
은 근대일본에도 적용될 수 있을 것으로 보인다. 용례의 빈도에서 볼
때 피아전사자공양·적군전사자공양으로서의 원친평등이 주류였다는 점
은 분명하다. 그러나 사태는 그리 간단하지 않다. 왜냐하면, 앞서 지적한
바와 같이, 피아전사자공양·적군전사자공양으로서의 원친평등이라 해
도 그것이 설파되는 문맥은 다양했으며, 또한 이어서 검토하는 바와
같이, 〈원친평등='피아전사자공양'〉의 틀에서 벗어난 용례도 존재하기
때문이다.

(2) 아군전사자에 대한 회유

　곧바로 관련 사료를 살펴보도록 하자.

---

45) 『曹洞教報』 9, 1895.7.25, 26쪽 ; 『日宗新報』 912, 1905.2.1, 18쪽 ; 『六大新報』
　　354, 1910.6.26, 17쪽 등.

아, 슬프도다! 우리 충실하고 용무한 장교 이하 무수한 군인제군이 자신의 몸을 희생으로 삼아 전사함으로써 국난에 순사했다. 황국신민으로 누가 조위하지 않겠는가. 이에 시내의 정토종 사원 및 교교(敎校)의 직원·학생 등이 본당에 회합하여 추조의 대법회를 열었다. 관장대리 모(某甲)가 친히 식장에 임하여 삼가 이구동음으로 풍경·염송하여 충혼의 영령을 제사지낸다. 삼보(三寶)시여, 굽어보시고 밝게 살펴주소서. 바라는 바는, (아군전사자의 충혼이) 이 공양에 위무되어 깨달음의 지검(智劍)을 휘둘러 번뇌망업의 적군을 모조리 죽이고, 인욕(忍辱)의 비개(悲鎧)를 두르고 원친평등의 성해(性海)에 들어서기를.46)

1904년 5월 7일, 정토종 나고야(名古屋) 충혼사당(忠魂祠堂)에서 전승기념과 전사자추선의 법요가 거행되었다. 인용문은 그 때 봉독된 가미야 다이슈(神谷大周)의 조제문이다. 이를 살펴보면, 공양된 '육해군전사자'가 아군전사자임은 분명한데, 여기서 주목하고자 하는 것은 "바라는 바는~"의 문장이다.

가미야는 아군전사자가 깨달음의 경지에 이르기를 기원하면서 두 가지 레토릭을 사용하고 있는데, 거기에 보이는 원친평등의 뉘앙스는 지금까지 검토한 용례의 그것과는 미묘하게 다르다. 지금까지 검토한 원친평등 용례는 공양주체를 축으로 한 것이었지만, 가미야의 용례는 전사자를 주체로 하고 있다. 바꿔 말하자면, 전자에서 원친은 공양주체의 원친인데 반해, 후자에서 원친은 전사자의 원친인 것이다. 후자는, 말하자면 아군전사자에 대한 회유의 맥락에서 파악된다.47)

---

46) 「名古屋忠魂祠堂第二回戰捷奉告祭槪況」(『淨土敎報』593, 1904.5.29, 7~8쪽).

47) 시라카와 데쓰오는 가미야의 조제문에 대해 "이 조제문의 마지막에 보이는 '원친평등'은 피아전사자의 차별 없이 접한다는 의미로, 여기서는 적을 죽이는 것이 일종의 '구제'라는 논리에서 사용되고 있다"고 지적한 바 있다(「日淸·日露戰爭期の戰死者追弔行事と仏敎界－淨土宗を中心に－」, 『洛北史學』8, 2006, 48쪽).

　　그런데 가미야는 "바라는 바는~"의 문장을 여타 공양의 장에서도 관용구처럼 반복해서 사용하고 있다.[48] 그렇다면 아군전사자에 대한 회유로서의 원친평등은 가미야의 독특한 담론으로도 여겨지지만, 그렇지는 않다. 예컨대, 남조 분유(南條文雄)는 '34연대장 세키야(關谷) 대좌를 추도하는 글'에서 "바라건대, (중략) 영원히 평화를 극복하여 황상(皇上)의 예지(叡旨)에 부응하고, 원친평등의 견지에서 응징의 본의를 밝히기를"이라고 서술하고 있으며,[49] 시마지 모쿠라이(島地默雷)도 '히타치마루(常陸丸) 순난사자를 추도하는 글'에서 "바라건대, (중략) 원친평등의 견지에서 속히 남은 원한을 지우고, 피아가 서로 사랑하여 마침내 평화를 이루기를"이라고 서술하고 있다.[50]

　　시마지의 조제문에서는 특히 남은 원한을 없애는 방편으로 원친평등이 제기되고 있는 점이 주목된다. 시마지는, 명예로운 전사라 하더라도 제명에 죽지 못한 자들은 역시 여한을 남기기 마련이라고 인식했던 것인데, 사실 이와 같은 생각은 당시에 보기 드문 것이 아니었다. 청일·러일전쟁기에 작성된 아군전사자 조제문을 검토해 보면, 살아생전의 원한을 버리라는 설득조의 문장을 종종 발견하게 된다.[51] 다소 위화감이 느껴지기도 하지만, 사자의 극락왕생·안온의 기원이라는 관점에서 볼 때, "원친평등의 견지에서 속히 남은 원한을 지우"라는 시마지의 발상은 돌출된 것은 아니라고 할 것이다.

　　사자의 원념이라고 하면, 적군전사자의 원념도 상정 가능하다. 즉, 원친평등이 적군전사자에 대한 회유의 맥락에서 원용되어도 이상할 것은

---

48) 『淨土教報』612, 1904.10.9, 6~7쪽 ; 『淨土教報』613, 1904.10.16, 4~5쪽을 참조.

49) 大畑裕 編, 『弔祭慰問文教範』, 求光閣, 1904 수록.

50) 今村金次郎 編, 『戰時弔祭祝辭文例』, 鴻盟社, 1905 수록.

51) 「非戰鬪員の敵地にて虐殺されし吊する文」(河村北溟 編, 『軍人送迎祝祭慰問感謝文』, 大學館, 1905 수록), 「井上大將の弔祭文」(小林鶯里 編, 『祝賀送迎弔祭文集』, 厚生堂, 1905 수록) 등을 참조.

없다. 이 문제와 관련하여, 간접적이기는 하지만 다음 사료는 주목할
만하다.

> 지난 달 29일 혼몬지(本門寺)에서 관장 예하(猊下), 이케가미(池上), 나카
> 야마(中山) 두 분 관주(貫主)를 도사로 삼아 음악법요를 거행하여, 조선국
> 왕비 이하 13인을 위해 추조회향했다. 단상에는 새로 만든 커다란 위패를
> 안치하여 중앙에는 조선국 고(故)순경왕후 여흥(驪興)민씨 영위(靈位)를
> 모시고, 좌우에 내각총리대신 정일품 김굉집, 궁내대신 종일품 이경식,
> 탁지대신 종일품 어윤중, 농상공부대신 종이품 정병하, 내각도헌 종이품
> 이태용, 훈련대장 종일품 홍계훈, 법부협판 종이품 김학우, 호조참판
> 종이품 김옥균, 군부협판 종삼품 이주회, 승선 종삼품 박준양 및 동학당의
> 전봉준, 김개남, 손화중의 각 영위를 배열하여, 원친평등의 법미(法味)를
> 실컷 맛보도록 했다. 시주는 오카모토 류노스케(岡本柳之助)씨였으며,
> 참배하여 소향한 사람들은 시주의 지인 혹은 조선에 관계하는 동도(東都)
> 의 신사 수십 명이었다.[52]

위 공양의 중심에 위치한 '조선국 고(故)순경왕후 여흥(驪興)민씨'는
1895년 일본군에 살해된 명성황후이다. 그 아래로 보이는 인물들이 모두
조선의 근대화과정에서 제명에 죽지 못한 자들이라는 점은 두말할 나위
없다. 시주 오카모토 등은 "음악법요를 거행하여", 그들로 하여금 "원친평
등의 법미를 실컷 맛보도록 했다"고 한다. 오카모토 등은, 생전의 '원'과
'친'은 환상에 불과하니 죽을 때 품었을 원념은 버리라며 조선인 사자들을
회유한 것으로 판단된다.

공양되고 있는 자들이 모두 전투상황에서 일본인에게 살해된 것은
아니므로, 이 공양을 단순히 적군전사자공양이라고 자리매김할 수는

---

52) 「王妃以下韓人十三名の追弔」(『日宗新報』 593, 1896.4.8, 21쪽).

없다. 그러나 역시 공양의 중심인 명성황후에 주목하지 않을 수 없으며, 시주 오카모토가 미우라 고로와 함께 명성황후 살해를 진두지휘한 장본인이라는 점도 간과할 수 없다. 당시 조선인 원령의 존재가 어느 정도 의식되었는지는 의문이지만, 오카모토 등이 모종의 불편함을 느꼈던 것은 틀림없어 보인다.

적군전사자의 원령에 대한 의식을 명기한 예도 보이는 점53)을 생각해 볼 때, 적군전사자의 시선에 입각한 원친평등의 용례도 충분히 존재할 수 있을 것으로 여겨진다. 이 문제에 대해서는 원친을 둘러싼 관점의 전환을 염두에 두며 앞으로도 계속해서 검토해 나가고자 한다.

끝으로, 본장에서 검토한 내용에 대해 정리해보자. 청일·러일전쟁기에 원친평등을 둘러싼 담론이 폭발적으로 등장한 배경에는 '문명' 전쟁을 수행하고자 한 정부의 방침과, 이에 보조를 맞추고자 한 불교계의 동향이 존재했다. 이 시기의 '문명'은 적십자로 상징되는데, 적군과 아군을 구별하지 않는 적십자정신은 불교적 원리를 환기시켜 청일·러일전쟁기 내내 원친평등은 '문명' 정신으로 설파되었다. 이 시기의 '원친평등론'은 '문명' 정신으로서의 원친평등을 기반으로 전개되었다.

피아전사자공양, 적군전사자공양의 장에서 확인되는 원친평등의 용례에는 두 가지 방향성이 있었다. 종교적 측면에서 섭수로서의 용례 등이 존재하는 한편, 정치적 문맥이 전면에 나오는 용례도 존재했다. 후자에서는 특히 천황의 인자함이 크게 강조되었는데, 이는 근대불교계가 처한 상황과 밀접하게 관련되어 있었다. 실지회복을 지향하고 있던 근대의 불교계는 전략적으로 정부에 접근했다. '원친평등론'이 종교적 담론에 머무르지 않고 정치적 담론으로도 전개된 데에는 이러한 정치·사회적

---

53) 예컨대, 『密嚴教報』 129(1895.2.12, 18쪽)에는 "우리들은 원친평등관에 머무는 자들로, 어찌 한 차례 회향을 하여 그 원령을 해탈하도록 하고 귀곡의 흐느낌에 노도의 걱정을 사라지게 하지 않겠는가"라고 보인다.

배경이 존재했다.

한편, 〈원친평등='피아전사자공양'〉의 인식으로부터는 상상하기 어려운 일이지만, 원친평등은 아군전사자공양의 장에서도 원용되었다. 여기서도 두 가지 방향성이 존재했다. 하나는 피아전사자공양·적군전사자공양의 뉘앙스를 지니는 원친평등이 삽입구로 원용되는 경우가 있었다. 이는 피아전사자공양·적군전사자공양으로서의 원친평등이 청일·러일전쟁기에 커다란 문맥을 형성하고 있었다는 점을 반증한다. 한편 원친평등은 아군전사자에 대한 회유의 맥락에서 원용되는 경우도 존재했다. 이러한 담론의 근저에는 제명에 죽지 못한 사자들의 원한에 대한 의식 등이 존재했다.

이상과 같이, 청일·러일전쟁기의 '원친평등론'은 〈원친평등='피아전사자공양'〉이라는 도식으로 단순화할 수 있는 것이 아니었다. 그렇다고 하여 양자 사이에 접점이 존재하지 않는 것은 아니다. 원친평등의 용례 가운데 피아전사자공양, 적군전사자공양과 관련된 것이 주류를 이루고 있었던 점은 정당하게 평가하지 않으면 안 될 것이다. 청일·러일전쟁기의 '원친평등론'은 〈원친평등='피아전사자공양'〉설의 토대로 자리매김할 수 있을 것이다.

일반적으로 전전의 '원친평등론'은 러일전쟁기에 정점을 이루고 이후 사그라졌다고 인식되고 있지만, 원친평등의 용례 자체는 실은 종전에 이르기까지 다수 확인된다. 다이쇼시대 이후 '원친평등론'이 사그라진다는 인식은 아마도 만주사변·중일전쟁을 거치며 원친평등이 등장하는 국면이 한정된 것과 밀접하게 관련되어 있다고 여겨진다. 그래서 다음 장에서는 불교계의 중국대륙 진출에 주의하며 1930~40년대의 '원친평등론'에 대해 집중적으로 검토하고자 하는데, 그에 앞서 제1차 세계대전기의 '원친평등론'에 대해 일별하기로 한다.

제5장 대외전쟁의 연쇄와 '원친평등론'의 진폭

제1절 '세계적 추도회'의 시행

유럽에서의 세계대전 발발에 연동하여 일본도 1914년 독일과 교전상태에 들어간다. 이에 따라 일본불교계에서는 재삼 원친평등을 근간으로 하는 전사자공양, 즉 '원친평등공양'이 부상한다. 그 등장과정에는 청일·러일전쟁기와 마찬가지로 적십자사업의 영향도 상정되지만,[1] 제1차세계대전기의 '원친평등공양'에는 독특한 수사법이 존재했다.

제1차세계대전기에 일본과 동맹국의 교전은 대략 청도(靑島)전투에 한정되지만, 당시의 전사자공양은 종종 세계대전의 희생자 일반을 전제로 거행되었다.[2] '세계'야말로 당시 전사자공양의 키워드였다. '세계'를 전제로 하는 전사자공양은 종종 세계평화의 발상으로 이어져, 예컨대 임제종의 다카하시 준료(高橋醇領)는 "원친평등 전사자에 대해 다대한 동정을 금할 수 없다"라며 '대(對)세계평화극복일본불교도대회' 개최를 주창했다.[3] 참고로 1915년 8월 샌프란시스코에서 개최된 세계불교도대회에서는

---

1) 『淨土教報』 1133, 1914.10.16, 1쪽을 참조.
2) 「葛飾の追弔大會」(『淨土教報』 1140, 1914.12.4, 7쪽), 「來春の高野山」(『六大新報』 587, 1914.12.20, 17쪽) 등.
3) 「高橋醇領師の壯擧」(『正法輪』 332, 1915.3.12, 29~30쪽).

세계평화회복을 촉구하는 결의문이 채택되고 있어서,4) '세계'적 전사자
공양이 거행되던 당시의 분위기를 미루어 짐작케 한다.

이처럼 일본과 동맹국의 실질적인 교전상황을 넘어서서 '세계', '평화'
를 내세우는 불교계의 동향은 제1차세계대전이 종식되고 강화협상이
진행되던 1919년에 이르러 보다 명확하게 나타난다. 이 시기의 '세계'적
전사자공양은 1915년에 결성된 불교계의 연합조직인 불교연합회5)를
축으로 전국의 각 종파 사원에서 체계적으로 시행되었다.6)

그런데 이 시기에 거행된 '세계적 추도회'7)에서 주목되는 것은 그
실시 목적이다. 반복적으로 '원친평등의 교의' 선양이 주창되고 추도회를
매개로 한 '전도'가 강조되었던 점을 고려할 때, 당시 불교계는 '세계적
추도회'를 불교진흥책의 일환으로 시행하고자 했던 것으로 여겨진다.
'세계적 추도회'에 외국의 영사들을 끌어들이려는 움직임8)도 이러한

---

4) 상세한 내용에 대해서는 土屋詮教, 『大正仏教史』, 三省堂, 1940, 42~46쪽을 참조.

5) 불교연합회의 결성 경위에 대해서는 『中外日報』 1915.12.10~16의 관련기사 및
「仏教聯合會準備」(『宗報(眞宗)』 171, 1915.12.25, 9~10쪽)를 참조.

6) 「宗達甲第一号」(『宗報(曹洞宗)』 533, 1919.3.1, 1쪽) ; 「戰死追弔に關する一般達示」
(『淨土教報』 1362, 1919.4.4, 9쪽) ; 「普告第八八号」(『正法輪』 427, 1919.3.1, 4쪽) ;
「大戰亂戰病死者追弔法要」(『宗報(眞宗)』 210, 1919.3.31, 14~15쪽) ; 「世界大亂戰
病死者大追弔會」(『六大新報』 808, 1919.4.20, 15~16쪽) ; 「世界戰爭追悼會」(『中
外日報』, 1919.4.25, 2면) ; 「埼玉通信」(『高野山時報』 153, 1919.4.25, 11쪽) 등을
참조. 시라카와는 당시 사료에 보이는 '日獨戰病死者追弔' 등의 법요를 피아전사자
공양으로 단정했는데(「大正·昭和期における戰死者追弔行事-「戰沒者慰靈」と仏
教界-」, 『ヒストリア』 209, 2008, 61쪽), 당시 '日獨戰病死者'는 '일본과 독일의
戰病死者'라는 의미뿐만 아니라 '日獨戰役(爭)에서 발생한 일본군 戰病死者'라는
의미로도 통용되고 있었던 것 같다. 예컨대, 『日宗新報』 1319(1915.2.7)에는 '日獨戰
役'에서 전사한 일본군의 '英靈'이 야스쿠니신사에 합사될 예정이라는 기사가
보이는데, 이 기사에서 일본군 전사자는 반복적으로 '日獨戰死者'로 표기되고
있다. 전사자공양에 관련된 사례는 발견하지 못했지만, '日獨戰病死者追弔'가
'日獨戰役(爭)에서 전병사한 일본군에 대한 추조'를 의미할 가능성도 염두에
두어야 할 것이다.

7) 이 표현은 『中外日報』 5890, 1919.4.8, 5면 등에 따른 것임.

8) 「横浜市と大擧伝道」(『六大新報』 799, 1919.2.16, 17쪽) ; 「領事団と華頂」(『中外日

문맥에서 이해되는데, 불교연합회가 '세계적 추도회' 시행에 앞서 세계평
화회복에 관한 선언서를 구미제국에 발신한 점9)을 아울러 생각해 볼
때, 당시 불교계가 평화시대의 도래라는 국제정세를 배경으로 불교의
존재감을 국내외에 어필하고자 한 것은 틀림없다고 판단된다.

　제1차세계대전기의 전사자공양이 우선 종교적 맥락에서 거행되었다는
사실은 부정할 수 없을 것이다. 그러나 그것이 생자와 사자의 관계로
완결되지 않고, 생자간의 관계설정문제로 확대되어 갔다는 점은 간과할
수 없다. 환언하자면, 제1차세계대전기의 '원친평등공양'이 "'적국병사'
에 대한 일정한 '경의' 내지는 (그들을) 전쟁희생자로 보는 것"10)으로
파악될 수 없으며, 그 배경으로는 불교계 나름의 '정치'도 상정된다는
것이다. 청일·러일전쟁기의 '원친평등공양'의 실태를 아울러 생각해 볼
때, 제1차세계대전기까지의 '원친평등공양'에 종교적 순수성이 유지되었
다고 보기는 어렵다고 생각한다.

　그런데 필자가 조사한 바에 따르면, 1920년 이후 원친평등의 용례가
'세계적 추도회'와 결합된 형태로 나타나는 패턴은 사라진다. 물론 기록되
지 않은 용례도 배제할 수 없지만, 실은 이 시기에 이르면 '세계적 추도회'
자체가 거의 시행되지 않는다. 일본불교의 사자관을 감안하면 공양의
연속성이 상정되지만, '세계적 추도회'는 표면상 너무나도 갑작스레 중단
되고 만다. 아마도 일본이 동맹국과의 실질적인 전투에 깊이 관여하지
않고, 그만큼 일본인 희생자가 대량으로 발생하지 않았던 탓에 공양의
연속성을 보장하는 사회적 공감대가 형성되지 않았던 듯하다. 그러나

　　報』5897, 1919.4.16, 3면) ;「英魂髣髴」(『中外日報』5900, 1919.4.19, 3면) 등을
　　참조.
　9)「列國講和會議ニ關スル件」(『宗報(曹洞宗)』530, 1919.1.15, 7~8쪽) ;「仏教の國際運
　　動と列國の注意」(『中外日報』5842, 1919.2.6, 3면) 등을 참조.
　10) 白川哲夫,「大正·昭和期における戰死者追弔行事-「戰沒者慰靈」と仏教界-」, 71
　　쪽.

쇼와(昭和)기로 접어들어 일본이 대규모 대외전쟁에 돌입하면, 불교계에서는 다시 한 번 원친평등이 부상한다.

제2절 일본의 중국침략과 '원친평등론'의 정형화

(1) 선무공작과 원친평등

1931년의 만주사변, 이듬해의 상해사변의 발발을 계기로 불교계에서는 재삼 '원친평등공양'이 실시되어갔다. 그러나 표면상 동일한 '원친평등공양'이라 하더라도 제1차세계대전기의 그것과 만주사변 이후의 그것 사이에는 질적인 변화가 보인다. 우선 다음 사료를 살펴보도록 하자.

지난 11월 15일 장춘 교외 남령(南嶺)의 격전지에서 관성자(寬城子)의 전사자와 남령의 전사자 도합 12명의 위패를 각각 새로 만들어 이를 구(舊) 지나(支那) 길림성 목(穆)여단장의 저택에서 제사지내고, 개당(開堂) 공양을 삼가 거행했습니다. 일본육군당국도 기꺼이 참가했으며, 저택은 무료로 제공되어 피아전사자의 보리(菩提), 원친평등을 기원했습니다.[11]
황벽종의 무카이데 데쓰도(向出哲堂)씨는 장기간 상해에서 포교활동을 펼쳤는데, 작년 사변 때에는 부상병의 간호와 전사자의 장제에 동분서주했으며, 그 와중에 아군과 적군의 구별 없이 탑파를 묘지에 세워 회향했다. 이 원친평등 탑파회향이 지난 여름 지나인의 집회에서 크게 환영받은 바 있다. 작년 7월에 해군 전사자의 유해를 가지고 귀국했는데, 무카이데 씨는 유해의 찢어진 살점을 붕대로 보철하여 사세보(佐世保)에서 화장했다고 한다. (중략) 이 위문을 마치고 육해군부와 상담한 결과, 이번에는 만주의 전적을 방문하여 원친평등하게 탑파를 회향하게 되었다. (중략) 묘신지(妙心寺) 본산으로부터도 기념 전별금을 받아 만주로 향하게 되었

---

11) 「滿洲時局通信」(『六大新報』 1449, 1931.12.13, 9~10쪽).

다.12)

먼저 예시한 사료는 진언종 만주개교감독 스가노 교젠(菅野経禪)의 서한이다. 스가노의 '원친평등공양'은 현지 주민들을 회유할 목적으로 육군과의 교감 하에 취해진 전략으로도 여겨지지만, 상세한 내용은 알 수 없다. 이에 대해 다음에 든 사료는 불교계와 군부의 관계를 보다 명확하게 보여준다. 황벽종의 무카이데 데쓰도는 상해에서 '원친평등공양'을 시행하고 귀국했는데, 이번에는 군부와의 협의 하에 만주에서 '원친평등공양'을 시행하게 되어 임제종 묘신지파의 본산에서도 지원이 있었다고 보인다.

원친평등을 내세우는 불교계의 동향과 정부·군부의 연계는 이미 청일전쟁기에도 확인되지만, 다이쇼(大正)기에 이르기까지 정부나 군부의 태도는 적극적이었다고 할 수 없다. 물론 러일전쟁기에 이르러 종군승을 통제하고자 하는 경향이 보이지만, 종군승의 행동이 정책이라 할 만한 수위에서 논의된 형적은 없다. 그러한 의미에서 무카이데의 '원친평등공양'이 중국인에게 환영받았다고 인식되고, 그가 '육해군부와 상담'하에 새로이 '원친평등공양'에 나선다는 문맥에는 충분히 주의할 필요가 있다. 왜냐하면, 이 문맥에서는 '원친평등공양'을 선무공작의 관점에서 적극적으로 활용하고자 하는 정부와 군부의 의도가 상정되기 때문이다.

불교를 통한 선무공작의 필요성은 만주국 불교총회의 창립과정에서 엿보이듯이 만주사변을 계기로 부상했는데,13) 중일전쟁의 발발을 계기로 전선이 확대되자 한층 강조되게 된다. 이미 중일전쟁 초기단계에서부터 점령지에 진주한 특무기관에서 불교를 통한 선무공작이 모색되었으며,14)

---

12) 「怨親平等の塔婆」(『中外日報』10127, 1933.5.26, 3면).

13) 木場明志, 「滿州國の仏教」, 『思想』943, 2002, 196~199쪽.

14) 『華中宣撫工作資料』, 不二出版, 1989, 82쪽을 참조.

170

군 주최로 적군전사자공양이 거행되기도 했다.[15] 또한 1938년 7월 특무기관의 지도하에 신도·불교·기독교의 행동통일을 도모하고자 중지종교대동연맹(中支宗敎大同聯盟)이라는 조직의 결성이 시도되었던 점[16]도 간과할 수 없다.

이러한 중국현지의 동향은 일본국내의 동향과 연동된 것이었다. 예컨대, 1938년 8월 1일에는 문부성 종교국에서 '지나포교에 관한 기본방침'이 각 교 종파의 관장 및 교단대표에게 통달되었다. 이 기본방침에서는 "포교사로 하여금 주민의 선무를 담당케 하여 대지나문화공작에 기여하게 하는 것"이 확인되었으며, 아울러 그 구체적인 방법과 절차가 제시되었다.[17]

이처럼 '종교의 국책화'를 제창하는 문부성의 방침에 따라 불교계에서는 중국에 파견될 예정이던 포교사를 재차 교육하기로 하고,[18] 문부성 후원, 불교연합회 주최로 지나개교강습회를 개최했다. 이때 행해진 강연의 내용은『新東亞の建設と佛敎』(佛敎聯合會, 1939)에서 확인할 수 있는데, 강사의 한 사람이었던 육군대장 마쓰이 이와네(松井石根)는 "다행히도 우리 황군 장병은 지금 말씀드린 것처럼 포교사분들의 깊은 사려로 인해 어쨌든 성불(成佛)의 길을 얻어왔는데, 우리 희생의 몇 배, 열 몇 배나

---

15) 「陣歿支那兵慰靈祭」(『朝日新聞』1938.2.9[朝刊]) ;『六大新報』1759, 1938.2.27, 6~7쪽. 다음 논고도 아울러 참조할 것. 張石, 「日中戰爭における旧日本軍と中國軍隊の「敵の慰靈」について─日中の死生觀をめぐって─」,『東アジア共生モデルの構築と異文化硏究─文化交流とナショナリズムの交錯─』, 法政大學國際日本學硏究センター, 2006.

16) 中濃敎篤, 「中國侵略戰爭と宗敎」,『世界』316, 1972, 58~59쪽 ; 房建昌(胡斌·富澤芳亞譯), 「社會調査─日系宗敎団体の上海布敎─」,『興亞院と戰時中國調査 付 刊行物所在目錄』, 岩波書店, 2002, 233~235쪽을 참조.

17) 상세한 내용에 대해서는 中濃敎篤, 「中國侵略戰爭と宗敎」, 59~60쪽 ; 中濃敎篤, 「仏敎のアジア伝道と植民地主義」,『戰時下の仏敎』, 國書刊行會, 1977, 77~78쪽을 참조.

18) 「全仏敎對支布敎陣强化」(『六大新報』1783, 1938.8.14, 13쪽).

되는 무수한 지나 병대(兵隊)의 경우 누구 하나 성불의 길로 인도된 바가
없다", "부디 여러분은 일본의 장병뿐만 아니라 지나의 장병을 위해서도
힘을 기울여 주십시오"라고 당부했다. 즉, 마쓰이는 선무공작의 일환으로
'원친평등공양'을 거론했던 것이다. 마쓰이의 발언으로부터는 '원친평등
공양'이 '국책'의 틀에서 재편되어 가는 모습이 예상되는데, 실제로 중일전
쟁이 장기화되면 원친평등은 특정의 문맥에서 원용되어 간다. 이하 관련사
례를 검토해 보도록 하자.

앞서 조조지에서 환담을 나눈 북지(北支)경제사절단 일행은 16일 오후
2시 한창 봄을 맞이한 가초산(華頂山) 지온인(知恩院)을 방문하여, 때마침
대전에서 엄수되고 있던 일지(日支)양국전몰장병원친평등추도대법요에
참배[19]

화북불교도방일시찰단은 모두 불교동원회(仏教同願會)의 사람들로
(중략) 교토에 들어온 다음날 아침 우선 히가시혼간지(東本願寺)의 신조근
행(晨朝勤行)에 참배하여 소향(燒香)하고, 동원회고문인 신쇼인렌시(信正
院連枝) 등과 환담을 나누었다. 교토와 제도(帝都)에서는 감격스럽게도
원친평등의 추도법요에 참가하여[20]

중지항주일화불교회(中支抗州日華仏教會) 회장 유정(隆定)법사를 단
장으로 하고 흥아원 화중연락부 문화국 후지모토 지토(藤本智董)씨, 수행
원 구지 겟쇼(久慈月章)씨[본종]에 인솔된 중지청년승방일사절단 일행
9명은 (중략) 둘째 날인 8일(1940년 4월 8일=인용자) (중략) 시바(芝)
조조지에 참배하고, 대전에서 지나사변일화진몰자 제 영령에 대해 원친
평등의 추도회고를 행하고[21]

---

19)「北支使節団, 祖山に登嶺 念仏提携の申入れ」(『淨土教報』 2273, 1939.4.23, 9쪽).

20)「中國仏教徒訪日視察の意義」(『眞宗』 464, 1940.4, 14쪽).

21)「華中仏教徒訪日視察団一行歡迎」(『支那事変と淨土宗(第2輯)』, 淨土宗務所臨時事
変部, 1940, 151쪽).

지금까지 검토한 사례를 되짚어보면, 위에 예시한 사례는 특별히 이상할 것은 없는 듯하다. 그러나 여기서 주의하고자 하는 것은, 이들 사례에서 원친평등이 모두 '일지친선'의 틀에서 원용되고 있다는 사실이다. 만주사변 이후 원친평등을 둘러싼 담론이 변질되었다는 시라카와의 지적[22]도 이 점에 따른 것이라 할 것이다.

각종 명목으로 편성된 방일사절단·시찰단은 마치 통과의례처럼 '원친평등공양'에 참가하고 있다. 첫 번째 인용사료에는 북지경제사절단이 '때마침' 거행되고 있던 '원친평등공양'에 참가했다고 보이지만, 방일사절단·시찰단이 경험한 '원친평등공양'의 대부분은 계획적으로 준비된 것이었다.

예컨대, 두 번째 인용사료에 보이는 화북불교도의 방일에 즈음해서는 흥아원, 문부성, 불교연합회 등의 관계자가 회합하여 '환영플랜'의 일환으로 '원친평등의 추도' 시행을 의결했다.[23] 화북불교도방일시찰단은 인용사료에 보이는 '원친평등의 추도법요' 외에도 3월 19일 고야산에서 거행된 '금차(今次)사변일지전몰자의 원친평등 이취삼매(理趣三昧) 추선법요'에 참가했다.[24] 이 법요 역시 사전에 계획된 것으로 판단된다.

또한 1941년 불교동원회[25]시찰단의 방일에 즈음해서도 "미리 준비, 정돈된 일화양국전사자의 영패(靈牌) 앞에서" '원친평등의 추도회고'가 거행되었다.[26] 마지막 인용사료에 보이는 '원친평등의 추도회고'는 사전

---

22) 「大正·昭和期における戰死者追弔行事 -「戰沒者慰靈」と仏敎界 -」, 71쪽.

23) 『中外日報』 12153, 1940.2.24, 3면.

24) 『六大新報』 1864, 1940.3.31, 25~26쪽.

25) 중일전쟁 발발을 계기로 1938년 12월에 북경 광제사(廣濟寺)에서 결성된 조직이다. '동문(同文)' '동종(同種)'인 중일의 화평과 불교를 통한 '동아신질서의 건설' 등을 주창했다. 하련거(夏蓮居) 외에 중화민국임시정부의 왕읍당(王揖唐)·강조종(江朝宗) 등이 간부로 취임했으며, 일본불교계에 다수의 고문을 두었다. 구체적인 활동내역에 대해서는 『同願學報』 제1집, 1940(『民國佛敎期刊文獻集成』, 全國圖書館文獻縮微復制中心, 北京, 2006에 수록)을 참조.

에 계획된 것인지 분명치 않지만, 흥아원 화중연락부 문화국이 관련되어
있는 점을 감안하면 그 가능성은 크다고 여겨진다.

이처럼 방일사절단·시찰단이 참가한 '원친평등공양'은 시라카와의
지적대로 '일지친선'이라는 '국책'을 배경으로 연출된 것이라 판단된다.
그렇다면 방중사절단·시찰단의 경우는 어떠할까? 다음 사료를 살펴보도
록 하자.

> 지나불교에 대해 일찍이 관심을 가진 일화불교연구회의 간사장 하야시
> (林) 대승정, 간사 간바야시(神林) 시처인(時處人) 승정, 와세다대학 강사
> 하야시 데루히코(林輝彦)씨 및 중외일보 특파기자 다카하시 료와(高橋良
> 和)씨 일행은 제3차방화친선사절로 일전에 중국으로 건너갔다. (중략)
> (5월 16일=인용자) 오후 3시부터 (제남시[濟南市]=인용자) 공회당에서
> 일화불교연구회 주최로 일지진몰영령 및 순난자(殉難者)의 유혼을 달래
> 고자 원친평등의 대위령제를 집행.[27]
>
> 북지동원회에서는 문부성, 흥아원 등의 후원 하에 일본의 대표적 고승
> 의 중국 방문을 요청했다. 중국 측 고승과 종교를 통한 일지양국의 친선강
> 화를 도모하고자 불교연합회 당국에 그 인선을 알선해 왔던 것이다.
> (중략) 중국 현지에서는 일지사변희생자원친평등법요를 근수(勤修)하고
> 양국 고승의 간담회를 개최할 예정인데, 현지 민중에 대한 교화 등 많은
> 성과를 올릴 것으로 기대되고 있다.[28]

1939년 일화불교연구회가 구성한 제3차방화친선사절단이 중국으로
건너갔다. 일화불교연구회는 1934년 '동교(同敎)', '동문(同文)'인 중일의
친선제휴를 목적으로 교토에서 결성된 조직이다. 중일전쟁기를 통해

---

26) 『日華仏敎硏究會年報』 第五年, 1942, 194~195쪽.
27) 「林大僧正一行を迎へて」(『淨土敎報』 2279, 1939.6.4, 6쪽).
28) 「日支の親善强化に北支へ」(『觀音世界』 3(12), 1939, 41~42쪽).

중일간의 인적 교류에 일조했으며, 그 활동 내역은『日華仏教硏究會年報』
휘보에 상세하다. '제3차방화친선사절'이라고 보이듯이, 일화불교연구
회의 이번 방중은 1935년과 1936년에 이은 세 번째 방문이었다. 참고로
간사장인 하야시 겐묘(林彦明)[29]와 간사 간바야시는 제1차방화사절단에
도 참가했다.

일화불교연구회가 개최한 '원친평등의 대위령제'가 사전에 계획된
것인지는 명확하지 않다. 그러나 당앙두(唐仰杜) 산동성장, 주계산(朱桂山)
제남시장, 아리노 마나부(有野學) 총영사, 고노 에쓰지로(河野悅次郎) 특무
기관장 등 군관민의 요인들이 대거 참가하고 있는 점[30]을 감안하면,
'원친평등의 대위령제'는 사전에 준비되었을 가능성이 높다고 판단된다.
어쨌든 방중사절단의 일정에서 '원친평등공양'이 당연하다는 듯 거행되
고 있다는 사실 자체에 주목할 필요가 있을 것이다.

다음으로 북지동원회의 요청에 의해 편성되고 있던 사절단은 출발에
앞서 '일지사변희생자원친평등법요'의 '근수'를 예정하고 있다. 이 사절
단에 의한 '원친평등공양'이 중국현지에서 실제로 거행되었는지는 확인
할 수 없다. 그러나 '원친평등공양'이 응당 그렇게 해야 할 것으로 인식되고
있었다는 점은 인용사료에서 충분히 읽어낼 수 있을 것이다. 방중사절단·
시찰단에 있어서도 '원친평등공양'은 일종의 통과의례로 자리매김 되고
있었다고 판단된다.

이처럼 '원친평등공양'은 '일지친선'의 표상으로 일본과 중국 양 방향
에서 연출되고 있었다. 이 무렵에는 원친평등을 내세운 '흥아동원염불회
(興亞同願念佛會)'라는 종교집회도 교토와 북경에서 동시에 펼쳐졌는
데,[31] 이러한 움직임도 통과의례로서의 '원친평등공양'의 유행과 불가분

---

29) 하야시 겐묘에 대해서는 安居香山,「林彦明の思想と行動」,『高僧伝の硏究』, 山喜房
仏書林, 1973을 참조.

30) 塚本善隆 編,『己卯訪華錄』, 日華仏教硏究會, 1939, 41~43쪽.

의 관계에 있다고 할 것이다.

(2) 생자에 대한 회유

그런데 사자에 바쳐지기 마련인 '원친평등공양'이 선무공작일 수 있었던 것은, 그것이 점령지의 중국인을 회유하는 측면을 지니고 있었기 때문이다. 다음 사료를 살펴보자.

> 믿음을 가지고 있는 사람은 보살처럼 원친평등을 익히고, 자신의 부모를 죽인 자마저도 자신의 양친으로 간주하여 마음에 원한을 품어서는 안 될뿐더러 어떠한 번뇌도 지녀서는 안 된다. 원한을 품어서는 안 되며, 그것을 풀지 않으면 안 된다.[32]
>
> 이번 전쟁에서 저들 지나 민중 가운데에는 (중략) 황군과 싸워 전사하거나 부상당하여 불구가 된 자가 수백만을 밑돌지는 않을 것이다. (중략) 일본인에 대해 원한을 품은 자로부터 그 원한을 제거하는 것은 일지제휴, 동아안정을 위해 중요한 근본책의 하나이다. (중략) 만약 양국 민중이 누구라 할 것 없이 나무불(南無佛)의 동신동행(同信同行)을 철저히 한다면 자연스레 원친평등, 아니 원친을 넘어선 은수(恩讎)의 저편에서 영적 제휴를 하는 것도 가능할 것이다.[33]

처음에 든 사료는 만주국 불교총회 회장 여광(如光)이 중국민중에게 행한 것이라고 일컬어지는 연설의 일부이다. 여광은 하얼빈 극락사(極樂寺)에 머물던 중국승려로, 1933년 이래 일본불교계 특히 천태종 측과 빈번하게 교류하던 인물이다. 선무공작을 추진하던 만주국 당국은 여광에

---

31) 『淨土教報』 2290, 1939.9.3, 10쪽.

32) 「僞滿州仏教總會會長如光」(『長春文史史料』 第五輯, 1984에 수록).

33) 「天道樂土主義の提唱と仏教の支那民衆化」(『六大新報』 1835, 1939.8.27, 3~5쪽).

게 상당히 기대를 걸고 있었던 것 같은데,34) 위 연설에서 여광은 원친평등
의 견지에서 자신의 부모를 죽인 자라도 원망해서는 안 된다고 역설하고
있다. 당시 중국민중에게 있어서 "자신의 부모를 죽인 자"가 일본인이라는
점은 두 말할 나위 없다. 여광은 당국자의 기대에 부응하고 있었던 셈이다.

원친평등의 견지에서 일본인에 대한 원한을 버리라는 논리는 다음에
든 사료에 보이듯이 만주국에 한정된 것이 아니라 중국본토를 시야에
둔 것이었다. 그런데 '양국 민중'이 "원친을 넘어선 은수(恩讎)의 저편에서
영적 제휴를 하"기 위해서는, 원한을 버리는 중국인의 행동에 상응하는
행동이 일본인에게 요구된다. 그 행동으로 당시 중시되었던 것이 바로
"적군, 아군 구별 없이 원친평등하게 불쌍히 여기는 마음, 즉 무연(無緣)의
자비심을 품"고,35) "원친평등의 위령법회 의식 등을 왕성하게" 시행하는
것이었다.36) 앞서 언급한 일화불교연구회의 '원친평등의 대위령제'가
"시국 상 피아의 우의를 구체적으로 표현하는 데 있어서 가장 의미 있는
수단"이라고 평가되고, 장점(張店)·청도에서 같은 방식의 공양이 시행된
것은37) 이상의 문맥에서 이해된다. 또한 진언종의 1939년도 예산으로
'지나개교선무비 3만여 엔'과 함께 '현지에서의 원친평등 법요비의 준비
금 3천엔'이 계상되었던 것도38) 당시의 분위기를 엿보게 한다.

이처럼 선무공작으로서의 '원친평등공양'의 자장(磁場)은 사자뿐만
아니라 생자에게도 미치고 있었다. 이러한 중층적인 '원친평등공양'에
임하는 일본 측의 의도는 다음에 예시하는 고이소 구니아키(小磯國昭,

34) 이상 여광에 대한 기술은 木場明志,「滿州國の仏教」, 198~199쪽을 참조.

35)「大乘仏教の根本精神」(『淨土教報』 2244, 1938.7.31, 2쪽).

36)「新建設と教家の責務」(『六大新報』 1802, 1939.1.1, 13~15쪽).

37)『日華仏教研究會年報』第四年, 1940, 241~242쪽.

38)「支那事変事務局を興亞事務局と改称 本年度に八万余円計上」(『六大新報』 1807, 1939.2.12, 23~24쪽).

당시 만주이주협회이사장)의 담론에 집약되어 있다고 여겨진다.

> 아마도 최근 몇 년간 지나인들은 일본에 대해 원한을 품고 있을 것이다. 어떻게든 이 원한을 제거할 방법은 없는지 예전부터 궁리하던 차였습니다. 가능하다면 이 관음상을 본존으로 하는 관음당을 하나 세워, 여기에 일본에서 건너와 목숨을 잃은 사람들과 함께 장개석의 부하로 지나의 전장에서 목숨을 잃은 약 150만 지나 장병의 영혼을 합사하고, 가능하다면 일지친선의 매개체로 관음당을 건립하여[39]

고이소가 언급하고 있는 관음상은 남경함락 직후에 우연히 발견된 것으로, 처음에는 당대(唐代)의 것으로 일컬어졌으나 이후 명대(明代)의 것으로 판명되었다.[40] 그래도 이 관음상은 '일지친선의 매개체'로 자리매김 되어 이를 봉안하는 관음당의 조영계획이 추진되었던 것이다.

고이소의 논리는 간단명료하다. 즉, "우리 일본인은 원친평등의 견지에서 중국인 전사자도 공양하고 있다. 중국인 여러분도 원친평등의 입장에서 일본인에 대한 원한 같은 것은 버리라"는 것이 고이소의 속내라고 할 수 있을 것이다.

청일·러일전쟁기의 '원친평등론'을 되짚어 보아도 알 수 있듯이, 근대 전사자공양의 장에서 원친평등은 다양한 문맥 하에 원용되었으며, 경우에 따라서는 사자를 회유하는 담론을 형성하기도 했다. 그러나 여기서 주의해야 할 점은, 사자의 회유도 포함하여 모든 '원친평등론'은 전사자공양의 장에 모여드는 생자들에 대한 회유로서의 함의를 지니고 있다는 사실이다. 비명횡사를 기억하고 기념하는 것은 남겨진 생자들로, 사자의 것으로 일컬어지는 원한의 상당수는 실은 생자의 원한에 다름 아니다. 요컨대,

---

39) 「日本精神と觀音信仰」(『觀世音』 6(5), 1942, 11쪽).

40) 「東亞共榮圈の確立と觀音信仰」(『觀世音』 6(1), 1942, 22~23쪽)을 참조.

사자의 원념을 달랜다는 것은 생자의 불만을 가라앉히는 것도 의미하는 것이다. "우리 일본인은 원친평등의 견지에서 중국인 전사자도 공양하고 있다. 중국인 여러분도 원친평등의 입장에서 일본인에 대한 원한 같은 것은 버리라"는 선무공작으로서의 '원친평등론'의 경우, '원친평등론' 일반에 내재된 생자에 대한 회유의 문맥이 전면에 드러나 있다고 할 것이다.

중일전쟁을 전후하여 전개된 '원친평등론'의 경우, 원도 친도 없는 세계로 나아갈 것을 촉구한다는 문맥에 있어서는 중세의 '원친평등론'에 상통하는 측면이 있다고 할 수 있다. 그러나 그 회유의 대상이 사자에서 생자로 전환되었다는 점에 근본적인 차이가 있다. 근대의 공양주체에게 위협이 되는 것은 어디까지나 생자였던 것이다. 청일·러일전쟁을 계기로 생자를 축으로 하는 논리로 정착되어가던 '원친평등론'은 1930년대에 이르러 이중의 의미에서 생자를 축으로 하는 논리로 변용되었다고 평가할 수 있을 것이다.

제3절 '대동아공영권'의 건설과 흥아관음

(1) 1930~40년대의 관음신앙운동

필자가 조사한 바에 따르면, 일본불교계는 아시아태평양전쟁기에 연합군 희생자를 공양한 적이 없다. 그 대신 '귀축미영(鬼畜米英)'을 위해 준비된 것은 그들의 항복을 기원하는 '열도(熱禱)'[41]였다.

그럼 아시아태평양전쟁을 전후하여 앞서 살펴본 바와 같은 '원친평등

---

41) 「玉体安穩·敵國降伏大國禱會」(『日蓮主義』17(11·12), 1943.11·12, 4쪽), 「怨敵調伏の祕法を凝らし各山熱禱」(『六大新報』2090, 1944.9.24, 1쪽), 「敵國降伏祈願滿願會」(『臨濟時報』959, 1944.10.1, 13쪽) 등.

론'이 단절되었는가 하면, 그렇지 않다. '귀축미영'에 대한 '대동아전쟁'의 수행, '대동아공영권'의 건설이 주창되는 가운데 '일지친선'은 그 수단으로 한층 강조되었으며, 이에 따라 프로파간다로서의 '원친평등론'도 여전히 중시되었다. 그리고 이러한 동향을 상징하는 것으로 새롭게 각광받은 것이 흥아관음이었다.

흥아관음이라고 하면 남경대학살의 책임자로 전후에 처형된 마쓰이 이와네의 그것이 저명한데, 마쓰이의 흥아관음은 갑작스레 등장한 것이 아니었다. 그 배경에는 관음보살을 '흥아'의 표상으로 자리매김한 사회일반의 동향이 존재했다. 예컨대, 센소지 등 이른바 관음 영장(靈場)을 축으로 한 일련의 관음신앙운동이 주목된다.

관음신앙의 대표적 성지인 센소지에서는 1927년부터 『淺草寺時報』라는 기관지가 간행되었는데, 이것이 1937년에 이르러 『觀音世界』로 재편되어 관음신앙운동의 '좋은 지도자' '연락기관'이 될 것이라는 점이 표명되었다.[42] 이에 연동하여 센소지에는 관음세계운동본부가 설치되었으며, 이 본부를 중심으로 이후 '관음세계운동'이 전개되었다.

'관음세계운동'은 "관음신앙의 진정한 의의를 선양"함과 동시에 "자타공경(自他共敬)의 정불국토(淨佛國土)를 건설하고, 황국의 진운에 기여"하는 것을 내세운 운동으로, 일본 국내외에 관음세계운동 지부가 설치되어 갔다.[43] 5인 이상의 관음신자로 구성되는 개개의 지부는 그 자체가 '관음세계'로 간주되었으며, 복수의 '관음세계'를 합하여 한층 더 거대한 '관음세계'를 구축해 가는 것이 지향되었다. 운동의 발족 초기에 이미 200명의 회원을 지닌 지부도 존재했는데,[44] 일본 국내외에 점재한 개개의 '관음세

---

42) 「觀音世界生る辭」(『觀音世界』 1(1), 1937).

43) 「觀音世界運動の計畵」(『觀音世界』 1(2), 1937).

44) 日本婦人敬愛會支部(대표자는 하치스카 도시코[蜂須賀年子]), 「觀音世界運動支部 名と代表者」(『觀音世界』 1(4), 1937)를 참조.

계'는 후술하는 '흥아'의 관음신앙운동을 지지하는 기반으로 기능했다고
판단된다.

'관음세계운동'이 전개되던 무렵, 센소지를 중심으로 표면화된 또 하나
의 움직임이 판동찰소출개장(坂東札所出開帳)이었다.[45] 이것은 판동의
관음영장 33개소의 본존을 센소지·고코쿠지(護國寺)·가와사키다이시(川
崎大師)·유텐지(祐天寺) 등 도쿄와 그 주변의 관음영장 가운데 철도연선에
위치한 사원에서 철도회사의 협력 하에 약 1개월에 걸쳐 일반 공개한다는
일대 이벤트였다. 이 출개장은 7월의 중일전쟁 발발로 인해 취소될 위기에
처하기도 했지만, 결국 10~11월에 걸쳐 예정대로 진행되었다.

이 대규모 이벤트를 실현시키기 위해 판동찰소연합회가 조직되었으며,
익찬단체로 판동관음찬앙회가 창립되었다. 판동관음찬앙회의 회장에는
센소지 관주(貫主) 오모리 료준(大森亮順)이 취임했으며, 총재에는 하야시
센주로(林銑十郎, 전 수상·육군대장), 부총재에는 오가사와라 나가나리(小
笠原長生, 子爵·해군중장)가 추대되었다. 관음신앙을 둘러싼 군관민의
연계가 미루어 짐작되는데, 이러한 양상과 관련해서는 10월 1일의 개백(開
白)대법요에서 스기야마 겐(杉山元, 육군대신), 요나이 미쓰마사(米內光政,
해군대신)가 기원문을 봉독했다는 사실도 주목된다.

판동관음찬앙회의 목표로는 '관음신앙의 진정한 정신'을 관철하여
'국민정신의 표식'을 명확히 하는 것, "황위선양무운장구의 대기도회를
봉수하는" 것과 함께 영령공양이 표방되어,[46] 출개장이 한창 진행 중이던
10월 18일에는 고코쿠지에서 '지나사변순국장병추도대법회'가 거행되
었다. 이 법회는 만주사변 이래 중국에서 전사한 일본군을 대상으로
한 것이었지만, 판동관음찬앙회 총재 하야시 센주로는 "정진보국(正眞報

---

45) 이하 판동찰소출개장에 대한 기술은 기본적으로 「坂東札所出開扉の大業を觀る」(『觀
音世界』 1(9), 1937)에 따름.

46) 「觀音讚仰會趣旨」(『觀音世界』 1(7), 1937).

國)을 염원하는 판동찰소찬앙회는 서로 도모하여 제사(諸士)의 영령에
대해 산화대양(散華對揚)의 추복엄의를 거행함으로써 그 위훈에 보답함과
동시에 나아가 (본 법회를) 원친평등의 추선으로도 자리매김 하고자 한다"
는 취지의 조사를 낭독했다.47) 원친평등이라는 용어가 불교계의 틀을
벗어나 통용되고 있었다는 점이 보여 흥미로운데, 관음·전사자공양·원친
평등의 연계는 마쓰이의 흥아관음을 예기하는 것으로 주목된다 하겠다.
   앞서 살펴본 바와 같이, 중일전쟁이 장기화됨에 따라 원친평등은 특정
의 문맥에서 원용되어 갔는데, 이러한 흐름에 호응하듯 같은 무렵 관음보
살과 전사자공양의 연계도 한층 심화되어 간다. 예컨대, 1939년 초 관음세
계운동 하코네(箱根)지부 하코네관음회에서는 '국위선양무운장구 대기
도회'의 시행과 함께 하코네산 33개소에 관음보살을 조영하여 영령을
공양하기로 결의했다.48) 또한 같은 해에 아이치현(愛知縣) 니시우라정(西
浦町) 호국관음건립회에서는 '호국영령'을 공양할 목적으로 높이 약 3m의
도제관음상 조영에 착수했다.49) 참고로 이 관음상의 작자는 마쓰이의
흥아관음을 만든 시바야마 세이후(柴山淸風)이다. 한편, 시가현(滋賀縣)
나가하마정(長浜町) 안라쿠지(安樂寺)의 주지 겐주 소켄(現住宗顯)은 1940
년 '흥아성전'에서 '산화'한 '영령'을 위무하기 위해 '호국충령 삼십삼체
관음상'을 조성하고 본당에 안치했다.50) 또한 1941년 관음세계운동 대련
(大連)지부에서는 황군전사자를 위해 관음경의 게(偈), 십구관음경(十句觀
音經) 등을 서사하여 공양탑에 시납하고 '원친평등불과보리'를 기원했
다.51)

47) 『觀音世界』 1(9), 1937, 58~59쪽.
48) 「箱根靈山に三拾三身觀世音菩薩建立之趣旨」(『觀音世界』 3(1), 1939).
49) 『觀音世界』 3(11), 1939, 40~42쪽.
50) 『觀世音』 4(4), 1940, 38~39쪽.
51) 『觀世音』 5(1), 1941, 29쪽.

182

이 가운데 대련지부의 사례는 앞서 검토한 하야시 센주로의 조사를
떠올리게 한다. 아군전사자공양이라 하더라도 관음이 얽혀있는 경우,
'관음→ 자비→ 원친평등'이라는 연상이 작용했던 것으로 판단된다. 또한
청일·러일전쟁기의 아군전사자공양의 장에서 원친평등이 종종 삽입구로
원용되었다는 점을 참조하면, 위에서 든 하코네지부 등의 사례에도 원친평
등이 내포되어 있을 가능성은 충분히 상정할 수 있을 것이다.

이처럼 중일전쟁이 발발하던 무렵부터 전개되어 온 관음신앙운동을
집대성한 것이 대동아관음찬앙회였다.[52] 대동아관음찬앙회는 1943년
6월 대동아관음찬앙대회에서의 발기와 같은 해 7월 대동아불교청년대회
에서의 의결을 거쳐 이듬 해 6월에 정식으로 출범했다. 이 회의 목적은
"대동아 제지역에서 관음신앙을 고취하고, 불교정신에 의거하여 동아
제민족의 동생공영의 이념을 앙양하고 흥아대업의 완수에 노력하는"
것이었으며, 이를 위해 '일본 관음영장의 현창', '대동아 제지역의 관음
33영장의 설정·권려 및 그 현창', '대동아전쟁 전몰자의 추조 및 이와
관련된 흥아관음당 혹은 공양탑 건설의 조성' 등의 사업이 제창되었다.
그 목적이나 시행사업으로 볼 때 대동아관음찬앙회는 판동관음찬앙회의
확대판이라 할 수 있는데, 이와 관련해서는 대동아관음찬앙회의 회장에
오가사와라 나가나리가 취임했다는 점도 덧붙여 두고자 한다.

대동아관음찬앙회에 참가한 인물을 일별해 보면, 이 회가 군관민이
일체화된 조직이었음을 알 수 있다. 예컨대, 고문에는 오카베 나가카게(岡
部長景, 문부대신), 아오키 가즈오(靑木一男, 대동아대신), 고이소 구니아키
(조선총독), 사카시타 소타로(坂下宗太郎, 중의원의원), 다카하시 산키치
(高橋三吉, 해군대장), 스즈키 간타로(鈴木貫太郎, 남작·해군대장), 야마다
오토조(山田乙三, 육군대장), 마쓰이 이와네(육군대장), 사카이 닛신(酒井

52) 이하 대동아관음찬앙회에 대한 기술은 「大東亞觀音讚仰會設立趣意書」(『興亞の光』 1(5), 1944)에 따름.

日愼, 대일본불교회장), 이노우에 데쓰지로(井上哲次郎, 국제불교협회장·
문학박사) 등 쟁쟁한 멤버가 망라되어 있다. 대동아관음찬앙회가 구체적
인 성과를 올리기에는 주어진 시간이 너무나 짧았던 듯하지만, 군관민이
일체화되어 '대동아'를 실현하고자 한 구상 자체는 총력전·총동원체제에
상응하는 것이었다고 평가할 수 있을 것이다.

(2) 흥아관음 – 두려움 없고 자비로운 '성전'

중일전쟁 이후 유독 관음신앙이 각광을 받은 것은, 관음보살이 아시아
제국, 특히 중국에서 폭넓게 추앙받고 있다고 인식되었기 때문이다. 이것
은 사회일반의 인식이었던 듯,[53] 대동아관음찬앙회의 설립취지에도 "동
아민족 공통의 신앙인 불교, 특히 가장 폭넓게 오랫동안 신앙되어 실제로
동아민족 본연의 모습이라고도 할 수 있는 관음신앙에 따른 동신공영
신념의 앙양을 도모하고 정신적 융합을 기하는 것이 가장 중요한 사안이라
고 믿는다"라고 보인다. 이러한 인식은 관음신앙을 둘러싼 실태에 근거한
것으로, 선무공작으로서의 '원친평등론'을 전개해 가는 데 있어서 '동아민
족' 누구나 인지할 수 있는 관음보살은 안성맞춤의 존재였다. 마쓰이
이와네가 '원친평등공양'을 구상하며 관음보살을 선택한 경위에도 이상
과 같은 사회일반의 인식이 존재했다. 다음 사료를 살펴보자.

특히 관음을 선택한 목적은 말이죠, 전사한 일본과 지나 양국 군인의
영혼을 위무하는 데에는 양국에 모두 통용되는 것이 필요하다. 그건
불교죠. 그리고 불교 중에서도 관음은 종파에 상관없이 공통의 신앙대상
이고, 게다가 지나인도 관음보살에 대해서는 깊은 신앙심을 가지고 있습

---

53) 「「對支文化工作と仏敎」座談會」(『觀音世界』 2(4), 1938, 54쪽), 「東亞共榮圈の確立と
   觀音信仰」(『觀世音』 6(1), 1942, 25~26쪽), 「大東亞觀音讚仰運動の進展」(『觀世音』
   7(6), 1943) 등을 참조.

니다. 그리고 관음의 시무외자(施無畏者), 자안시중생(慈眼視衆生)의 가르침은 시대상황상 아주 좋습니다. 대자대비, 원친평등이라 하여 관음경에도 관음을 염원하면 모든 간난과 고난을 극복할 수 있다, 두려워 할 것 없다, 즉 무외입니다. 두려움 없는 정신이야말로 시국 상 필요하니까요. 이러한 가르침은 현재 상황에 어울리는 것이라 생각하여 관음을 선택한 것입니다.[54]

마쓰이의 발언에서는 관음신앙이 전략적으로 조망되고 있던 당시의 분위기를 엿볼 수 있는데, 한 가지 간과할 수 없는 점은 마쓰이가 관음보살의 시무외자로서의 측면을 강조하고 있다는 사실이다. 마쓰이가 말하는 '시국'이란 전쟁이 장기화하고 있는 상황에 다름 아니며, 흥아관음에는 애초에 일본의 전쟁수행을 종교적으로 지지하고자 하는 의도가 존재했다고 할 수 있을 것이다. 환언하자면, 흥아관음에는 일회성의 전사자공양에 수렴되지 않는 측면이 존재했던 것이며, 이 점은 마쓰이가 써내려간 아타미(熱海) 흥아관음의 건립연기에서도 확인할 수 있다.

지나사변에서는 이웃끼리 서로 공격하여 무수한 목숨을 앗아갔다. 실로 천세(千歲)의 비참한 불상사이다. 그렇지만 이것은 이른바 동아민족 구제를 위한 성전(聖戰)이다. 생각건대, 이러한 희생은 몸을 바쳐 대비(大悲)를 펴고자 하는 무외(無畏)의 용(勇), 자비(慈悲)의 행(行)으로, 실로 흥아의 초석이 되고자 하는 마음에서 비롯된 것이다. 내가 대명을 받들어 강남의 들판에서 전전(轉戰)하며 죽인 자들은 셀 수 없이 많다. 참으로 통석(痛惜)을 금할 길 없다.
이에 이들 영혼을 달래기 위해 시무외자자안시중생(施無畏者慈眼視衆生)의 관음보살상을 세워 이 공덕을 영원히 원친평등하게 회향하고, 여러 사람과 함께 저 관음력을 염원하여 동아의 대광명을 받들기를

---

54) 「松井石根將軍に興亞の意義と興亞觀音を訊く」(『昭德』 5(4), 1940).

기원한다. (중략)

　　　기원 2600년 2월

　　　　　원주(願主)　　　　육군대장 마쓰이 이와네 씀[55]

　마쓰이는 중일전쟁에서 희생된 자들의 구제를 기원하고 있지만, 한편으로 그가 중일전쟁을 "동아민족구제를 위한 성전"이라 규정하고, '무외의 용' '자비의 행'을 실천한 전사자를 '흥아의 초석'으로 규정하고 있는 것에는 충분히 주의할 필요가 있다. 두려움 없고 자비로운 '성전'이 계속해서 수행되고 있던 당시 상황에서, 흥아관음은 장차 발생할 것으로 예상되는 '흥아의 초석'을 수용하는 '기억장치'[56]로 설정되었다고 할 수 있을 것이다.

　그런데 아시아태평양전쟁을 전후해서는 마쓰이의 흥아관음에 자극을 받아 복수의 흥아관음이 일본 국내에 세워지고 외국에 증정되었다. 이 점에 대해서는 이미 야마다 유지(山田雄司)의 지적이 있다.[57] 우선 야마다가 소개한 사례를 간략하게 확인해 두도록 하자.

　첫 번째 사례는 1941년 7월 미에현(三重縣) 오와세시(尾鷲市) 곤고지(金剛寺)에 건립된 흥아관음이다. 그 건립연기에는 "지나사변 전몰자 추도공양을 위해 관음대사(觀音大士)를 세운다. 이 공덕을 널리 원친평등하게 회향하고"라고 보이며, 중화민국 주일대사 저민의(褚民誼)가 '원친평등'의 휘호를 남겼다. 또한 이듬해에는 도야마현(富山縣) 뉴젠정(入善町) 요쇼지(養照寺)에 흥아관음이 세워져 역시 저민의가 '원친평등'의 휘호를 남겼다. 이어서 1943년에는 나라현(奈良縣) 사쿠라이시(櫻井市) 렌다이지(蓮台寺)

---

55) 인용은 下村德市, 『靜岡縣昭和風土記』, 靜岡谷島屋, 1941, 24쪽에 의함.

56) 이 용어는 小松和彦, 「「たましい」という名の記憶裝置」, 『記憶する民俗社會』, 人文書院, 2000에서 차용한 것임.

57) 山田雄司, 「松井石根と興亞觀音」.

186

에 흥아관음이 세워져 마쓰이 이와네가 "원친평등하게 회향하고 (중략) 아시아 고래의 관음정신을 널리 대동아 제민족이 깨닫게 하여 대동아성전 의 완수에 공헌하게 한다"는 취지의 발원문을 남겼다.[58] 한편 외국으로 눈을 돌려보면, 중화민국의 왕조명(汪兆銘)과 타이의 비푼 수상에게 증정 된 것, 그리고 상해 옥불사(玉仏寺)에 증정된 것이 확인된다고 한다.

야마다는 지적하지 않았지만, 이러한 동향에서 한 가지 간과할 수 없는 것은 1941년 나고야시와 남경시 사이에 교환된 관음상이다.[59] 이들 관음상의 통칭은 각각 십일면관음(나고야→ 남경)과 천수관음(남경→ 나고야)이었지만, '흥아'를 위해 바다를 건넌 이들 관음상에는 종종 '흥아 관음'의 이름이 부여되었다.[60]

나고야시에서 남경시에 증정된 십일면관음상은 이토 와시고로(伊藤和 四五郎, 산와[三和]그룹의 창립자)의 발원으로 1927~31년에 걸쳐 조성된 것으로, 당시 동양 최대의 목조관음상이라 일컬어졌다. 십일면관음상은 일본에서 마라톤 지도의 시조라 평가받는 히비노 유타카(日比野寬)와 저민의(당시 중화민국 외교부장)의 우연한 대화를 계기로 증정되게 되었 다고 전해지지만, 일단 증정이 결정되자 나고야 시장과 아이치현 지사는 물론 마쓰이 이와네, 아베 노부유키(阿部信行, 육군대장), 혼조 시게루(本庄

---

58) 아마도 건물 내부에 안치된 탓에 야마다의 논문에서 예시되지 않은 것으로 판단되지만, 젠쓰지(善通寺) 충령당에도 흥아관음이 봉안되었다. 「興亞觀音の開眼 供養」(1942.9.30자『朝日新聞』[東京, 夕刊]) ;『六大新報』1986, 1942.8.16, 8쪽 ; 『六大新報』2048, 1943.11.7, 7쪽을 참조.

59) 이하 이 두 가지 '흥아관음'에 대한 기술은 기본적으로 石田利作 編,『千手觀音光來 記』, 日華親善千手觀音慶讚會, 1942에 의거함. 한편 만화이기는 하지만, 森哲郞·長 岡進 監修,『戰亂の海を渡った二つの觀音樣』, 鳥影社, 2002도 대략적인 내용을 파악 하는 데 유용하다.

60) 「南京から答礼僧來る」(『曹洞宗報』50, 1941.6.15, 16쪽) ;「興亞山日華寺(仮称) 名古 屋に建立される」(『淨土週報』2385, 1941.11.16, 5쪽) 등. '흥아관음'의 레토릭과 같은 문맥이라고 생각하지만, 당시에는 '흥아지장'이라는 용어도 유행했다(『淨土 敎報』2317, 1940.3.31, 8쪽 ;『淨土週報』2344, 1940.11.23, 9쪽 등을 참조).

繁, 육군대장), 하시다 구니히코(橋田邦彦, 문부대신), 고야마 쇼주(小山松壽, 중의원의원), 반자이 리하치로(坂西利八郎, 중의원의원·육군중장) 등 군관민의 요인들이 찬조에 나섰다. 또한 중국 현지에서는 특무기관이 동원되고 중화민국의 요인들이 관여하는 등, 십일면관음상의 증정은 단순한 민간교류의 틀을 넘어선 사업이었다.

십일면관음상 증정의 취지는 "특히 관세음보살의 신앙은 양국민이 동일하게 이를 존숭한다. 이에 전일본불교도의 이름으로 중화민국에 이 대관음존상을 증정하여, 하나는 이번 사변에서 전몰한 일화양국 용사의 영령을 공양하고, 하나는 일반 희생자의 정령을 회향하고자 한다"는 것이었다. 이에 호응하여 남경시에서는 십일면관음상의 봉안법요로 '수륙승회'와 '일화전몰원친평등추선대공양'이 일주일에 걸쳐 거행되었다. 법요의 상세한 내용은 알 수 없지만, '일화친선'이 내세워진 이들 법요에서는 중국민중에 대한 회유로서의 '원친평등론'도 크게 선전되었으리라 추정된다.

이러한 십일면관음상의 증정에 대해, 남경 비로사(毘盧寺)의 천수관음상이 '흥아관음'이라는 미명하에 나고야시로 보내졌다. 남경시장의 청원을 나고야시장이 받아들이는 형식이 취해졌지만, 천수관음봉영의 배후에는 '흥아관음'의 교환이 "일화친선과 문화교류에 도움되는 바 적지 않다"고 본 흥아원의 '지시'와 '지도'가 있었다.

천수관음의 봉영을 위해 나고야시와 아이치현을 중심으로 환영위원회가 조직되었으며, 불교계에서는 대일본불교회 산하의 나고야시불교회가 동원되었다. 환영위원회의 준비작업과 문부성·외무성·육군성·해군성·흥아원 등의 후원을 바탕으로, 6월 8일에 환영법요, 동 9일에 '사변양국전몰정령대공양', 동 10일에 '일화양국문화공로자 추조법요'가 각각 거행되었다.

이들 법요에는 중화민국에서 파견된 중국승려와 나고야 재주의 화교들

188

이 참석했는데, 이들은 '일화친선' '원친평등'을 표상하는 존재로 자리매
김 되었으리라 판단된다. 참고로 중국승려 가운데 한 사람은 "이번 사변에
서는 일화양국 모두 많은 희생을 치렀습니다. 그 처리에는 양국이 서로
협력하여 자비심에 근거한 노력을 하지 않으면 안 됩니다", "이 관음(십일
면관음과 천수관음=인용자)의 대자비로 중국의 민심이 정갈해지고 생활
도 행복해 질 것으로 생각합니다"라고 발언했다고 한다.

이렇게 환영법요를 거쳐 각왕산(覺王山) 닛센지(日暹寺)에 임시로 안치
된 천수관음에는 '일화양군 전사병몰영령 원친평등의 명복'을 기원하는
참배객들이 몰려들었다고 한다.61) 그런데 천수관음봉안을 위해서는 본래
종파에 구애받지 않는 '흥아산(興亞山) 닛카지(日華寺)'라는 것이 구상되고
있었다. 특정종파를 지정하지 않으면 안 된다는 문부성의 방침에 따라
이 구상은 좌절되었지만, '흥아산 닛카지'라는 명칭은 일본과 중국에
산재한 흥아관음에 무엇이 요구되었는지를 상징한다고 할 수 있을 것이다.

여기까지의 검토에서 밝혀졌듯이, 마쓰이의 아타미 흥아관음 조성,
그리고 그에 촉발된 복수의 흥아관음의 등장은 중일전쟁 이후 부상한
사회일반의 관음신앙운동과 밀접하게 관련되어 있었다. 야마다는 마쓰이
등의 흥아관음 조성에 대해 개개인의 순수한 종교심을 강조하지만,62)
개개인의 종교활동도 결국 사회일반의 동향과 접속하기 마련이다. 그러한
의미에서 앞서 검토한 '원친평등론'과 전시 관음신앙의 흐름을 간과할
수는 없다. 흥아관음을 둘러싼 일련의 동향은 '국책'에 연계되는 전사자공
양, 프로파간다로서의 '원친평등론'의 틀에서 파악하는 것이 타당하다고
생각한다.

흥아관음의 성격과 관련해서는 마쓰이가 각종 흥아관음 발원문에서

61) 「興亞山日華寺(仮称) 名古屋に建立されむ」(『淨土週報』 2385, 1941.11.16, 5쪽).
62) 山田雄司, 「松井石根と興亞觀音」.

반드시 '육군대장'이라 표기하고 있는 점도 주목되지만, 한 가지 더 지적하고자 하는 것은 흥아관음조성의 계획성이다. 각각의 흥아관음은 표면상 개개인에 의해 자연스레 조성된 듯이 보이지만, 애초에 장기적인 플랜도 존재했던 것 같다. 예컨대, 곤고지에 흥아관음이 건립되었을 때에는 "앞서 마쓰이 대장이 아타미 이즈산(伊豆山)에 건립한 '흥아관음'을 주체로 내지 및 지나대륙의 각지에 33체의 '흥아관음'을 건립하는 것이다", "이 첫 번째 상에 뒤이어 내지에 16체, 대륙에 16체를 합하여 32체의 동일한 관음상이 순차적으로 건립되어 영원히 일화양국 전몰용사의 영혼을 위무하는 것이다"라는 기사가 보인다.[63] 여기에 보이는 계획은 대동아관음찬앙회의 구상과 합치되는 것으로, 흥아관음이 당시의 '국책'과 불가분의 관계에 있었음이 재삼 확인된다. 참고로 상해의 옥불사에 흥아관음이 증정되었을 때 거행된 공송(恭送)법요에서도 "이 위대한 관음력으로 점차 일화친선의 실적을 올려 동아흥륭의 목적이 달성되기를 기원하고, 동시에 이 흥아관음의 천좌가 중국 한 곳에 그칠 것이 아니라 널리 미얀마, 타이, 그 밖에 동남 제지역에도 이루어지길 기원한다"는 아마야 나오지로(天谷直次郎) 육군중장의 발언이 있었다.[64]

이상으로 프로파간다로서의 '원친평등론'을 체현하고 있던 흥아관음에 대해 검토해 보았는데, 끝으로 재차 강조해 두고자 하는 것은 흥아관음이 궁극적으로는 '대동아공영권' 건설을 위한 '기억장치'였다는 사실이다. 마쓰이의 흥아관음 건립연기에도 엿보이듯이, 흥아관음에서 전쟁부정의 사상이 도출될 여지는 없었다. 오히려 두려움 없고 자비로운 '성전'은 '대동아공영권'의 건설을 위해 불가피한 것으로 자리매김 되었다. 전사자 공양을 표방하는 흥아관음의 면전에서 전승기원의 법회가 펼쳐져도 어색

---

63) 「觀音新聞」(『觀世音』 5(7), 1941, 36쪽) ; 「中國にも頒つ卅三体の"興亞觀音"」(1941.6.25 자[朝刊] 『讀賣新聞』)도 아울러 참조.

64) 「上海に恭送した興亞觀音樣」(『觀世音』 7(10), 1943, 17쪽).

하지 않은 이유는 바로 이러한 문맥 속에 존재한다고 할 것이다.[65]

본장에서 검토한 내용을 정리해보자. 제1차세계대전기의 '원친평등공양'에서는 '세계' '평화'가 키워드로 부상했다. 그 배경으로는 종교적 맥락과 더불어 불교계 나름의 '정치'가 추정되었다. 불교계는 세계적인 평화무드를 활용하여 국내외에 자신의 존재감을 어필하고자 했던 것이며, 제1차세계대전기의 '원친평등론'은 생자와 사자의 관계로 완결되지 않고 생자간의 관계로 확대되는 양상을 보였다.

만주사변 이후의 '원친평등공양'은 시라카와의 지적처럼 '국책'을 배경으로 정형화되어 갔다. 만주사변을 계기로 불교를 통한 선무공작의 필요성이 부상했으며, 중일전쟁기에 돌입하면 그 연장선상에서 '원친평등공양'이 각종 방중·방일 사절단 및 시찰단을 매개로 '일지친선'의 표상으로 연출되었다.

사자에게 바쳐지기 마련인 '원친평등공양'이 선무공작일 수 있었던 것은, 그것이 생자에 대한 회유로서의 함의를 내포하고 있었기 때문이다. 선무공작으로서의 '원친평등론'은 구체적으로는 "우리 일본인은 원친평등의 견지에서 중국인 전사자도 공양하고 있다. 중국인 여러분도 원친평등의 입장에서 일본인에 대한 원한 같은 것은 버리라"는 내용의 프로파간다였다.

프로파간다로서의 '원친평등론'이 유행하던 무렵, 군관민이 일체화된 관음신앙운동이 활발해진다. 이 운동은 대략 '동아민족' 누구나 인지할 수 있는 관음보살을 매개로 '흥아'를 실현시켜간다는 내용의 것이었다. 이러한 사회일반의 동향과 프로파간다로서의 '원친평등론'이 결합한 지점에서 탄생한 것이 흥아관음이었다. 중국과 일본 각지에 산재한 흥아관음은 '일화친선' '대동아공영권'을 현현시키고자 두려움 없고 자비로운

---

65)「熱海興亞觀音で祈願會」(『六大新報』 2108, 1945.3.4, 3쪽)를 참조.

'성전'에서 희생되고, 향후 희생될 '흥아의 초석'을 위해 준비된 '기억장치'
였다.

이처럼 다이쇼~쇼와시대의 '원친평등공양'은 종교적 자비를 가지고
온전히 파악할 수 있는 것이 아닌가 하면, "'적군병사'에 대한 일정한
'경의'" 등을 통해 시대구분할 수 있는 것도 아니었다. "'적군병사'에
대한 일정한 '경의'" 등은 보기에 따라 만주사변 이후의 '원친평등공양'에
도 인정되는 것이다.

동서고금을 막론하고, 전사자제사와 정치는 불가분의 관계에 있다.
'원친평등공양'이라 하여 예외는 아니었다. 근대의 '원친평등공양'의 정
치성은 어느 순간 갑자기 분출된 것이 아니라, 각 시대상황을 반영하며
끊임없이 표출되었다고 할 수 있다. '문명', '세계', '평화', '일지(화)친선'이
라고 하는 각 시대에 추구된 가치기준에 연동하며 '정치'의 장으로서의
'원친평등공양'은 부단히 탈바꿈해 갔던 것이다.

스에키 후미히코(末木文美士)가 지적한 바와 같이, '원친평등론'은 승자
의 논리이다.[66] 패자가 원친평등을 이야기하는 것은 결코 손쉬운 일이
아니다. 중화민국 임시정부의 관계자에게 용례가 보이는 점을 감안하면[67]
전혀 불가능하다고는 할 수 없을지 모르지만, 내전상태의 중국에서 특수한
위치를 점하고 있던 그들을 패자로 자리매김할 수 있을지 의문이다.
그러한 의미에서 '거국일치'의 총력전 끝에 패배한 일본의 불교도들이
종전 직후에 종파를 불문하고 '원한 없는 평화'를 제창하고 종종 연합군전
사자를 공양한 것은 흥미로운 현상이라 하지 않을 수 없다.[68]

---

66) 「日本における戰爭の死者と宗敎」, 『非業の死の記憶－大量の死者をめぐる表象のポリ
   ティックス－』, 秋山書店, 2010.
67) 『日華仏敎硏究會年報』第三年, 1938, 318~319쪽 ; 『日華仏敎硏究會年報』第四年,
   1940, 243쪽을 참조.
68) 「怨恨なき平和」(『六大新報』2127, 1945.9.15, 1쪽) ; 「怨親平等管長願文(於高野山法
   要)」(『六大新報』2129, 1945.10.5, 2쪽) ; 「告示第六号」(『眞宗』1946.5) ; 「告示第

패자가 '원친평등론'을 설파하는 이 기묘한 현상으로부터는 전사자공양을 둘러싼 일본사회의 '고층'과 '집요저음'을 상정할 수도 있을 테지만, 한편으로 '열도'로부터의 신속한 전환은 불교계 나름의 '전후의 정치'를 상상케 한다. 이 문제에 대해서는 본 저서의 논의를 총괄하면서 재음미하기로 하고, 다음 장에서는 〈원친평등='피아전사자공양'〉의 도식을 둘러싼 지금까지의 관점을 전환하여 고려진공양비를 통해 피아전사자공양의 사례연구를 시도하고자 한다.

六号」(『眞宗』 1947.4) ; 「怨親平等のお盆まつり」(『讀賣新聞』 1946.7.9).

제6장 고려진공양비의 유전

제1절 고려진공양비의 건립경위와 중·근세인의 심성

고려진공양비의 건립경위를 해명하기 위해, 우선 비문에 등장하는 남원(南原)전투와 사천(泗川)전투에서 시마즈씨가 어떠한 행동을 취했는지 확인해 보도록 하자.[1]

명과의 강화교섭이 결렬됨에 따라, 일본군은 1597년 7월 15일[2] 군사행동을 재개했다. 이 날 경상도 거제도의 칠천량(漆川梁)에서 발발한 해전에서 일본군은 조선수군을 대파했으며, 삼도수군통제사 원균(元均)도 이 전투에서 전사했다. 칠천량해전 후 부산포에 집결한 일본군은 좌군과 우군으로 재편되었는데, 그 가운데 시마즈씨가 배속된 좌군은 도요토미 히데요시의 지령에 따라 전라도 남원으로 진군했다.

당시 남원성에는 조명(朝明)연합군이 진주하고 있었지만, 방어태세에 대한 조선군과 명군의 견해차이로 인해 일본군과의 전투준비는 원활하게 진행되지 못했다. 본격적인 전투는 8월 15일에 이루어졌다. 시마즈씨는 남원성의 북면으로부터 공격을 감행했는데, 명군의 도주 등 악재가 겹쳐

---

1) 시마즈씨의 동향에 대해서는, 北島万次, 「秀吉の朝鮮侵略と島津氏そして民衆」, 『壬申倭亂と秀吉·島津·李舜臣』, 校倉書房, 2002를 참조했다.
2) 이하 본문상의 날짜는, 비문에 보이는 날짜와의 혼선을 피하기 위해 모두 일본력에 의거하여 표기한다.

194

남원성은 같은 날 일본군에게 함락되었다. 남원전투를 마친 시마즈씨는
10월 말까지 전라도 일대를 중심으로 군사행동을 전개한 후 경상도 사천으
로 돌아와 새로운 진지를 구축한다. 이 진지가 이른바 사천신채/신새(新寨/
新塞)이다.

시마즈씨가 사천을 거점으로 주변지역에 대한 군사행동을 전개하던
1598년 8월, 도요토미 히데요시가 병사했다. 히데요시의 죽음을 계기로
일본군은 철수준비에 들어가는데, 일본군 내부의 변화를 감지한 조명연합
군은 일본군에 대한 습격을 개시했다. 사천전투도 이러한 습격작전의
일환이었다.

조명연합군은 1598년 10월 1일, 사천신채에 대한 공격을 감행했다.
그러나 연합군은 사천신채의 견고한 방어태세에 고전을 면치 못하고
패주했다. 시마즈씨의 군병은 이를 추격하여 대승을 거두었으며, 이 승리
로 인해 일본군의 철수작전은 순탄하게 진행될 수 있었다. 시마즈씨의
군병은 여타 일본군과 함께 11월의 노량해전을 끝으로 일본으로 돌아갔다.

이상의 경위를 거쳐 일본으로 돌아간 시마즈씨는 곧바로 전사자공양에
착수하여, 예컨대 1599년 봄의 피안(彼岸) 때에는 임진왜란 이래의 전사자
를 위한 불사가 거행되었다.[3]

잘 알려진 바와 같이, 전국시대에는 전후에 전사자일반을 공양하는
관행이 정착되어 시아귀(施餓鬼) 법회와 수총(首塚) 축조가 빈번하게 행해
졌다. 시마즈씨도 예외는 아니어서, 16세기 말에 이르기까지 시마즈씨의
수장들은 전투가 끝날 때마다 피아전사자공양을 거행해 왔다.[4] 1584년

3) 「吊戰亡文」(『南浦文集』卷之中 수록)을 참조. 한편 『島津家高麗軍秘錄』(『續群書類
從』第20輯下 수록)에 따르면, 시마즈씨는 사천전투 후 코를 베어낸 적군의 수급을
성문 앞 언덕에 묻고 무덤을 조성했다고 한다.
4) 상세한 내용에 대해서는 渡辺盛衛, 「薩摩に於て發達せし赤十字思想 その一」, 『島津日
新公』, 東京啓發舍, 1910 ; 辻善之助, 『日本人の博愛』, 金港堂, 1932 ; 立花基, 「戰國
期島津氏の彼我戰沒者供養」, 『日本歷史』762, 2011 참조.

시마바라(島原) 전투에서 류조지(龍造寺)씨의 군병을 격파한 후, 시마즈 요시히사(義久)의 측근인 우와이 가쿠켄(上井覺兼)이 "이와 같은 때에는 시아귀를 행하시는 것이 가례입니다"[5]라고 진술한 것도 그 증거의 하나라 할 것이다. 이와 같은 당시의 인식을 감안할 때, 일본으로 돌아간 후 곧바로 전사자공양에 착수하는 시마즈씨의 움직임은 자연스러워 보인다.

고려진공양비는 피안의 불사에 뒤이어 1599년 6월, 구카이(空海) 입정(入定)의 성지인 고야산 오쿠노인(奧の院)에 건립되었다. 고려진공양비는 처음에 '食堂路傍'에 세워졌지만,[6] 훗날 현재의 소재지(시마즈가 묘역)로 이전되었다. 이전 시기는 분명하지 않지만, 고야산의 고지도를 참조하면 대략 1800년 전후에 옮겨진 것으로 추정된다.[7] 공양비의 높이는 약 4미터, 폭은 약 80센티이며, 석재는 시마즈씨가 조선에서 실어 온 것이라고 전해진다.[8] 이상의 기초지식을 전제로 비문을 살펴보도록 하자.

게이초(慶長) 2년 8월 15일, 전라도 남원에서 전사한 대명국(大明國) 군병 수 천기 가운데, 시마즈군에 의해 토벌된 것은 420명이다.

같은 해 10월 1일, 경상도 사천에서 대명인(大明人) 8만 여의 군병이 전사했다.

앙크[9] 고려국에 진주했을 때 전사한 피아군병을 불도로 이끌기 위해 비를 세운다.

상기, 곳곳의 전장에서 아군 사졸로서 궁전도장(弓箭刀杖)에 희생된 자 3천여 명, 해륙 간에 횡사, 병사한 자는 상세하게 기술하기 어렵다.

---

5) 『上井覺兼日記』 天正 12년 3월 26일조.

6) 뒤에서 인용하는 『高野春秋編年輯錄』의 기사를 참조.

7) 1790년에 작성된 지도에서는 '食堂路傍'에 고려진공양비가 확인되지만, 19세기 초기에 작성된 지도에서는 확인되지 않는다. 고야산의 고지도에 대해서는 日野西 眞定 編著, 『高野山古繪図集成』, 淸榮社, 1983을 참조.

8) 뒤에서 인용하는 『紀伊續風土記』의 기사를 참조.

9) 태장계대일여래(胎藏界大日如來)를 의미하는 종자(種字).

慶長第四己亥歲六月上澣

삿슈(薩州) 시마즈 효고노카미(嶋津兵庫頭) 후지와라 아손(藤原朝臣)
요시히로(義弘)

同子息　少將 다다쓰네(忠恒)

이를 세움

　고려진공양비의 건립 의도는 우선 종자(種字) 앙크 이하의 주문(主文)에
응축되어 있다고 여겨지는데, 이 문장에서는 전사자에 대한 공양주체의
자비가 읽힌다. 그러나 주문 위의 문장(실제로는 주문 우측의 문장)에
주목해보면, 고려진공양비를 세운 시마즈씨의 심중은 자비만으로 설명할
수 없다고 판단된다.

　앞서 서술한 바와 같이, 남원전투와 사천전투는 일본군과 조명연합군의
전투였다. 물론 사천전투의 경우 명군이 절대다수였다는 점은 부정할
수 없지만, 조선군이 일부 섞여 있었다는 점도 분명한 사실이다.[10] 한편
남원전투의 경우, 방어군의 인적구성은 연합군의 명칭에 상응하는 것이었
다.[11] 그러나 고려진공양비에 의하면, 남원전투와 사천전투는 어디까지
나 일본군과 '대명' 군병의 전투였다고 한다. 시마즈씨가 실제로 조선군의
존재를 인지하지 못했다고 보기는 어렵고, 조선군 전사자의 존재는 의도적
으로 망각되었다고 판단된다.

　조선군 전사자의 망각에는 두 가지 배경이 상정된다. 우선 간접적인
배경으로는 신공황후(神功皇后)의 신라(삼한)정벌전설을 축으로 형성된
조선멸시관을 지적하지 않을 수 없다. 기기(記紀)신화에 연원을 두는

---

10) 李炯錫에 따르면, 연합군의 총수는 약 36,700명이었으며, 이 가운데 조선군은
　　약 2,200명이었다고 한다(『壬辰戰亂史―文錄・慶長の役(中卷)』, 東洋図書出版,
　　1977, 742쪽).

11) 李炯錫에 따르면, 연합군의 총수는 약 4,000명이었으며, 이 가운데 조선군은
　　약 1,000명이었다고 한다(『壬辰戰亂史―文錄・慶長の役(中卷)』, 612쪽).

신공황후의 신라(삼한)정벌전설은 임진왜란 당시 일본군의 조선침략을
정당화하는 근거로 기능했다.[12) 즉, 신라(삼한)는 신공황후시대에 일본에
복속했음에도 불구하고 이후 조공국으로서의 책무를 게을리 한 바, 일본군
의 조선침략은 그 잘못을 바로잡는 행위에 다름 아니라고 자리매김 되었으
며, 이러한 인식은 하치만(八幡)신앙을 매개로 규슈(九州)의 유력 다이묘(大
名)들 사이에서 공유되고 있었다. 이처럼 시마즈씨가 조선멸시관을 지니
고 있었다는 점을 감안하면, 조선군 전사자의 망각은 자연스러운 수순으로
도 보인다. 즉, 시마즈씨는 관념상 속국의 군병인 조선군을 일본군과
대등하게 맞설 수 있는 상대로 보지 않았던 것으로 추정되며, 이에 따라
조선군 전사자의 존재는 철저하게 망각되었던 것으로 판단된다.

한편 직접적인 배경으로는 자신의 전공을 현창하고자 하는 시마즈씨의
의도가 상정된다. 즉 전공을 보다 그럴싸하게 포장한다는 관점에서 볼
때, 조명연합군과 싸워서 승리했다는 설명보다는 어디까지나 '대명국'의
군병을 격파했다는 설명이 효과적인 것으로, 시마즈씨의 구체적인 노림수
는 바로 여기에 있었다고 판단된다.

이러한 추론과 관련하여 주목되는 것은, "경상도 사천에서 대명인
8만 여의 군병이 전사했다"라는 구절이다. 무라이 쇼스케(村井章介)에
따르면, 사천전투에서 시마즈씨가 실제로 무찌른 적병은 30,817명이며,
도요토미 정권에 의해 공식적으로 인정된 것은 실제 수급(首級) 수에
대한 시마즈씨의 조작을 근거로 한 38,717명이었다.[13) 고려진공양비의
'8만여'라는 숫자는 가공의 숫자에 다름 아니지만, 흥미롭게도 1599년
봄의 피안 때에 시마즈씨가 개최한 불사의 관련 사료에도 '伏尸八萬'이라

---

12) 이하 임진왜란기 신공황후의 신라(삼한)정벌전설에 대해서는 다음 논고를 참조했
다. 北島万次, 『豊臣政權の對外認識と朝鮮侵略』, 校倉書房, 1990 ; 同, 『豊臣秀吉の
朝鮮侵略』, 吉川弘文館, 1995.

13)「島津史料からみた泗川の戰い―大名領國の近世化にふれて―」, 『歷史學硏究』 736,
2000, 16~17쪽.

는 문구가 보인다. 아마도 시마즈씨의 영국(領國) 내에서는 '8만여'가
실수(實數)로 유포되었던 것 같다.

　이처럼 시마즈씨에 의한 전공의 현창을 상정해 보면, 고려진공양비가
처음에 '食堂路傍'에 세워졌던 것도 의미가 있어 보인다. '食堂路傍'은
'御供所' 옆 길가를 가리키는데, 이곳은 오쿠노인의 참배객들이 구카이
입정지로 들어서기 위해 반드시 건너야 하는 '御廟橋' 아래에 위치해
있다. 즉, 고려진공양비는 참배객들의 눈길이 쉽게 닿는 곳에 세워졌던
것으로, 이는 전사자 추모에서 벗어난 공양주체의 의도를 상상하게 한다.
단순한 추론에 불과하지만, '食堂路傍'이라는 고려진공양비의 입지는
시마즈씨에 의한 전공의 현창과 연관되어 있을 가능성이 있다고 생각한다.

　고려진공양비의 입지문제는 논외로 하더라도, 조선군 전사자의 존재가
망각되었다는 사실과 사천전투에서 무찌른 적병의 숫자가 크게 조작되었
다는 사실을 아울러 생각해 볼 때, 고려진공양비에는 전승기념비로서의
의미가 있었다고 판단된다.[14] 요컨대, 고려진공양비는 건립 당초 자비만
으로 설명할 수 없는 면모를 지니고 있었던 것이다.

　그런데 고려진공양비의 건립에 이르기까지 피아전사자공양 관련 사료
를 일별해 보면, 전사자에 대한 공양주체의 공포심과 자비심, 그리고
치자의 덕정이라는 요소가 확인될 뿐, 표면상 전승기념이라는 요소는
눈에 띄지 않는다. 즉, 전승기념은 고려진공양비가 건립되던 무렵에 새로
이 부상한 요소라고 판단되는데, 이와 관련해서는 남북조시대~전국시대

---

14) 일찍이 금병동이 귀무덤을 전승기념비라고 해석한 점도 지적해 두고자 한다(『耳塚
　－秀吉の耳斬り・鼻斬りをめぐって－(增補改訂版)』, 89~111쪽). 금병동은 중국 고대
　사회의 관행을 예시하며, 귀무덤이 전시효과를 노린 경관(京觀), 즉 전후에 무공을
　현창하기 위해 적군의 시신을 쌓아 만든 봉분에 다름 아니라고 보았다. 동시대
　사료를 통해 직접적으로 증명될 수 없다는 약점이 있지만, 전국시대에 유행한
　수총축조의 의미를 되짚어본다는 맥락에서도 금병동의 설은 경청할 만한 가치가
　있다고 생각한다.

를 거치며 생자와 사자의 역학관계가 크게 변화했다는 이케가미 요시마사
(池上良正)의 주장이 주목된다.[15] 이케가미에 따르면, 대략 가마쿠라시대
까지 사자는 현실사회에 막대한 영향력을 행사하는 존재였지만, 남북조시
대를 경계로 점차 생자의 정치에 이용당하는 존재로 전락해 갔다고 한다.
역학관계의 변화시점을 남북조시대로 파악한 점에는 다소 의문이 남지만,
생자와 사자의 소통을 전제로 한 이케가미의 논의는 설득력 있다고 생각한
다.

　이러한 이케가미의 논의를 전제로 하면, 전승기념비로서의 고려진공양
비는 피아전사자공양을 둘러싼 중·근세인의 심성변화를 표상하는 듯하
다. 일반적인 의미에서 전승기념은 어디까지나 생자를 축으로 하는 정치행
위이고, 거기에서 사자는 생자의 전공을 부각시키는 도구에 불과하기
때문이다. 전승기념비로서의 고려진공양비는 결코 우연의 산물이 아니라,
중·근세 전환기의 산물이라고 생각한다.

　이상에서 검토한 바와 같이, 고려진공양비에는 자비와 전승기념의
요소가 뒤얽혀 있었으며, 생자 중심의 세계관으로 경도되어 가던 중·근세
인의 심성이 각인되어 있었다. 이를 전제로 다음 절에서는 18~19세기에
고려진공양비가 어떻게 인식되고 있었는지 살펴보도록 하자.

제2절 고려진공양비를 둘러싼 근세인의 시각

　고려진공양비에 대한 근세의 기술은 18세기 이후에 보이기 시작한다.
고야산의 고지도에 고려진공양비의 소재지가 확인되는 한편, 몇 가지
연대기와 풍토기에 관련 사료가 등장하는 것이다.[16]

---

15) 『死者の救濟史－供養と憑依の宗教學－』, 角川書店, 2003.
16) 근세의 고려진공양비 관련 사료의 소재에 대해서는, 日野西眞定, 『高野山民俗誌[奧

1719년에 편찬된 『高野春秋編年輯錄』 권제13 게이초 4년(1599)조에는 "살우(薩隅) 양주(兩州)의 태수인 시마즈 효고노카미(兵庫頭) 요시히로, 자식 소장 다다쓰네가 석비를 오쿠노인[食堂路傍]에 세웠다. 이 석비는 조선에 진주하던 중에 희생된 피아전사자의 보리(菩提)를 빌기 위한 것이다"라는 설명과 함께 비문이 인용되어 있다. 이 기술로부터는 자비의 시각에서 고려진공양비를 바라보는 근세인의 존재가 추측된다.

한편 1839년에 편찬된 『紀伊續風土記』에는 "고로(古老)의 전승에 따르면, 이 비석은 조선에서 개선했을 때 운반하여 이 산에 세운 것이라고 한다. 토속에 이르러 와전되어, 이 석탑의 분말을 복용하면 여러 병이 치유된다는 유언비어에 따라, (석탑이) 손톱에 긁혀 마모되었다. 그 석재는 부드러워서 하층 사각의 많은 부분이 파괴되었다"라고 보여, 근세에 이르러 고려진공양비를 둘러싸고 민간신앙이 발생했음을 짐작케 한다. 다만, 근세의 고야산 참배를 기술한 여행기 가운데 고려진공양비를 특기한 것이 거의 보이지 않는 점을 고려할 때,17) 이 비가 어느 정도의 범위에서 숭앙되었는지는 의심스럽다. 고려진공양비에 대한 민간신앙은 고야산과 그 주변지역에 한정된 것이었다고 추정된다.

고려진공양비에 대한 근세인의 인식을 고찰하는 데 있어서 한 가지 빼 놓을 수 없는 것은, 1838년에 편찬된 『紀伊國名所圖會』 三編의 기술이다. 이 책에는 고려진공양비를 방문한 여행자의 모습을 묘사한 삽화에 이어, 회덕당(懷德堂) 4대 학주(學主)인 나카이 지쿠산(中井竹山, 1730~1804)의

の院編]』, 佼成出版社, 1990, 123쪽 이하의 기술을 참조했다.

17) 최근에 사토 아키라(佐藤顯)는 고야산 참배를 기술한 여행기 136종류를 제시했다(「安政期における紀伊山地の靈場と參詣道－高野山を中心に－」, 『文學硏究論集』 32, 2009, 341쪽 이하). 이들 여행기를 확인해 본 결과, 고려진공양비에 대한 기술은, 1823년의 『伊勢參宮旅日記』(『石卷の歷史』, 524쪽 이하에 수록), 1849년의 『見聞日記』(『新編高崎市史』, 330쪽 이하에 수록)의 두 여행기에서 확인되었으며, 그 내용은 간단한 소개에 그치고 있다.

'紀新塞之捷'이라는 기록과 기주번사(紀州藩士) 출신으로 모토오리 오히라(本居大平)의 문하생이기도 했던 다테 지히로(伊達千廣, 1802~1877)의 와카 다섯 수가 게재되어 있다.

우선 '紀新塞之捷'의 내용을 확인해 보자.

> 게이초 3년에 시마즈씨가 사천을 지키고 있었다. 해반에 진지를 구축하여 이를 근거지로 삼고 신새(新塞)라 하였다. (중략) 동 시월 삭일에 일원(一元)이 병 20만에 명하여 재차 신새를 공략하게 했다. 묘시(卯時)에서 사시(巳時)에 이르기까지 그 휘하 장수인 팽신고(彭信古)가 대공(大熕)을 써서 성채의 문을 공략하니 누첩(樓堞) 여러 곳이 파괴되었다. 보병들이 해자로 몰려들어 목책을 뽑으며 앞 다투어 (신새에) 오르려 했다. (중략) 노공(虜熕)의 몸통이 폭발하여 화약이 도처에서 불타오르고 검은 연기가 하늘을 뒤덮었다. 아군은 기세가 올라 (성)문을 열고 대적하였다. 시마즈 다다쓰네가 채찍을 휘두르며 아군을 이끌었다. (중략) 명군이 크게 패하였으며, 아군은 패주군을 추격하다가 망진(望津)에 이르러 되돌아왔다. 3만여 급을 참수하였다.

광의의 사천전투는 9월 말부터 시작된다. 나카이의 기록도 9월의 전투까지 거슬러 올라가지만, 여기서는 신새를 둘러싼 10월 1일의 공방전에 대한 문장만을 인용했다. 그 내용을 검토해 보면, '紀新塞之捷'이라는 제목에 어울리게 나카이의 주안점은 사천전투에서 일본군이 거둔 전공에 있었다. 마지막에도 "3만여 급을 참수하였다"라고 보이듯이, 나카이의 기록과 전사자공양 사이에는 전혀 접점이 존재하지 않는다.

그런데 여기서 한 가지 주목하지 않을 수 없는 것은, 일본군이 대적한 군병이 어디까지나 '명군'이었다고 서술되고 있는 점이다. 앞서 고려진공양비에 조선군 전사자의 존재가 보이지 않는 배경의 하나로 조선멸시관을 지적했는데, 나카이는 근세일본사회에서 조선멸시관이 확고히 자리잡는

데 크게 영향을 준 인물의 하나로 손꼽는다.18) 나카이의 기술이 고려진공
양비의 비문에 근거한 것인지, 또 다른 정보에 따른 것인지는 알 수
없지만, 그 근저에 조선멸시관이 자리잡고 있을 가능성은 배제할 수
없는 것이다.

한편, 다테의 와카는 다음과 같은 것이었다.

> 고야산에서 시마즈 요시히로 아손이 세우신 한군(韓軍)의 비를 보고
> 비문에 보이는 옛 사적은 불후의 귀감이어라.19)
> 말에 쓰는 빗과 채찍의 조공이 끊긴 분함도 잊을 만한 비문이야말로
> 이것이라.
> 해 저무는 나라에도 시마즈의 명성은 널리 알려졌던 것이리라.
> 장구한 세월에 이끼가 낀다 해도 비문에 아로새겨진 이름은 잊히지
> 않으리.
> 옛 일을 생각하면, 우는 아이처럼 실로 시마즈의 이름을 두려워했으리
> 라.

> 후지와라 지히로

대략 훑어보아도 알 수 있듯이, 이들 노래는 모두 시마즈씨의 전공을
현창하는 내용의 것이다. 명군이 두려워하여 마지않던 '시마즈의 명성'은
잊히지 않을 것이라고 칭송되고 있는데, 특히 흥미로운 것은 "말에 쓰는
빗과 채찍의 조공이 끊긴 분함도 잊을 만한 비문이야말로 이것이라"는

18) 矢澤康祐,「「江戸時代」における日本人の朝鮮觀について」,『朝鮮史硏究會論文集』6,
    1969, 27~28쪽 ; 李進熙,『李朝の通信使－江戸時代の日本と朝鮮－』, 講談社, 1976,
    225쪽을 참조.
19) 와카의 원문은 각각 다음과 같다.「石文の昔思へゝ後の代の印ぞ久ちぬ矛杉のもと」
    「梳鞭の貢絶にしうれたゝもはるくばかりの碑ぞこれ」「出る日の入國かけて島津烏うもれ
    ぬ名をも在にけるかな」「千歳へて苔むすとも碑に語りつぐ名はうもれはてめや」「当年をか
    けて思へゝなく子なすうべも石蔓子の名におびえけむ」.

노래이다. 모두에 보이는 "말에 쓰는 빗과 채찍의 조공"이란 신공황후의 신라정벌전설에 근거한 표현이다. 『日本書紀』에 따르면, 신공황후가 신라를 정복했을 때, 신라왕은 황후에 대해 말에 쓰는 빗과 채찍의 조공을 게을리 하지 않겠다고 맹세했다고 한다. 요컨대, 다테는 임진왜란기 시마즈씨의 군사행동을 신공황후의 군사행동에 빗대고, 신라로부터 조공이 끊긴 예전의 '분함'도 시마즈씨의 전공을 통해 잊힌다고 노래했던 것이다.

이러한 인식이 다테의 독자적인 지견이 아니라는 점은 두말할 나위 없다. 앞서 서술한 바와 같이, 신공황후의 신라(삼한)정벌전설은 임진왜란 당시에 조선침략을 정당화하는 사상적 근거로 기능했으며, 이후 신공황후의 신라(삼한)정벌전설과 히데요시의 조선침략은 동일선상의 사실(史實)로 회고되곤 했다.[20] 요컨대, 다테의 와카에는 근세일본사회의 조선멸시관이 응축되어 있다고 판단된다.

이러한 맥락에서 보아도 다테의 주안점이 '420명', '8만여'의 적군을 무찌른 시마즈씨의 전공에 있다는 것은 분명하다 할 것이다. 참고로 다테의 문집인 『隨緣集』[21]의 ありし世の卷에도 "말에 쓰는 빗과 채찍의 조공~", "옛 일을 생각하면~"의 두 편이 실려 있는데, 고토바가키(詞書)는 "고야산에 있는 시마즈 요시히로 아손 정한(征韓)의 비를 보고"였다. 적어도 다테와 『紀伊國名所圖會』의 편자는 고려진공양비를 전승기념비로 인식하고 있었다고 할 수 있을 것이다.

이상에서 살펴본 바와 같이, 고려진공양비에 대한 근세인의 인식은 결코 일정한 것이 아니었으며, 고려진공양비의 건립에 관련된 복수성(複數

---

20) 矢澤康祐,「「江戶時代」における日本人の朝鮮觀について」; 塚本明,「神功皇后伝説と近世日本の朝鮮觀」,『史林』79(6), 1996, 15~22쪽 ; 金光哲,「新羅征伐と三韓征伐と朝鮮征伐の語」,『中近世における朝鮮觀の創出』, 校倉書房, 1999, 297~298쪽을 참조.

21)『伊達自得翁全集』, 丸善株式會社, 1926에 수록. 다테에 대한 전기적 연구로는 高瀨重雄,『伊達千廣』, 創元社, 1942를, 최근의 연구성과로는 佐藤一伯,「伊達千廣の歌論·神觀·歷史觀」,『明治聖德記念學會紀要』24(復刊), 1998을 참조.

性)을 전제로 보다 다양한 스펙트럼을 보이고 있었다. 그 가운데 특히 주목되는 점은, 고려진공양비의 건립과정에서 간취되는 조선멸시관이 고려진공양비를 둘러싼 18~19세기의 담론에서도 확인된다는 것이다. 전근대 일본사회에서 고려진공양비는 신공황후의 신라(삼한)정벌전설과 밀접한 관계를 맺고 있었던 것이다. 그렇다면, 이러한 전근대의 인식은 근대의 필터를 통과하며 어떻게 굴절되어 갔을까? 우선 근대일본이 처한 국제환경에 주의하며 이 점에 대해 고찰해 보도록 하자.

제3절 근대일본의 '문명'·'전통'과 고려진공양비

(1) 「赤十字と武士道」의 등장배경

근대에 들어서면 고려진공양비에 대한 담론이 다수 등장한다. 그 최초의 논고는, 1902년 10월 22일자 『大阪朝日新聞』에 게재된 니시무라 덴슈(西村天囚)의 「赤十字と武士道」였다.[22] 다네가시마(種子島) 출신인 니시무라는 『大阪朝日新聞』의 주필로 활약했던 인물로, 『朝日新聞』 1면의 칼럼인 '天聲人語'를 고안한 것으로도 유명하다.[23]

적십자사의 정신 같은 것은 결코 서양에서 비롯된 것이 아니며, 우리나라에서는 예로부터 이를 실행해 왔다. (중략) 그 증거를 제시하자면, 금강산(金剛山)에 요세테즈카(寄手塚)와 미카타즈카(身方塚)가 있다. 이것

---

[22] 이하의 인용문은 西村天囚, 『日本宋學史』, 梁江堂書店·杉本梁江堂, 1909에 수록된 동명의 논문에 따름. 한편, 본절 (1), (2)에서 인용하는 사료의 대부분은 藤田大誠, 「近代日本における「怨親平等」觀の系譜」, 『明治聖德記念學會紀要』 44(復刊), 2007에 소개된 것임을 밝혀둔다.

[23] 니시무라에 대한 전기적 연구로는 다음을 참조. 昭和女子大學近代文學研究室, 「西村天囚」, 『近代文學研究叢書』 第23卷, 昭和女子大學, 1965 ; 町田三郎, 「天囚西村時彦 覺書」, 『哲學年報』 42, 1983.

은 일본무사의 귀감인 구스노키 마사시게(楠木正成)가 세운 것으로, 전사
자에 대한 박애자인의 눈물은 피아 구별 없이 그 사체를 장사지내고
명복을 빌었던 것이다. 단지 사자에 대해서만 그러했던 것은 아니다.
그 아들인 구스노키 마사쓰라(楠木正行)가 와타나베가와(渡辺川)의 전투
에서 보인 박애의 행동은, 적십자사업의 주창자인 듀낭이 주장한 바를
행한 것에 다름 아니며, 나이팅게일의 행동과 일맥상통한다. (중략) 이러
한 사례들은 우리나라 적십자사업의 선례가 아니고 무엇이겠는가? 그
후 시마즈 유신입도(維新入道) 부자가 조선의 전장으로부터 돌아와 피아
전사자 모두를 불도로 이끌기 위해 거대한 비석을 고야산에 세운 것은
구스노키 공(公) 부자의 유풍을 이은 것이라 할 것이다. (중략) 우리들은
선조로부터 전해져 온 무사도를 계승하고 발휘하여, 적십자사를 통해
우리의 정신을 실천하는 데 노력해야 할 것이다.

니시무라에 따르면, 적십자사가 제창하는 박애정신은 결코 서양문명으
로부터 수입된 것이 아니라 예로부터 일본사회에 뿌리내리고 있던 정신이
며, 무사도의 존재는 이 점을 대변한다고 한다. 니시무라는 구체적인
사례로 구스노키 마사시게의 피아전사자공양,[24] 구스노키 마사쓰라의
적군 구원,[25] 그리고 시마즈씨의 고려진공양비 건립을 들고 있다.

결론을 먼저 말하자면, 이러한 담론의 배경에는 '문명'사회로의 진입을
둘러싼 근대일본의 모색의 역사가 존재하는데, 이를 명확히 밝히기 위해서

---

24) 전승에 따르면, 마사시게는 지하야(千早)성을 둘러싼 가마쿠라막부군과의 공방전
    후, 피아전사자공양을 위해 요세테즈카와 미카타즈카를 조성했다고 한다. 그러나,
    이에 대한 문헌사료적 증거는 존재하지 않는다. 이들 무덤은 오사카의 지하야아카
    사카(千早赤阪)촌에 현존하는데, 요세테즈카는 가마쿠라시대 후기, 미카타즈카는
    남북조시대 초기에 각각 조성된 것으로 추정되고 있다. 상세한 내용에 대해서는
    西山昌孝,「千早赤阪の文化財二 寄手塚と身方塚」,『廣報ちはやあかさか』299, 1997을
    참조.
25)『太平記』권제25(덴쇼[天正]본)에 따르면, 마사쓰라는 패전 후 강물에 떠내려가는
    적군 500여 명을 구원하고, 이들을 우대했다고 한다.

206

는 우선 일본적십자사의 창설경위에 대해 살펴볼 필요가 있다.

신생 메이지정부가 짊어진 부채 가운데 가장 심각했던 것은, 두말할 나위 없이 서구열강과의 사이에 체결된 불평등조약의 개정 문제였다. 이 문제를 해결하기 위해 메이지정부는, 일본이 상호 평등한 조약을 체결할 수 있는 상대라는 점을 서구열강에 인식시켜야 했다. 환언하자면 메이지정부는, 일본이 서구열강의 문명·가치기준에 대해 깊은 이해를 가지고 있다는 점을 증명해야 했던 것인데, 이 과정에서 떠오른 것이 적십자조약이었다.26) 당시 대부분의 서구열강이 '전쟁의 문명화'27)를 제창하는 적십자조약에 가입하고 있었던 까닭에, 근대일본에서 적십자조약 가입은 일본이 '문명국'임을 증명해 보이는 수단의 하나로 인식되었던 것이다.

메이지정부가 서구의 적십자운동에 대해 확실히 인지하게 된 계기는 1873년 오스트리아 빈에서 개최된 만국박람회였다. 이 박람회에는 훗날 박애사(일본적십자사의 전신)를 창립하고 일본적십자사 사장에도 취임하는 사노 조민(佐野常民)이 파견되었는데, 사노는 서구 각국의 적십자사에서 출품한 의료도구 등을 목격하게 된다. 말년의 사노는 "당시 내가 보기에, 문명이라든가 개화라고 하면 사람들은 모두 법률의 완비 혹은 기계의 정량(精良) 등을 그 증빙으로 삼고 있었다. 그러나 나는 홀로 적십자사가 빠른 속도로 발전하는 것을 통해 문명의 증빙으로 삼고자 했다"라고 회고한 바 있는데,28) 그 밖에 이와쿠라 도모미(岩倉具視), 오규 유즈루(大給恒), 오야마 이와오(大山巖), 하시모토 쓰나쓰네(橋本綱常), 이

26) 吹浦忠正, 「森鷗外の赤十字ならびにジュネーブ條約に果たした役割」, 『日本赤十字中央女子短期大學研究紀要』 1, 1980 ; 喜多義人, 「日本によるジュネーヴ條約の普及と適用」, 『日本法學』 74(2), 2008, 64쪽.

27) 黑澤文貴, 「近代日本と赤十字」, 『日本赤十字社と人道援助』, 東京大學出版會, 2009, 5~6쪽을 참조.

28) 吉川龍子, 『日赤の創始者佐野常民』, 吉川弘文館, 2001, 106~107쪽.

시구로 다다노리(石黑忠悳) 등이 적십자운동에 대한 이해를 바탕으로
크게 활약하여,29) 일본은 1886년 적십자조약에 가입한다. 이에 따라 이듬
해에는 서남전쟁 때에 창설되었던 박애사를 계승하는 형태로 일본적십자
사가 창설되었다.

　이와 같이 메이지시대의 일본에서 적십자는 '문명'에 직결되는 키워드
로 통용되었지만, 한편으로 '문명'에 대한 근대일본사회의 시각 자체는
대략 1880년대 후반을 경계로 크게 전환된다. 서장에서도 언급한 바와
같이, 근대화가 급속하게 진행되던 메이지 초기에는 서양문명이 절대적
가치기준으로 자리매김 되었으나, 1880년대 후반에 이르러 일본사회의
전통을 새로이 조망하며 서양문명을 상대화하려는 시각이 부상하였다.
서양의 적십자정신에 대응하는 일본사회의 전통이 존재한다는 담론
역시 이 무렵부터 확인된다. 예컨대, 청일전쟁 발발에 즈음해서는 적십자
정신에 상응하는 일본불교의 전통적인 '박애인혜' 정신을 구현하자는
담론이 확인되는가 하면,30) 비슷한 시기에 일본적십자사의 기관지인
『日本赤十字』에는 신대(神代) 이래의 '일본혼(야마토다마시)'을 적십자정
신에 빗대는 담론이 보인다.31)

　이상의 맥락을 감안하면, 니시무라의 담론이 갑작스레 등장한 것이
아니라는 점은 분명하다 할 것이다. 니시무라의 담론 속에는 '문명'을
둘러싼 근대일본사회의 모색의 역사가 응축되어 있다고 할 수 있으며,
그 가운데 고려진공양비가 '문명'의 증빙자료로 예시되었다는 점은 크게
주목할 만한 사실이라 하겠다.

---

29) 상세한 내용에 대해서는, 黑澤文貴, 「近代日本と赤十字」를 참조.
30) 「淸韓の危機に對する日本仏敎徒」(『明敎新誌』 3454, 1894).
31) 「日本人の特性を論して赤十字事業に及ぶ」(『日本赤十字』 51, 1897) ; 「赤十字事業は
　　邦人の歷史的精神に合す」(『日本赤十字』 53, 1897) 참조.

(2) '문명' 전쟁의 전개와 '전통'의 발굴

니시무라의 「赤十字と武士道」가 발표된 지 1년여 만에 러일전쟁이 발발했다. 제4장에서도 언급한 바와 같이, 러시아는 삼국간섭을 계기로 부상한 황화론을 재삼 주창하며 러일전쟁을 '기독교국/백인종⇔비기독교국/황인종'의 구도로 몰아가려 했다. 이에 대해 일본은 전쟁비용의 상당부분을 영국과 미국에서 조달해야 했던 사정도 있어서, 러시아의 주장을 부정함과 동시에 일본이 기독교 문명에 대해 깊은 이해를 지니고 있으며 러시아에 비해 보다 '문명적'이라는 점을 국내외에 표명하고 이를 실천하는 일에 부심했다.

이러한 맥락에서 일본의 '미풍'이 '문명'의 증거로 재확인되거나 새로이 발굴되었는데, 그 과정에서 고려진공양비도 새삼 주목받았다. 예컨대, 정부와의 교감 속에서 1905년에 출판된 『弘安文祿征戰偉績』[32](史學會編, 富山房)에는 구로이타 가쓰미(黑板勝美)의 「高野山朝鮮陣の供養碑」가 수록되어 있는데, 이 논문에는 "누가 박애는 그 유래를 특히 서양에서 찾을 수 있다고 주장하는가. 한 번 고야산에 올라, 무수한 오륜탑(五輪塔), 보협탑(寶篋塔) 사이에서 조선진공양비가 이채를 띠고 있는 것을 본다면, 아마도 생각하는 바가 있을 것이다"라는 구절이 보인다. 또한 도쿄제국대학 교수 미카미 산지(三上參次)는 전황(戰況)을 전제로 다음과 같이 역설했다.

적의 총독 마카로프가 전사하자, 우리 국민은 이를 가슴아파하고 조의를 표했다. 혹자는 서양과의 전투였던 탓에 아부를 떠는 것이라고 한다. 마쓰야마(松山)에 수용된 적의 부상병을 매우 친절하게 간호하자, 혹자는 또 이것을 서양에 대해 영합하는 것이라고 했다. 그러나 이러한 평은,

---

32) 辻善之助先生生誕百年記念會編, 『辻善之助博士自曆年譜稿』, 續群書類從完成會, 1977, 23쪽을 참조.

예의인애 정신을 보여주는 사례가 우리의 옛 역사 속에 많이 존재한다는
점을 모르고 하는 소리이다. (중략) 특히 우리가 칭송할 만한 한 가지
사실이 있다. 고야산 오쿠노인으로 이어지는 18정(町) 정도의 길 양편에는
무수한 석등롱(石燈籠)이 있다. 그 사이에 거대한 네모진 석탑이 있다.
이것은 조선정벌 때 전사한 한국 장사(將士)의 명복을 빌기 위해 시마즈
가 건립한 것이라고 한다. (중략) 조선인이 고야산의 석탑을 본다면,
그 정의(情誼)의 두터움에 감복할 것이다.[33]

미카미는, 러시아 해군중장 슈테판 마카로프(Stepan Osipovich Makarov)
의 전사를 애도하고 러시아 포로를 우대하는 일본인의 태도가 예로부터
이어져 온 '예의인애 정신'의 발로라고 하는 한편, 이 정신을 구현한
대표적인 사례로 고려진공양비를 들었다. 미카미의 담론이 일본적십자사
의 활동을 전제로 하고 있다는 점을 감안할 때, 인용문에 보이는 '예의인애
정신'은 '문명' 정신이라 환언할 수 있을 것이다. 즉 고려진공양비는
일본사회의 '문명' 정신을 상징하는 사적으로 자리매김 되고 있는 것이다.
미카미에 뒤이어, 와시오 준쿄(鷲尾順敬)와 실업가 오쿠무라 야스타로
(奧村安太郎)도 전사자공양과 관련하여 고려진공양비를 예시했는데,[34]
이러한 흐름은 메이지 40년대에도 이어졌다. 예컨대, 이시구로 다다노리
는 「赤十字事業」(『開國五十年史』, 開國五十年史發行所, 1908)에서, 적십자
정신에 일맥상통하는 일본 역사상의 '문명' 사례를 네 가지 범주로 나눈
후, "(적의) 사자의 영혼에 대해 명복을 기원"한 사례의 하나로 고려진공양
비를 제시했다. 또한 이시구로의 「赤十字事業」보다 조금 뒤늦게 발표된
가큐(何休)의 「仏敎と赤十字思想(上)」(『正法輪』 275, 1910)에도 고려진공양

---

33) 「三上文學博士演說一節」(丹靈源 編, 『戰時布敎材料集』, 顯道書院, 1905에 수록).
34) 鷲尾順敬, 「寃親悉平等」, 『禪宗』 128, 1905 ; 奧村安太郎, 「彼我の忠魂を合祀すべし
(上)」, 『中外日報』 1882, 1906.

비에 대한 엇비슷한 해설이 보이는 등, 메이지 40년대에 이르러 니시무라 류의 담론은 정설화 되어갔던 것으로 판단된다.

이러한 동향 속에서 고려진공양비는 일본적십자사의 출판물에도 등장하기 시작한다. 예컨대, 1910년에는 일본의 적십자정신, 인도주의에 관한 52가지 역사적 사례를 망라한 『忠愛』라는 서적이 일본적십자사 교토지부에서 출판되어 고려진공양비도 예시되었다. 뒤이어 1911년에는 일본적십자사의 정사(正史)라 할 수 있는 『日本赤十字社史稿』가 간행되었는데, 고려진공양비는 일본국민이 "용무 속에 인애의 지극한 정을 드러내 보인" 증거의 하나로 예시되었다. 니시무라의 「赤十字と武士道」로부터 10년 남짓하여, 고려진공양비는 일본의 적십자정신, 인도주의 전통을 논하는 데 있어서 필수불가결한 사적으로 '공식적'으로 확인되었던 것이다. 이로써 고려진공양비의 '전통화과정'은 일단락되었다고 평가할 수 있을 것이다.

그런데 메이지 30~40년대에 걸쳐 고려진공양비가 주목받게 된 데에는 사쓰마(薩摩) 출신의 마쓰가타 마사요시(松方正義)가 1902~1913년에 걸쳐 일본적십자사 사장을 역임한 점도 영향이 있는 듯하다. 마쓰가타는 메이지 10년대 이래로 재정문제를 위시하여 시마즈가의 가정(家政) 전반에 깊이 관여했는데,[35] 그 과정에서 고려진공양비에 관심을 가지게 되었던 것 같다. 이를 직접적으로 밝혀주는 사료는 발견하지 못했지만, 마쓰가타가 (松方家) 소장의 문서군 가운데에는 후술하는 고려진공양비 영역비의 초안으로 보이는 문서가 수록되어 있어서[36] 고려진공양비의 대두과정에 마쓰가타가 관여했음을 짐작케 한다. 참고로 『松方正義關係文書』를 일별

---

35) 松方峰雄 ほか編, 『松方正義關係文書』第12卷, 大東文化大學東洋研究所, 1991, 8~10쪽. 마쓰가타에 대해서는 박환무 선생님으로부터 조언을 얻었다. 선생님의 가르침에 감사드린다.

36) 『松方正義關係文書』第12卷, 259~261쪽.

해 보면, 니시무라 덴슈와 마쓰가타가 친밀한 관계를 유지하고 있었음이 확인된다. 이미 1895년 단계에서 니시무라는 미카게(御影)에 위치한 마쓰가타의 별장(松影莊)에 머물며 청일전쟁에 대한 마쓰가타의 회고담을 청취·기록했는데,[37] 이러한 교류의 흔적은『談話筆記』,『松方正義聞書ノート』등에서도 확인할 수 있다.[38] 마쓰가타도「赤十字と武士道」이래 확인되는 니시무라류의 인식을 공유하고 있었다고 보아 무방할 것이다.

(3) 일본의 적십자조약 가입과 고려진공양비

고려진공양비의 경우 한 가지 특기할만한 점은, 이 비가 서양인들에게 적극적으로 선전되었다는 것이다. 예컨대, 이미 1904년에 "영국공사 맥도날드 고야에 오른 날, 시마즈 유신입도(維新入道)의 征韓役敵味方平等利益의 묘비를 촬영하여 300년 적십자주의의 서광을 흠앙(欽仰)했다"는 기사가 보이며,[39] 1914년에는 일본국민에게 '원친평등박애의 정신'이 있었음을 외국인에게 알리기 위해 영역문의 석비가 세워졌다.[40]

영역비가 건립된 다음 해에는 가토 겐치(加藤玄智)가 "Three Remarkable Examples of Philanthropism in Japan"이라는 논문에서 고려진공양비를 소개했으며,[41] 1921년에는 사이토 마코토(齋藤實) 조선총독이 클로져 부인에게 동비를 소개하는 서한을 보냈다(후술). 고려진공양비는 사체 위에

---

37) 松方峰雄 ほか編,『松方正義關係文書』第4卷, 大東文化大學東洋硏究所, 1982, 29~30
　　쪽.

38) 松方峰雄 ほか編,『松方正義關係文書』第10卷, 大東文化大學東洋硏究所, 1989, 3~8
　　쪽.

39)『六大新報』66, 1904.

40)「敵味方追悼英文碑」,『高野山時報』29, 1914. 단, 영역비의 내용에 따르면, 이
　　비는 본래 1908년에 조성되었던 것 같다. 앞서 언급한 마쓰가타가 소장의 문서에도
　　1908년 1월 12일이라는 조성날짜가 기재되어 있다.

41)『明治聖德記念學會紀要』4, 1915에 수록.

건립된 것도 아닐뿐더러, 고야산 오쿠노인이라는 소재지의 지리조건도 있어서 서양인들에게 좋은 인상을 줄 것으로 기대되었던 것 같다.

이처럼 고려진공양비는 메이지~다이쇼시대에 박애의 상징으로 자리 잡아 갔다. 그 영향인지, 이 시기에는 고려진공양비를 둘러싸고 한 가지 흥미로운 설이 유포되었다. 즉, 고려진공양비가 일본의 적십자조약 가입 과정에서 결정적인 역할을 했다는 설이 유포되었던 것이다. 필자가 조사한 바로는 이러한 설을 처음으로 제기한 인물은 와시오 준쿄이다. 서장에서 이미 소개한 자료이지만, 필요한 부분을 재인용하기로 한다.

> 예전에 우리나라가 적십자사에 가입하고자 했을 때, 언제나 우쭐대기 좋아하는 서양인들은, 일본인 같은 미개인에게는 박애라든가 평등과 같은 숭고한 사상은 있을 리 없다고 생각했던 모양이다. 그래서 고야산의 고려진 석비를 사진으로 찍어서 보여주었던바, 서양인들조차 크게 혀를 내둘렀다는 일화가 있다. 서양인들은 적십자사의 박애 사상을 서양인 특유의 문명사상이라고 생각하고 있었는데, 일본에서는 수백 년 전에 이미 충분히 발달되어 있었다는 것은 얼마나 통쾌한 이야기인가. 이 원친평등의 사상은 오로지 불교의 감화에 의한 것으로, 원래 불교에 있는 사상이다. 그것이 우리나라의 무사에 의해 실제로 발휘되어 우리나라 역사상 커다란 빛줄기가 되었던 것이다.[42]

위 인용문에 앞서 와시오는 일본 역사상에 보이는 피아전사자공양과 적군전사자공양의 배경에 원친평등 사상이 존재함을 지적하고, 그 사례의 하나로 고려진공양비를 제시했다. 이를 전제로 와시오는 일본의 적십자조 약 가입과정에 얽힌 일화를 소개했던 것이다. 와시오에 따르면, 고려진공 양비는 일본인을 '미개인'이라고 얕보았던 서양인들에게 충격을 주고,

---

42) 鷲尾順敬,「國史と仏敎(七)」,『正法輪』 273, 1909, 5~7쪽.

일본의 적십자조약 가입과정에서도 모종의 영향력을 발휘했던 것 같다. 단, 와시오는 정보의 출처를 제시하지 않았다.

와시오 설의 영향관계는 알 수 없지만, 다이쇼시대에는 고려진공양비와 일본의 적십자조약 가입의 관계를 보다 명확하게 지적하는 설이 등장한다.

> 일본적십자사가 만국적십자에 가맹할 때, 이 세 가지 사례(구스노키 마사쓰라의 적병구원, 유교지(遊行寺)의 피아전사자공양비, 고려진공양비=인용자)를 통해 예로부터 일본에 적십자정신이 존재했음을 증명한 덕분에 곧바로 만국적십자사에 가맹할 수 있었다고 전해집니다.[43]
> 다이쇼 10년 4월 28일
>   친애하는 클로져 부인
> 지난 11월 21일부의 서한을 받아보았습니다. 깊이 감사합니다. 곧바로 답장을 드려야 하는데, 공무가 많았던 탓에 이렇게 늦어져 송구합니다.
> 교토의 '귀무덤' 철거에 관한 고견에 대해서는 지극히 동감입니다. 그래서 이를 교토부 지사와 교섭하여 동씨로부터 흔쾌히 승낙을 얻어낼 생각입니다. 서한을 보내는 김에 참고로 귀무덤과는 다른 종류의 비의 존재를 소개하고자 합니다. 이것은 히데요시의 한 부하장수가 조선정벌 직후에 교토로부터 남쪽으로 약 60리 떨어진, 고찰의 소재지로 유명한 고야산에 세운 것입니다. 이것은 교토의 귀무덤이 지니는 의의를 이해하시는 데 새로운 지견을 줄 것으로 사료되는 까닭에 그 비문의 영역을 한 부 넣어 보내드립니다. 이 비는 1885년 일본이 적십자사에 가입할 당시 그 자격의 유력한 증명이 되었습니다.[44]

먼저 인용한 가토의 논문은 앞서 언급한 영문논문과 중복되는 부분도

---

43) 加藤玄智, 「古より我邦に充實せる赤十字の精神」, 『博愛』 334, 1915.

44) 『齋藤實關係文書』 書類の部一 수록(國會図書館憲政資料室 소장, リール番号110, 246~247コマ).

214

있지만, 여기서 제시한 구절은 영문논문에는 존재하지 않는다. 가토는 고려진공양비 외에 구스노키 마사쓰라의 적병구원, 유교지의 피아전사자 공양비가 일본의 적십자조약 가입과정에서 결정적인 역할을 했다고 소개하고 있지만, 그 정보의 출처에 대해서는 밝히지 않았다.

다음으로 든 사이토 마코토 서한의 수신자인 클로져 부인은 미 육군 퇴역장군 윌리엄 클로져의 부인인 윌리엄 메리 클로져(William Mary Crozier)이다. 당시 그녀는 남편과 함께 아시아 각국을 여행하고 있었는데, 교토에 들렀을 때 귀무덤을 견학하고는 그 잔인함에 충격을 받아 귀무덤의 철거를 사이토 마코토 조선총독에 탄원했다. 위에서 인용한 사이토 마코토의 서한은 클로져 부인의 탄원에 대한 사이토의 답장에 해당한다.[45]

사이토는 귀무덤에 대한 클로져 부인의 감상에 이해를 보이는 한편, 고려진공양비를 소개하고 일본의 적십자조약 가입과정에 대해 언급하고 있다. 연령에서도 추측되듯이 사이토(1858년 출생)가 일본의 적십자조약 가입과정에 직접적으로 관여할 여지는 없지만, 사이토는 미국 유학 중이던 1884년, 스위스에서 일본의 적십자조약 가입문제를 조정하고 일본으로 돌아가는 도중에 미국에 들른 오야마 이와오, 하시모토 쓰나쓰네 일행의 안내역을 맡은 바가 있어서,[46] 이 때 모종의 관련정보를 얻었을 가능성은 존재한다.

이상으로 일본의 적십자조약 가입에 관련된 세 가지 설을 살펴보았는데, 와시오의 설에서도 추측되듯이 일본의 적십자조약 가입과정은 결코 순탄하지 않았다. "구주(歐洲) 각국과 종교를 달리 하고, 도덕관념이 일치"하지 않는 일본이 적십자조약에 가입하는 것은 간단히 수긍되지 않았던 것이

---

45) 이상의 사정에 대해서는 琴秉洞, 『耳塚－秀吉の耳斬り・鼻斬りをめぐって－(增補改訂版)』, 176쪽 이하를 참조.
46) 財団法人齋藤子爵記念會 編, 『子爵齋藤實伝』 第一卷, 財団法人齋藤子爵記念會, 1941, 312쪽 이하를 참조.

다.[47] 만국적십자사는 적십자조약 가입조건으로 일본 측에 몇 가지 사실 증명을 요구했는데,[48] 그 가운데에는 적십자정신에 상응하는 역사적 사례의 제시도 포함되어 있었다. 이 점에 대해서는 1893년 무렵의 이시구로 다다노리·사노 조민의 회고담, 하시모토 쓰나쓰네의 전기에 상세한 내용이 보인다.[49] 그에 따르면, 일본정부는 신라정벌에 앞서 항복하는 자는 죽이지 말라고 했다는 신공황후의 일화와 서남전쟁기의 적군간호 등을 제시했다고 하는데, 이 과정에서 고려진공양비가 거론된 흔적은 보이지 않는다. 이는 당연한 결과라 할 수 있다. 왜냐하면, 일본정부가 가입을 추진한 적십자조약이란 〈傷病者의 상태개선에 관한 제1회 적십자조약〉이었으며, 가입조건으로 전사자의 취급이 화제가 될 리 없기 때문이다. 물론 고려진공양비가 거론되었을 가능성을 완전히 배제할 수는 없지만, 그 가능성이라는 것은 어디까지나 여담으로서의 가능성이며, 공식적인 효력에 관련된 가능성은 아니다. 요컨대, 고려진공양비와 일본의 적십자조약 가입과정 사이에는 직접적인 관계가 없는 것으로 판단된다. 양자를 직결시키는 담론은 메이지~다이쇼시대에 〈고려진공양비=박애=적십자〉라는 인식이 자리 잡은 결과 생겨난 부산물이라고 할 수 있을 것이다.

적십자조약가입과 관련하여 고려진공양비를 제시하는 담론은 1940년대에도 확인되는데,[50] 실은 현재도 야사로서 유포되고 있는 실정이다.[51]

---

47) 日本赤十字病院 編, 『橋本綱常先生(複製版)』, 大空社, 1994(초판 1936), 46쪽.

48) 「瑞西國政府ニ於テ設立ノ赤十字社ヘ加入ノ件」(JACAR[アジア歷史資料センター]Ref. A03023614900, 公文別錄·外務省·明治十五年~明治十八年·第三卷·明治十七年~明治十八年[國立公文書館])을 참조. 일본의 적십자조약 가입과정 전반에 대한 개설과 관련 사료에 대해서는 北野進, 『赤十字のふるさと―ジュネーヴ條約をめぐって―』, 雄山閣, 2003, 第五章 및 第八章을 참조.

49) 『日本赤十字』 2, 1892, 4~12쪽 ; 『日本赤十字』 17, 1893, 6~11쪽 ; 『橋本綱常先生』, 41쪽 이하.

50) すみ岡生, 「怨親平等の思想と其の事蹟」, 『大日』 246, 1941, 56쪽.

51) 2007년 9월 4일자 『中外日報』의 사설을 참조.

216

근대를 통해 구축된, 고려진공양비를 둘러싼 강렬한 박애의 이미지는
오늘날에도 건재한 것이다.

제4절 전사자공양을 둘러싼 '집요저음'

이상에서 살펴본 바와 같이, 근대에 이르러 고려진공양비는 자비='문
명'의 표상으로 자리매김 되었다. 그러나 이러한 와중에도 전근대에서
확인되었던 전승기념의 요소가 완전히 불식된 것은 아니었다. 다음 사료를
검토해 보도록 하자.

이 곳 고야산의 취지가 종조 홍법대사(弘法大師, 구카이=인용자)의
서원에 근거하여 예로부터 귀천 구별 없이 석탑을 세워 보제를 비는
것이라는 점은 널리 세상에 알려진 바와 같습니다. 특히 대소 제후,
영웅, 명장의 석탑이 의연하게 늘어서 있는데, 분로쿠(文祿) 정한역(征韓
役) 때 피아전사병몰자의 보리를 빌기 위해 시마즈씨가 세운 석비는
내외인을 가장 크게 감동시켰던 것입니다. 이에 졸승(拙僧)은 발원하는
바, 메이지 37·8년 전역(戰役)에서 희생된 충사자의 영혼(英魂)을 제사지
내고, 아울러 러시아 군인 전사병몰자의 혼령도 합사함으로써 원친이
평등하게 깨달음을 얻게 하고자 합니다. 이를 위해 높이 1장 5척의 동제(銅
製) 여의보주탑(如意寶珠塔)을 당산에 건립하여 국위를 불후하게 기념하
고, 국민의 사기를 고무하고자 합니다. 이 비문에 기입하기 위해 아래의
인원수(육군의 전사 및 병몰자 수=인용자)를 급히 알려주셨으면 합니다.
별다른 문제가 없으시다면 상세하게 지시해 주셨으면 하여 이상과 같이
여쭈는 바입니다. (하략)[52]

52) 「戰役死沒者人員ノ件」(JACAR[アジア歴史資料センター]Ref. C04014441100, 陸軍省
大日記·壹大日記·明治四十一年十二月「壹大日記」[防衛省防衛研究所]). 밑줄은
인용자에 의함. 이 사료에 대해서는 후지타 히로마사가 언급한 바 있다(「近代日本

위 사료는 제4장에서 '원친평등론'의 정치적 문맥을 논할 때 일부 언급했던 것이지만, 여기서는 좀 더 자세히 내용을 살펴보도록 하자.

1908년 말, 고야산 조키인(常喜院)의 주지 다이조 다이엔(大乘大円)[53]은 러일전쟁에서 희생된 전병사자를 추도하는 보주탑을 조성하는 과정에서, 일본육군의 희생자 수에 대해 육군대신 데라우치 마사다케(寺内正毅)에게 문의했다. 다이엔은 엇비슷한 내용의 문서("국위를~합니다"의 문장 등을 생략)를 재일러시아대사에게도 보내 러시아군 희생자 수에 대해 문의했다.[54] 다이엔의 문의에 대해서는 육군성 등으로부터 회답이 있었던 듯, 1910년에 완성된 보주탑에는 "아군의 전사병몰 총수 94,069명"이라고 새겨져 있다. 참고로 보주탑은 현재도 조키인에 남아 있다.

위 사료에서 주목되는 것은 보주탑 건립의 취지이다. 보주탑 건립의 배경에는 "원친이 평등하게 깨달음을 얻게 하고자" 한다는 종교적 맥락이 존재했지만, 한편으로 전승기념이라는 의도도 존재했던 것이다. 그런데 다이엔이 원친평등의 보주탑을 구상하게 된 계기는 다름 아닌 고려진공양비였다. 요컨대, 다이엔은 고려진공양비를 전승기념비로도 바라보고 있었던 것이다.

그런데 이와 같은 다이엔의 인식이 당시 꼭 생소한 것은 아니었던 것 같다. 예컨대, 『日本史 : 統一中等歷史敎科書』下卷(藤岡継平 著, 大盟館,

---

における「怨親平等」觀の系譜」, 110~111쪽).

53) 다이조 다이엔은 상당한 기인이었던 듯, "조키인 주지로 취임한 이래 기행으로 유명한", '고야산의 명물'이라는 인물평이 보인다. 또한 구체적인 사정은 알 수 없지만, 보주탑의 건설은 당초 고야산 내에서 심한 반대에 부딪혔다. 이상의 내용에 대해서는 『六大新報』 173, 1906.12.2, 14~15쪽 ; 『六大新報』 174, 1906.12.9, 16쪽 참조.

54) 「高野山ニ日露兩國戰病死者ニ對スル如意宝珠塔建立方ニ關シ同山常喜院住職伺出一件」(JACAR[アジア歴史資料センター]Ref. B07090962200, 外務省記錄·5門軍事·2類戰爭·9項墓地埋葬痕跡及記念[外務省外交史料館]). 이 사료에 대해서는 오타니 다다시(大谷正)가 언급한 바 있다(「日露戰爭で死亡したロシア軍人墓を調べる旅－札幌·熊本·高野山－」, 『東アジア近代史』 8, 2005, 81~83쪽).

218

1917)에는 임진왜란과 관련하여 "우리의 무위를 해외에 떨치고 국민진취의 기상을 촉진하여, 이후 우리나라 사람의 해외발전에 일조한 바 크다"라는 설명과 함께 고려진공양비의 탁본이 게시되어 있다(78쪽). 고려진공양비의 탁본이 전승기념의 맥락에서 제시되었으리라는 점은 미루어 짐작할 수 있다. 또한 1925년에 와카야마현 사적명승천연기념물조사회 위원이무라 요네타로(井村米太郎)는 "이 비(고려진공양비＝인용자)는 한편으로 국위를 선양함과 동시에 일시동인의 박애주의를 중외에 보여주는 빛나는 일대 사적이므로 영원히 보존할 필요가 있다"라고 언급했다.[55]

참고로 말하자면, 적군전사자공양을 대표하는 귀무덤 역시 대외적으로는 고려진공양비 등과 더불어 일본사회의 자비＝'문명'을 상징하는 사적으로 선전되었지만, 일본사회 내부에서는 전근대에 형성된 조선멸시관을 배경으로 전승기념비로도 인식되고 있었다. 특히 청일전쟁에 즈음해서는 귀무덤이 크게 부각되어, 귀무덤에 상응하는 발총(髮塚), 즉 청국 전사자들의 변발을 잘라내어 묻은 봉분을 만들자는 담론도 등장한다.[56]

이처럼 전근대적 요소로서의 전승기념은, 자비＝'문명'이라는 근대적 요소가 강조되는 과정에서도 사회저변에 잔존해 있었다. 이와 관련하여 한 가지 더 확인해 두고자 하는 것은, 전사자공양을 둘러싼 또 다른 전근대적 요소가 발현될 만한 기반이 일본사회 내부에 상존했다는 사실이다. 예컨대, 전사자공양의 저류를 형성하고 있던 원령에 대한 감각도 근대에 이르러 완전히 불식된 것은 아니었다. 예컨대, 1869년 교토 히가시야마(東山)에서는 페리 내항 이래의 '冤枉罹禍者'를 위한 초혼제가 거행되었으며,[57] 1874년 사가(佐賀)의 난에서 희생된 에토 신페이(江藤新平)를 둘러싸고는 고대의 어령(御靈)신앙을 방불케 하는 민중의 동향이 포착되

---

55) 和歌山縣, 『和歌山縣史蹟名勝天然記念物調査會報告』 第4輯, 1925, 37쪽.

56) 『伝灯』 78, 1894.9.28, 21쪽.

57) 大江志乃夫, 『靖國神社』, 岩波書店, 1984, 119~120쪽을 참조.

기도 했다.[58] 또한 청일전쟁기에는 적군전사자의 원령이 의식되기도 했으며,[59] 러일전쟁기에는 아군전사자 등이 원한을 버리고 저 세상으로 편히 떠날 것을 기원하는 담론이 심심찮게 등장했다.[60] 다이라노 마사카 도(平將門)의 원령이 시공을 초월하여 근현대 일본사회에서 의식되었던 것도 우연이 아니었다.[61] 전사자공양을 둘러싼 '집요저음'은 근대를 관통 하고 있었던 것이다.

이상, 본장에서는 고려진공양비에 대한 검토를 통해 피아전사자공양의 사례연구를 시도했다. 끝으로, 본장에서 밝혀진 내용을 정리해보자. 우선, 비문 분석을 통해 전사자에 대한 자비와 함께 자신의 전공을 현창하고자 하는 공양주체의 의도를 확인할 수 있었다. 즉, 통설의 주장과는 달리 고려진공양비에는 자비 일변도로 파악할 수 없는 측면이 존재했던 것인데, 전승기념비로서의 고려진공양비는 생자 중심의 세계관으로 경도되어 가던 중·근세인의 심성을 여실히 보여주는 표상이기도 했다.

한편 고려진공양비를 둘러싼 복수성은 근세에도 이어졌는데, 특히 전승기념의 시각과 관련해서는 고려진공양비의 건립과정에서도 간취되 었던 조선멸시관의 영향이 확인되었다. 전승기념비로서의 고려진공양비 는 건립 당초 이래 조선멸시관과 불가분의 관계에 있었다.

근대에 들어서면 근세까지의 복수성은 표면상 사라지고, 고려진공양비 를 둘러싸고는 일정한 이미지가 굳어져 갔다. 타자의 시선을 배경으로

---

58) 今井昭彦, 『近代日本と戰死者祭祀』, 東洋書林, 2005, 166~167쪽을 참조.

59) 『密嚴教報』 129, 1895.2.12, 18쪽을 참조.

60) 「弔常陸丸殉難死者文」(今村金次郎 編, 『戰時弔祭祝辭文例』, 鴻盟社, 1905 수록) ; 「非 戰鬪員の敵地にて虐殺されしを吊する文」(河村北溟 編著, 『軍人送迎祝祭慰問感謝文』, 大 學館, 1905 수록) ; 「井上大將の弔祭文」(小林鶯里 編著, 『祝賀送迎弔祭文集』, 厚生堂, 1905 수록) 참조.

61) 다음의 신문기사를 참조. 「將門の靈よ 鎭まり給へ きのふ大藏省で」(1928년 3월 28일자 『讀賣新聞』[朝刊]), 「成仏せよ平將門 大藏省で塚跡に厄拂ひの建碑」(1941년 3월 13 일자 『讀賣新聞』[朝刊]), 「怪談丸の內」(1970년 7월 19일자 『朝日新聞』[東京版]).

자비가 '문명'의 의미로 해석되고 추구되었던 근대일본의 시공 하에서, 고려진공양비는 일본사회의 '미풍'을 상징하는 사적으로 자리매김 되었다.

그러나 이러한 와중에도 고려진공양비는 여전히 전승기념비로 인식되기도 했다. 전사자공양을 둘러싼 '집요저음'은 근대를 관통하고 있었던 것이다.

이상의 검토결과로부터 다음과 같은 연구전망도 가능할 것이다. 우선 피아전사자공양에 대해서는 보다 폭넓은 사회적 배경을 구상할 필요가 있을 것이다. 본장에서 제시한 전승기념의 문맥도 계속해서 발굴해 나가야 할 테지만, 여타 문맥의 존재가능성에 대해서도 충분히 검토해야 할 것이다. 예컨대, 수총의 조성은 전란에서 발생한 대량의 사체를 처리하는 과정에서 자연스레 선택된 습속일지도 모른다.[62] 위생의 관점에서 볼 때, 사체의 방치는 해당지역의 방기로 이어질 수도 있다. 고대 이래로 각 도시에 일정한 사체처리구역이 설정되었던 것도 우연은 아니다. 전후에 살아남은 자들은 생존의 관점에서 사체처리에 매진했을지도 모를 일이다.

피아전사자공양을 둘러싼 역사인식문제의 경우, 후지타 히로마사가 제시한 윤곽이 대체로 타당하다고 생각한다. 그러나 본장에서 검토한 바와 같이, 피아전사자공양을 둘러싼 근대인의 인식이 자비='문명'의 틀 속에 수렴되는 것은 아니다. 후지타설을 전제로 자비='문명'의 틀이 부상하는 과정을 면밀하게 검증하는 작업도 중요하겠지만, 이 틀에 포섭되지 않는 사례를 발굴·정리하는 작업도 병행되어야 할 것이다. 이러한 작업과정에서 일본전통문화의 다양한 속살도 엿볼 수 있을 것이다.

---

62) 이 점에 대해서는 함동주 선생님과 남기학 선생님으로부터 조언을 얻었다. 두 분의 호의에 감사드린다.

결론

　본서에서는 사무라이의 정신세계 및 일본사회의 전통의 일단을 엿보기 위해, 〈원친평등=‘피아전사자공양’〉설을 비판적으로 검토하고, 이를 바탕으로 원친평등이라는 용어가 실제로 어떤 문맥에서 원용되었는지를 실증적으로 규명하고자 했다. 구체적으로는 원친평등을 매개로 하는 전사자공양의 논리를 ‘원친평등론’으로 상정하고, 그 역사적 변용을 추적했다. 또한 근대에 원친평등이 부각된 경위를 검토하고, 나아가 고려진공양비를 들어 피아전사자공양의 사례연구를 시도했다.

　우선 중세~근대의 ‘원친평등론’을 돌이켜보면, 다음과 같다. 여몽연합군의 일본침공 이후 무가쿠 소겐(無學祖元)에 의해 처음으로 ‘원친평등론’이라 할 만한 담론이 제시되었지만, 그 본격적인 전개는 무소 소세키(夢窓疎石)와 그 제자들에 의해 실현되었다. 무소파 선승들에 의해 설파된 ‘원친평등론’은 아시카가 장군가가 부채의식을 지니고 있던 전사자들을 진혼하는 맥락의 것이었다. 즉, 중세의 ‘원친평등론’은 원령을 무해화하는 논리로서 전개되었던 것이다. 이는, 대략 12세기 이후 전사자공양에서 원령진혼의 맥락이 두드러진다는 역사적 사실과 부합한다.

　중세의 ‘원친평등론’에서 특히 주목되는 것은 원친을 둘러싼 관점이다. 중세의 ‘원친평등론’에서 원친은 사자를 주체로 하는 것으로, 오늘날의 〈원친평등=‘피아전사자공양’〉설에서 원친이 생자를 주체로 하고 있는 점과 대조를 이룬다.

단, 거시적으로 볼 때, 중세의 '원친평등론'과 〈원친평등='피아전사자 공양'〉설 사이에 접점이 전혀 존재하지 않는 것은 아니다. 중세의 '원친평 등론'은 사자·성(聖)에 대응하고자 하는 생자·속(俗)의 의지의 표현으로도 읽을 수 있으며, 16세기의 '원친평등론'에서는 생자를 축으로 하는 관점도 발견되기 때문이다.

무소파의 '원친평등론'을 계기로 원친평등이 곧잘 원용되게 되었다는 점은 부정할 수 없지만, 그렇다고 하여 '원친평등론'이 중세후기에 폭넓게 유포되었다고는 보기 어렵다. 무소파의 조락도 이러한 동향에 일정한 영향을 주었다고 여겨지는데, 아울러 시마바라(島原)의 난 이후 평화의 시대가 장기간 지속되면서 무소파의 '원친평등론'이 새로이 전개될 여지 는 거의 사라지게 된다.

그러나 '원친평등론'이 단절되었다고 하여 근세에 원친평등이라는 용어 자체가 잊힌 것은 아니었다. 원친평등은 조사신앙·교학진흥·출판문 화라는 세 가지 요소를 매개로 반복적으로 상기되고 계승되어갔다. 중세에 원친평등은 특히 선승들에게 익숙한 용어였지만, 근세에 들어서 원친평등 은 승려 일반에 열린 용어였다. 근대불교계 일반에서 원친평등에 관한 담론이 종파에 관계없이 전개된 배경에는 근세불교계에서 원친평등이 폭넓게 유포되고 있었다는 사실이 존재한다.

이처럼 근세불교계에서 원친평등이 폭넓게 유포되고 있던 상황을 감안 하면, 원친의 대립구도가 부각되는 무진전쟁기부터 '원친평등론'이 재등 장해도 이상할 것은 없지만, 그러한 사태는 벌어지지 않았다. 그 배경에는 관적(官賊)의 준별이라는 전사자제사를 둘러싼 메이지정부의 확고한 방 침, 그리고 그 방침에 따를 수밖에 없었던 근대불교계의 정치적 입장이 존재한다. 방심할 수 없는 국내외 정세에 직면하여 상명하달식의 근대화를 추진했던 메이지정부는 다양한 층위의 군사동원을 상정하며 관적준별의 길을 선택했다. 한편, 폐불훼석(廢佛毀釋)의 역풍 속에 경제적 특권을 박탈당하고 성성(聖性)마저 빼앗긴 불교계는 관적준별이라는 정부의 방침에 어긋나는 행동은 취하기 어려웠다.

관적준별이라는 정부의 방침은 메이지유신기에 관철되었지만, 1872년 무렵부터 전사자공양의 환경에 변화가 나타난다. 이 해에 적군전사자의 유족과 동료들의 탄원운동으로 인해 적군전사자제사의 일부 항목에 대해 정부의 허가가 내려졌으며, 1874년에 이르러 적군전사자제사가 전면 공인되었다. 이 조치를 계기로 피아전사자공양과 적군전사자공양이 환기되는 가운데 서남전쟁이 발발한다.

서남전쟁기에는 적군전사자가 비교적 존중되었는데, 이러한 환경 하에서 '원친평등론'이 부활했다. 서남전쟁기의 '원친평등론'에는 전사자일반을 구제하는 아미타불의 입장을 확인하는 문맥도 존재하는데, 이는 근대의 '원친평등론'이 단순히 공양주체의 자비를 축으로 하는 것이 아님을 예기하는 것이었다.

원친평등을 둘러싼 담론은 청일·러일전쟁을 계기로 폭발적으로 등장한다. 그 배경에는 '문명' 전쟁을 관철시키고자 한 정부의 방침, 그리고 그 방침에 적극적으로 대응하고자 한 불교계의 자세가 존재한다. 원친평등은 적십자로 대표되는 '문명'의 불교적 역어로 채용되어 크게 거론되었다. '문명' 정신으로서의 원친평등은 청일·러일전쟁기 내내 적극적으로 설파되었으며, 그 기반 위에서 '원친평등론'이 전개되었다.

피아전사자공양과 적군전사자공양의 장에서 원친평등은 두 가지 문맥에서 설파되었다. 우선 원친평등이 절복(折伏)에 대비되는 섭수(攝受)의 레토릭으로 설파되거나 전사자일반을 구제하는 부처·보살의 입장을 표상하는 용어로 설파되는 경우가 존재했다. 이와 같은 종교적 문맥에 대해 정치적 문맥이 전면에 등장하는 경우도 존재했다. '문명' 정신으로서의 원친평등에 근거한 피아전사자공양과 적군전사자공양은 종종 천황의

인자(仁慈)에 수렴되었으며, '원친평등론'은 천황을 중핵으로 하는 '국체'
의 지지 논리로서 전개되었다.

오늘날의 〈원친평등='피아전사자공양'〉설에는 들어맞지 않는 현상
이지만, 원친평등은 아군전사자공양의 장에서도 원용되었다. 거기에도
두 가지 문맥이 존재했다. 우선, 피아전사자공양·적군전사자공양으로서
의 원친평등이 삽입구로서 원용되는 경우가 있었다. 이러한 사실과 당시
'원친평등의 추조회'와 같은 관용구가 널리 통용되고 있었다는 사실을
감안하면, 피아전사자공양·적군전사자공양으로서의 원친평등이 청일·
러일전쟁기에 주류를 형성하고 있었다는 점은 틀림없다. 단, 아군전사자
에 대한 회유로서의 원친평등의 원용도 보여, 사자를 축으로 하는 '원친평
등론'의 존재는 근대에도 인정된다. 이상과 같은 청일·러일전쟁기의
'원친평등론'은 오늘날의 〈원친평등='피아전사자공양'〉설의 토대로 자
리매김할 수 있다.

다이쇼시대 이후에도 대외전쟁은 계속해서 발발했으며, 이에 연동하여
불교계에서는 각종 전사자공양이 거행되고 재삼 원친평등이 설파되었다.

제1차세계대전기의 '원친평등론'에서는 '세계'·'평화'가 키워드로 부
상했는데, 이러한 동향의 배경에는 세계적 평화무드에 근거하여 국내외에
자신의 존재감을 어필하고자 한 불교계의 의도가 존재했다. 제1차세계대
전기의 '원친평등론'은 우선 종교적 문맥에서 전개되었지만, 그 배후에는
불교계 나름의 '정치'가 도사리고 있었던 것이다. 단, '세계'·'평화'를
내세우는 '원친평등론'에는 큰 반향이 없었던 듯, 1919년에 대대적으로
개최되었던 '세계적 추도회'는 일회성 이벤트에 그쳤다.

만주사변 이후의 '원친평등론'은 주로 정치적 문맥에서 설파되었다.
근대 이후 원친평등의 정치적 문맥은 청일·러일전쟁기부터 확인할 수
있지만, 만주사변을 계기로 '원친평등론'을 둘러싼 불교계와 정부·군부
의 연계가 공공연하게 표면화된다. 중국대륙에서의 전선이 확대됨에

따라 정부와 군부는 현지에서의 종교적 선무공작의 필요성을 통감하고, 불교계의 활동에 큰 기대를 걸었다.

만주사변 이후의 '원친평등론'은 대부분 '일화친선'의 문맥에서 설파되었다. 예외가 없는 것은 아니지만, 중국내지로 전선이 확대됨에 따라 원친평등이 설파되는 장은 점차 한정되어갔다. 각종 방중·방일 사절단과 시찰단은 마치 통과의례처럼 '원친평등공양'에 참가했으며, 그 때마다 '일화친선'이 연출되었다.

이 시기 '원친평등론'의 특징 가운데 하나는 생자에 대한 회유로서의 측면이 강조되었다는 점이다. '원친평등론'이 선무공작의 관점에서 거론되었다는 점을 감안하면, 이는 당연한 결과라고도 할 수 있다. 그것은 구체적으로는 "우리 일본인은 원친평등의 견지에서 중국인 전사자도 공양해주고 있다. 당신들 중국인도 원친평등의 입장에서 일본인에 대한 원한을 버리라"는 프로파간다였다.

아시아태평양전쟁기에 들어서면, 만주사변~중일전쟁을 통해 부각된 원친평등의 정치적 문맥이 한층 강조되는데, 이 과정에서 각광받은 것이 흥아관음이다. 흥아관음은 1930~40년대에 군관민일체의 형태로 전개된 관음신앙운동과 선무공작으로서의 '원친평등론'이 결합한 지점에서 출현했다. 마쓰이 이와네(松井石根)에 의한 아타미(熱海) 흥아관음의 조영을 필두로, 각종 흥아관음이 '일화친선'의 상징으로 제작되고 설정되어 일본 각지와 중국 등에 안치되었다. 흥아관음의 면전에서 중국군과 일본군 전사자들의 명복이 기원된 것은 분명하지만, 흥아관음은 전사자공양의 논리만으로 완결되는 기념물이 아니었다. 흥아관음은 궁극적으로는 '성전'의 전개에 따라 계속해서 발생하는 '흥아의 초석'들을 위해 준비된 '기억장치'였다. 흥아관음의 면전에서 전승기원이 이루어져도 어색하지 않은 이유는 이러한 문맥 속에 존재한다.

이상과 같이 '원친평등론'은 애초부터 일정한 논리 하에 초역사적으로 전개되었던 것은 아니며, 시대상황에 연동하며 다양하게 변용되었다. 원령진혼, '문명', '세계'·'평화', '일화친선' 등 '원친평등론'은 일본사회가 지니고 있던 현안에 연계되는 키워드를 매개로 전개되었다. 한 가지 간과할 수 없는 것은, 중세 이래의 '원친평등론'이 거의 예외 없이 공권력의 동향과 밀접하게 연관되어 있다는 점이다. 동서고금을 막론하고 전사자제사는 극히 정치적인 행위라 할 수 있다. 전사자공양의 장에서 설파된 '원친평등론'도 예외는 아니었으며, 항상 정치적 함의를 지니고 있었던 것이다. 개인 레벨의 종교심을 전면 부정하는 것은 아니지만, 일본사회의 '원친평등론'은 순수한 형태로 보지되지 않았으며, 무의식적으로 정치에 동원되거나 의식적으로 정치에 접속되었다.

본서에서는 '원친평등론'의 추적에 이어 피아전사자공양의 사례연구의 일환으로 고려진공양비에 대해 검토했다. 고려진공양비는 자비와 전공현창이라는 두 가지 문맥이 혼효된 지점에서 탄생했다. 전승기념비로서의 고려진공양비는 생자중심의 세계관으로 경도되어가던 중·근세인의 심성을 상징하는 기념물이었다. 이러한 복수성은 근세에도 계승되어, 근세인은 고려진공양비를 자비·영험·전승기념의 관점에서 바라보고 있었다.

그러나 근대에 들어서면, 근세까지의 복수성은 표면상 사라지고, 고려진공양비는 일본사회의 자비='문명'을 상징하는 사적으로 자리매김 되었다. 고려진공양비가 일본의 적십자조약가입과정에서 결정적인 역할을 했다는 낭설의 유포는 근대일본사회에서 고려진공양비가 놓여있던 위치를 여실히 보여준다.

이처럼 '고려진공양비=자비=적십자'라는 인식이 통용되는 가운데에도, 피아전사자공양을 둘러싼 전근대적 문맥은 일본사회의 저류에서 살아 숨 쉬고 있었다. 고려진공양비는 전근대 일본사회의 조선관 등을 배경으로 전승기념비로도 인식되고 있었다. 이 무렵에는 원령에 대한 감각도 여전히 확인할 수 있어서, 전사자공양을 둘러싼 '집요저음'이 근대일본사회에서도 울려 퍼지고 있었음을 알 수 있다. 이러한 사실은 '원친평등론'이 근대를 경계로 생자중심의 담론으로 변용되면서도 중세적 문맥, 즉 사자의 시선에 근거한 논리를 보지하고 있었다는 사실과 부합한다고 할 수 있다.

　중세 이래의 '원친평등론'을 돌이켜보면 알 수 있듯이, '원친평등론'은 승자의 논리이다. 그러나 종전 직후의 일본사회에서는 패자의 '원친평등론'이 설파되어간다. 이 불가사의한 현상은, 한편으로 전사자공양을 둘러싼 일본사회의 전통을 생각하는 데 중요한 힌트가 된다고 여겨진다. 그러나 그것이 불교계의 정치적 이해관계와 전혀 무관한 것인가를 생각해 보면, 역시 석연치 않은 부분이 남는다. 전후의 '원친평등론'에서 강조된 불교적 원리가 그토록 중시되었던 것이라면, '귀축미영(鬼畜米英)'의 전사자를 위한 공양은 전시 중에도 펼쳐졌을 것이다. 성불의 자질이 현격하게 떨어지는 '귀축미영'을 위해서는 절복이 우선시되었다고 강변할 수도 있을 테지만, 어쨌든 죽으면 적군도 아군도 존재하지 않는 것이니 섭수로서의 원친평등은 어딘가에서 설파되어야 하지 않았을까? 불교계가 제창한 '원한 없는 평화'는, 전후에 일본사회의 '원한 없는 평화'를 바라마지 않았던 누군가를 향해 발신되었던 것이라고 보아야 할 것이다. 중세~근대에서 확인된 정치적 담론으로서의 '원친평등론'은 전후에도 계승되었던 것이다.

　원친평등이나 '피아전사자공양'을 둘러싸고 일본사회의 전통을 구상하는 것이 불가능하지는 않지만, 그 내용은 보다 신중하게 규정할 필요가 있을 것이다. 원친평등의 경우, 원친평등이라는 용어가 전사자공양의 장에서 곧잘 원용되어 '원친평등론'이라 할 만한 담론이 반복해서 전개되었다는 사실이 일본사회의 전통이라고 할 수 있을 것이다. 단, '원친평등론'이라고 해도 시대적 변용이 보이는 점은 지금까지 누누이 서술한 대로이다. 크게 보면, 중세의 '원친평등론'과 근대의 '원친평등론' 사이에 상당한 격차가 존재한다고 할 수 있는데, 근대의 '원친평등론'도 제1차 세계대전을 경계로 질적인 차이가 인정된다. 통시적으로 조망해보면, 근세를 축으로 하여 사자·성 중심에서 생자·속 중심으로 탈각하고자 하는 중세의 '원친평등론'과 생자·속이 사자·성을 압도하는 근대의 '원친평등론'으로 양분되며, 근대의 '원친평등론'은 중세적 감각이 엿보이는 청일·러일전쟁기와 전사자공양의 장에 참가하는 생자들이 부각되는 만주사변 이후의 시기로 세분할 수 있다.

한편, '피아전사자공양'의 경우, 본서에서 전면적으로 검토한 것은 아니므로 단언할 수 없지만, 대략 일본사회의 전통이라고 인정해도 좋을 것이다. 단 그것이 거행된 이유에 대한 검토는 앞으로의 과제라고 하지 않을 수 없다. 총체로서의 '피아전사자공양'의 이미지가 고착된 결과 '피아전사자공양'은 검증이 끝난 역사현상으로 간주되곤 하지만, 이것은 큰 착각이라 하지 않을 수 없다. 고려진공양비에 대한 검토에서 해명되었듯이, '피아전사자공양'을 둘러싸고 일의적인 전통을 설정하는 것은 거의 불가능에 가깝다고 할 수 있다. '피아전사자공양'에 대한 앞으로의 연구는 '피아전사자공양'을 둘러싼 복수의 문맥이 시대의 추이(중세에서 근세로의 전환 등) 속에서 어떻게 경합하고 융합되어갔는가를 추적하는 형태로 진행되어야 할 것이다. 또한 '피아전사자공양'을 둘러싼 일본사회의 전통을 구상할 때는 동아시아의 틀도 염두에 두어야 할 것이다. 전통의 검증은 타자와의 비교를 통해 완결되는 것으로, 동아시아세계에서의 '피아전사자공양'이라는 틀은 '피아전사자공양'을 둘러싼 일본사회의 전통을 추출하는 데 유효할 것이다.

이처럼 사무라이의 정신세계와 일본사회의 전통문화의 일단을 표상하는 것으로 각광받아왔던 원친평등, '피아전사자공양'의 실태는 결코 자명한 것이 아니다. 이 두 가지 키워드를 둘러싸고 지금까지는 주로 이념형이 추구되어왔다고 할 수 있는데, 앞으로는 의식적으로 해체작업이 이루어져야 하지 않을까 싶다. 본서의 시도가 그 일환이라는 점은 두말할 나위 없다. 다양한 각도에서의 해체작업을 거쳐 다시금 사무라이의 정신세계와 일본사회의 전통문화를 재구성하는 작업이 이루어지겠지만, 그 과정에서 드러나는 것이 박제된 사무라이·전통이 아니리라는 점은 분명하다.

전사자를 포함하여 어떤 존재의 부재에 대해 의식하는 것은 매우 중요한 감각이다. 자비든, 공포든, 단순한 찜찜함이든 이 감각은 인식주체의 현실생활에 일정한 자기규율을 부여하기 마련이다. 필자가 보기에 이 감각은 일본사회의 근저에 살아 숨 쉬고 있으며, 앞으로도 일본사회의 저력으로 크게 작용하리라 생각한다. 단, 이 귀중한 감각이 정치적 문맥에서 임의로 동원되는 사태에 대해서는 크게 경계하지 않으면 안 될 것이다. 일본사회의 전통으로서의 원친평등의 생명력도 이 감각의 순수성을 필사적으로 유지함으로써 담보될 것이다.

부록_『明教新誌』의 서남전쟁기 전사자공양 관련기사 목록

게재일	호	지역	장소 등	종파	내용
10/04/12	446	西京	靈嚴寺	淨土	深川 東大工町 瀨戶物屋 某甲의 노모 등의 발원으로, 百万遍念仏 거행됨(4.4~4.5). 도사는 獅子吼敎正. 官軍供養.
10/04/24	452	鎌倉	光明寺	淨土	寂惠上人 550回忌에 즈음하여 戰死諸靈을 위해 大施食會가 거행됨. 도사는 光明寺 주지 吉水中敎正.
10/05/06	458	長崎島原	安養寺	眞宗	菊池寬容의 발원으로 법회가 개최됨. 도사는 熊本 善生寺의 前原峯春講義. "설교에서는 조정이 이처럼 인민보호에 진력하고 있다는 점을 삼가 깨우쳤다. 도속(道俗)이 모두 기쁨의 눈물을 흘렸다"라고 보임. 官軍供養?
10/05/06	458	長崎	?	曹洞	島原 晴雲寺의 現宗, 唐津 龍源의 洪堂, 波呂村 龍國寺의 大宗의 발원으로 授戒會가 개최됨. 3月 이래의 사업. 도사는 天草 東向寺의 信叟仙受講義.
10/05/12	461	下野眞岡	長蓮寺	時宗	施餓鬼(4.20~25). 도사는一蓮寺 전주지 海老原本曉.
10/05/12	461	三州碧海郡大浜村	稱名寺	時宗	大施餓鬼(4.6~7).
10/05/14	462	神奈川縣飯泉	觀音前	淨土	大施餓鬼(5.3~4).
10/05/18	464	相模三浦郡長井村	不斷寺	淨土	秋元五平治, 紀伊國屋久兵衛 등의 발원으로 大施餓鬼가 거행됨(5.3~9). 도사는 光明寺의 敎正.
10/05/23	466	淺草榮久町	本法寺	日蓮	九州戰死諸靈의 追福(5.22).
10/05/25	467	筑後	?	淨土	施餓鬼(5.13부터 5일간). '國中末寺惣出勤'이라고 보임.
10/05/29	469	石川縣越中國	中敎院	淨土	大施餓鬼會(5.13).

10/05/29	469	武州岩槻	淨安寺	淨土	西南戰死亡靈追善(5.16~22). 도사는 光明寺의 敎正.
10/06/02	471	埼玉縣 若槻町	淨國寺	淨土	大放生會(5.23). 光明寺의 玄信敎正을 초대함.
10/06/04	472	西の久保	天德寺	淨土	大施餓鬼(6.2). 入仏供養의 祝疏에 戰死者追善의 문구가 있음.
10/06/04	472	深川	心行寺	淨土	大施餓鬼(5.28). 本山의 石井權大敎正를 청함.
10/06/10	475	愛宕下	大中敎院	眞言	庭儀土砂加持, 大施餓鬼 등 실시됨(6.8~9). 怨親平等.
10/06/10	475	西京府 下京七區	大藏寺	淨土	別時念仏, 大施餓鬼(5.23~28).
10/06/12	476	泉州堺綾町	來迎寺 (大敎支院)	淨土	大施餓鬼(6.13부터 실시예정).
10/06/14	477	下總舟橋	淨勝寺	淨土	例年의 日中法要에 즈음하여 西南戰死의 追福을 빔.
10/06/16	478	福岡	中敎院	天台	大施餓鬼會. 甘井亮憲講義 등 참가.
10/06/18	479	京都寺町	大雲院	淨土	三経轉讀, 放生會, 六道講式, 弥陀懺法, 大施餓鬼(6.3~9).
10/06/18	479	遠州浜松	心造寺	淨土	施餓鬼. 三州大樹寺의 山田敎正을 초대.
10/06/18	479	勢州桑名	淨土寺	淨土	大施餓鬼會(6.2). 導師는 淨土寺 주지 利光弘空. 諸宗合同.
10/06/20	480	淺草	伝法院	天台	常行三昧, 大施餓鬼, 法華三昧(6.17~19). 官軍供養.
10/06/20	480	越前福井 常盤木町	孝顯寺(第三号中敎院)	曹洞	大施餓鬼會(5.26~28). 도사는 森, 良範, 長谷川, 天穎 등.
10/06/20	480	豊後速見郡 杵築村	護法寺	眞言	'天下和順會'라 칭하고, 追善法會를 거행(5.17). 諸宗合同.
10/06/22	481	石川縣越中	中敎院	眞言	施餓鬼(6.9~10). 도사는 野山天德院의 前田淸賢.
10/06/22	481	北海道函館	中敎院	淨土	戰亡得脫의 回向(5.30부터 3일간).
10/06/24	482	堺縣	中敎院	眞言	土砂加持, 施餓鬼(6.17).
10/06/26	483	淺草	壽松院 (中敎院)	淨土	大施餓鬼(6.23). '近來 보기 드문 大盛會'.
10/06/26	483	東京府 堀の内	妙法寺	日蓮	大施餓鬼(6.23). 府下第三八兩大區의 日蓮宗 30여 사찰의 연합법회.
10/06/28	484	會津	坂本 光明寺	?	戰死人埋葬地의 施餓鬼(眞宗, 淨土宗의 會津 진출을 전제로 함). 戊辰戰死者의 追幅. 會津 측 전사자?

10/06/30	485	名古屋	德源寺	?	施餓鬼. 加藤久平의 발원. 諸宗合同.
10/06/30	485	?	眞福寺	眞言	施餓鬼.
10/06/30	485	?	元西掛所	眞宗	施餓鬼.
10/07/02	486	大坂西高津	蓮光寺	日蓮	大施餓鬼. 官員들의 보시. 민간인공양.
10/07/02	486	山梨縣	甲府 小敎院	臨濟	戰死追福의 普濟會(7.14부터 실시 예정). 山梨縣 소재 臨濟宗寺院의 合同仏事.
10/07/02	486	勢州 四日市浜	敎場	淨土	光蓮寺의 三枝樹守道가 道場을 열고 戰死人의 追福을 빔.
10/07/04	487	大坂天滿	法住寺	淨土	戰死追福(7.1부터 7일간).
10/07/06	488	茨城縣	中敎院	淨土	護念経, 別時念仏, 放生會, 大施餓鬼(지난달에 이틀간).
10/07/06	488	相州戶塚 驛在倉田村	藏田院	?	大施餓鬼, 小経行道(7.1).
10/07/06	488	信州高井郡 綿内村	正滿寺	?	戰死人名 등을 조사한 후 1주일간 법회를 염. 『東京繪入新聞』에서 옮긴 내용임.
10/07/08	489	靑森縣	中敎院	淨土	朝日琇宏의 巡回에 즈음하여 戰死者追福이 시행됨. 朝日의 巡回에 맞춰 아래 장소에서 같은 취지의 법회가 열림. 實相寺(一戶), 善導寺/安養寺(福岡), 十王堂(八戶), 靑岩寺(七戶), 海中寺(野辺地), 心光寺(大畑), 遍照寺(馬門), 地藏院(八戶), 正覺寺(靑森).
10/07/10	490	越後柏崎	西光寺	淨土	戰死追福의 回向(6.19~21). 松谷魁嚴.
10/07/10	490	備前御野郡 仁王町	蓮昌寺	日蓮	施食, 放生會.
10/07/10	490	東京府 東兩國	高野山 出張所	眞言	施餓鬼(7.3~5), 土砂加持, 光明三昧(7.7). 獅岳, 東岡敎正도 출장.
10/07/10	490	淺草永住町	長遠寺	日蓮	戰死追福(7.8).
10/07/10	490	岡山縣	中敎院	天台	法花三昧(6.24).
10/07/10	490	兵庫縣	第一号 中敎院	眞言	土砂加持(6.25~26).
10/07/10	490	伊賀古郡村	常福寺	眞言	大施餓鬼(6.19~21).
10/07/10	490	江州塩津余村	正応寺	曹洞	施食(7.1).
10/07/12	491	兵庫縣	円通寺 (第三号 中敎院)	曹洞	中敎院 이전에 즈음하여 戰死追善이 거행됨(6월 중순). 도사는 日置默仙 등.
10/07/14	492	靑森	正覺寺	淨土	護念経千部法要.
10/07/16	493	橫浜	增德院(中敎院)	眞言	光明眞言, 大施餓鬼, 土砂加持(7.8~9). 祭文 등 상세한 내용.

10/07/16	493	西京	相國寺	臨濟	戰死追福(7.15).
10/07/16	493	勢州津	四天王寺	?	戰死追福(7.8).
10/07/18	494	播州 阿弥陀村	時光寺	淨土	戰死追福(6.25~28).
10/07/20	495	豊後沓掛村	宝陀寺	臨濟	戰死追福. 円越山 등 초청됨.
10/07/22	496	播州	心光寺 (中敎院)	淨土	戰死追福(7.2~4). 西山派 사원들의 협 의에 근거한 법회.
10/07/22	496	岐阜縣	中敎院	淨土	戰死追福(7.10). 도사는 柴田敎正.
10/07/22	496	大分縣 杵築村	妙経寺	?	施餓鬼.
10/07/24	497	淺草	幸龍寺	?	大施餓鬼(7.19). 馬道의 田中某의 발원.
10/07/24	497	三州豊橋	悟眞寺	?	百万遍, 施食(6.25).
10/07/24	497	濃州岐阜	?	?	川施餓鬼(7.17). 溺死人 및 西南戰死의 追福. 長良川에서 시행. 諸宗合同.
10/07/28	499	東京府 二の江村	妙勝寺	?	戰死追福.
10/07/28	499	長崎縣	大音寺	淨土	戰死追福. 古澤長十郎, 塘善吉의 발원. 吉水良祐를 초청함.
10/07/28	499	長崎縣	皓臺寺	曹洞	3일간 戰死追福. 老女 5~6인의 발원.
10/07/28	499	上總 市野々村	眞福寺	日蓮	戰死追福. 杉戸村의 長福寺에서도 동일 한 취지의 법회가 열림. 18개 사찰의 협의에 따른 법회였음.
10/07/30	500	京都	相國寺	臨濟	大施食(7.20). 大敎正도 참가.
10/08/02	501	東京府 伊皿子町	大敎院 (本隆/本成)	日蓮	施餓鬼(8.1). 本隆/本成派 敎職 총동원.
10/08/02	501	淺草榮久町	敎會所	眞言	土砂加持法要, 大施餓鬼(8.21부터 3일 간 예정). 成田山淺草行者臼田照英가 엄수함.
10/08/02	501	加州金澤	妙立寺	日蓮	戰死追福會(7.11~15).
10/08/02	501	丹後別所村	高福寺	曹洞	大施餓鬼.
10/08/02	501	遠江	第二号 敎院	曹洞	戰死追福(7.23~24).
10/08/02	501	三河 上津貝村	金隆寺	曹洞	般若會, 施食, 懺摩法(7.14~15).
10/08/04	502	上總埴生郡 中善寺村	行德寺	天台	中敎院 설치를 기념하여 大施餓鬼 등을 시행(7.22).
10/08/04	502	奧州 須賀川宿	十念寺	淨土	戰死追福(7.27부터 3일간).
10/08/04	502	長野縣	中敎院	淨土	戰死追福(3일간). 善光寺大本願의 尼敎 正도 참가.

10/08/06	503	淺草永住町	妙経寺	日蓮	戰死追福. 妙滿寺派의 合同仏事.
10/08/06	503	越後	國上寺	?	戊辰戰死者, 新潟縣의 死刑者 및 西南戰死者를 위해 土砂加持와 施餓鬼를 시행(7.15부터 7일간). 靈名 10만을 모아 塔內에 안치. 매년 7.17~18에 土砂加持를 실시할 예정. 戊辰戰死者의 追福.
10/08/08	504	和歌山縣	中教院	眞言	戰死追福(7.26). 導師는 楠教正.
10/08/08	504	丹後舞鶴	桂林寺	曹洞	戰死追福(3일간). 末寺 30개 사찰을 동원.
10/08/08	504	信州上五明村	西教寺	淨土	戰死追福(7일간).
10/08/08	504	豊前中津	龍松寺	曹洞	戰死追福會(8.3~7).
10/08/10	505	伊勢	西來寺	天台	戰死追福(3일간).
10/08/12	506	和歌山縣	中教院	臨濟	戰死追福(8.1). 中教院 이전(吹上寺→金龍寺)에 수반된 법회.
10/08/12	506	神奈川縣多摩郡二の宮	教務分局	臨濟	戰死追福.
10/08/14	507	西京	知恩院	淨土	戰死追福(8.17~19 예정). 門中이 총동원됨.
10/08/14	507	三州豊川	妙嚴寺(第二号中教院)	曹洞	懺法, 施餓鬼(8.5~6).
10/08/14	507	加州金澤	妙慶寺	淨土	戰死追福(7.30~31). 中教院의 僧衆 50명 가량이 동원됨.
10/08/16	508	大和	法隆寺	法相	夏談에 즈음하여 戰死追福의 土砂加持 실시됨.
10/08/16	508	伊賀上野	大超寺	淨土	戰死追福(8.3).
10/08/20	510	山梨縣稻門村	遠光寺	日蓮	戰死追福(8.13~14). 延山貫首인 吉川教正이 출장.
10/08/20	510	大分縣	中教院	淨土	戰死追福(7.29부터 3일간).
10/08/22	511	岩代國梁川町	小教院	曹洞	戰死追福(7.9부터 7일간).
10/08/22	511	堺南旅籠町	南泉寺	臨濟	戰死追福(8.1부터 5일간). 塔銘에, "充塞乾坤那一塔, 箇中何用說冤親, 銃雷釼電乍消滅, 風拂陣雲掛一月輪"이라고 보임.
10/08/26	513	西京二條	頂妙寺	日蓮	戰死追福(8.16~20). 本藏寺 주지 福田日良가 엄수함.
10/08/26	513	泉州天下極樂寺村	極樂寺	淨土	戰死追福(8.17).

10/08/28	514	岐阜縣 下手向村	普門寺	?	戰死追福.
10/08/30	515	越前	中教院	?	戰死追福(9.1부터 3일간). 中教院 설치에 따름.
10/09/02	516	遠州森町村	西光寺	曹洞	戰死追福(8.26). 700~800명 참가. 周智郡 第14部인 曹洞宗 대소사원의 협의에 의함.
10/09/04	517	愛知縣	中教院	淨土	戰死追福(9.6부터 3일간).
10/09/04	517	?	?	淨土	善導寺 주지와 末寺의 협의에 다라, 戰死追福이 실시됨(3일간). 기독교 전도에 대한 견제.
10/09/04	517	長崎縣	教念寺	淨土	別時念仏(8.22부터 7일간). 향후 4년간 매해 7일씩 실시 예정.
10/09/08	519	東京府兩國	回向院	.	江戶大地震 23回忌를 맞이하여 大施餓鬼를 시행(10.1부터 3일간).
10/09/08	519	江州土山宿	永雲寺	臨濟	戰死追福會(9.1). 주지인 坂上宗詮의 발원.
10/09/08	519	上總一の宮	觀明寺	天台	戰死追福(8.15).
10/09/08	519	上總一の宮	東漸寺	曹洞	戰死追福(8.16).
10/09/08	519	上總上の鄕村	長昌寺	曹洞	戰死追福(8.20).
10/09/08	519	上總一の宮	東福寺	曹洞	戰死追福(8.26).
10/09/08	519	上總芝原村	能滿寺	天台	戰死追福(8.21).
10/09/08	519	上總大谷木村	安養寺	眞言	戰死追福(8.21).
10/09/08	519	上總埴生郡 豊原村	長久寺	曹洞	戰死追福(9.1).
10/09/08	519	伊予	吉祥寺	?	戰死追福. 小講義瑞岡淡海의 主催.
10/09/10	520	深川	靈岸寺	淨土	如法念仏, 稱名會, 讀経五十味供養, 大施餓鬼, 如法念仏礼讚, 三部経花供, 十種供施餓鬼(9.4~6).
10/09/10	520	野州佐野	法隆寺	淨土	戰死追福(8.29부터 3일간).
10/09/10	520	相州三浦	淨樂寺	淨土	施食(8.24).
10/09/10	520	信州飯田	中教支院	臨濟	戰死追福(8.26).
10/09/14	522	大和郡山	雲幻寺	臨濟	戰死追福(8.28~29).
10/09/14	522	甲州稻門	遠□寺	?	千部會(9.10~14).
10/09/14	522	伊予	觀念寺	?	觀音懺法, 大施餓鬼(9.1).
10/09/14	522	作州津山	中教院	淨土	施食(9.2~3).
10/09/14	522	陸中	中尊寺	天台	法華讀誦, 百光明供, 弥陀供, 常行三昧, 法華三昧, 放生會(8.3~9.2).
10/09/14	522	大阪	阿弥陀池		大施食, 百万遍(9.15부터 3일간 예정).
10/09/16	523	岩手縣 東中野	円光寺	?	入仏供養에 즈음하여 戰死追福. 주지 宮田訓導가 엄수.

10/09/18	524	靜岡縣見付宿	敎院	淨土	放生會, 水陸會(8.19~20).
10/09/18	524	靜岡縣金谷宿	專求院	淨土	放生會, 水陸會(8.27~28).
10/09/18	524	下總古河	尊勝院	眞言	戰死追福(9.4).
10/09/18	524	越前敦賀	永建寺	曹洞	施食(8.29~30). 敦賀郡 소재 曹洞宗 사원의 회합.
10/09/18	524	松山	大法寺 事務所	日蓮	戰死追福會(9.1). 愛媛縣 출신의 중위 이하 50여 명의 정령에 회향.
10/09/20	525	越後	本成寺派 本山	日蓮	法華千部會(8.15~30).
10/09/20	525	遠州浜松	心造寺	淨土	護念経百部, 施餓鬼(9.14). 松井辨勇는 이미 6월중에 戰死追福을 실시한 적이 있으며, 또한 "몇해 전 戊辰戰爭 때에도 戰死人의 追福을 빌었". 戊辰戰死者의 追福.
10/09/20	525	千葉縣	中敎院	淨土	千部経, 放生, 施食(9.6부터 3일간).
10/09/22	526	江州阪本	西敎寺	天台	항례의 施餓鬼에 즈음하여 戰死追福. 常行三昧, 二十五三昧, 法華三昧(9.2부터 3일간).
10/09/22	526	石川縣 越前武生	第二敎院	天台	法華三昧, 流水灌頂(9.12~13).
10/09/26	528	上野公園	慈眼堂	天台	曼陀羅供(9.20).
10/09/26	528	千葉縣	中敎院	眞言	中敎院長 金山堯範, 戰死追福會를 개최하고자, 우선 土砂加持法要를 거행하고 생도들에게는 光明眞言, 高祖宝号를 시행토록 권함.
10/09/26	528	靜岡縣	中敎院 (妙滿寺派)	日蓮	奏樂法要(9.16~17).
10/09/28	529	作州津山	中敎院	曹洞	戰死追福(9.5~6).
10/09/28	529	秋田土崎湊	海禪寺	臨濟	戰死追福(9.15~16).
10/09/28	529	靜岡	報土寺	淨土	戰死追福(9.15~16). 中敎院 주최.
10/09/28	529	下總萩原	慶昌寺	曹洞	戰死追福(9.2).
10/09/28	529	下總吉高	迎福寺	曹洞	戰死追福(8.21).
10/09/28	529	下總岩戶	高岩寺	曹洞	戰死追福(9.18).
10/09/28	529	越後魚沼郡 浦佐村	普光寺	眞言	土砂加持 등(9.15부터 3일간). 주지 小野方正가 엄수.
10/09/28	529	美濃赤坂	安樂寺	淨土	戰死追福(9.10부터 5일간).
10/09/28	529	茨城縣	中敎院	眞言	理趣三昧, 三箇法要 등(3일간).
10/09/30	530	大阪谷町 筋寺町	大仙寺	?	戰死追福(9.25).
10/09/30	530	豊後杵築	養德寺	臨濟	戰死追福(10.1~28 예정).

10/10/02	531	相州平塚驛	阿彌陀寺	淨土	戰死追福(9.26). 光明寺敎正을 초청함.
10/10/02	531	武州足立郡 青木村	專称寺	淨土	戰死追福(9.14). 光明寺敎正을 초청함.
10/10/02	531	越後乙村	乙實寺 大日堂	?	庭儀土砂加持法要 등(9.19~21).
10/10/06	533	常陸筑波郡 神郡村	普門寺	眞言	戰死追福(9.23).
10/10/06	533	作州津山	?	日蓮	戰死追福(10.2).
10/10/06	533	高野山	伽藍	眞言	戰死追福(9.22~24). 7월중에도 奧院에서 戰死追福이 있었음.
10/10/08	534	駒込	十方寺	淨土	戰死追福(10.4). 增上寺 權大敎正을 초청함.
10/10/08	534	遠州浜松	諸寺院	淨土	戰死追福. 浜松 소재 淨土宗 사원이 각각 30명 정도의 승려를 동원.
10/10/08	534	下總古河	?	眞言	川施餓鬼(9.23).
10/10/10	535	但馬國	第二号 中敎院	眞言	土砂加持(9.2~3). 관할구역 내의 사원을 총동원.
10/10/10	535	埼玉縣16區 屈巢村	円通寺	臨濟	戰死追福(8월중).
10/10/10	535	埼玉縣 會下村	雲祥寺	曹洞	戰死追福(9.23).
10/10/10	535	埼玉縣	中敎院	臨濟	戰死追福(近日予定).
10/10/12	536	淺草吉野町	貞岩寺	淨土	大施餓鬼 등.
10/10/12	536	高松	□性寺	曹洞	戰死追福(8.9~25).
10/10/12	536	相州浦賀	專福寺	淨土	施食(9.27).
10/10/12	536	信州上諏訪	正願寺	?	戰死追福(9.24무렵).
10/10/14	537	島根	敎院	淨土	戰死追福(9.3~4).
10/10/14	537	千葉縣	石堂寺	天台	戰死追福(9.26).
10/10/18	539	伊勢國松坂	樹敬寺	淨土	戰死追福(10.3~5). 怨親平等.
10/10/18	539	伊勢國	中敎院	淨土	戰死追福(3일간).
10/10/20	540	靜岡安西	中敎院	曹洞	戰死追福(3일간).
10/10/20	540	福岡縣筑前 蓮池町	法性寺	日蓮	戰死追福(10.1부터 3일간).
10/10/20	540	越前福井	敎院	曹洞	羅漢供養, 施餓鬼(10.1~2).
10/10/20	540	越前福井	乘國寺	曹洞	戰死追福(10.7~8).
10/10/24	542	大師河原村	平間寺	眞言	土砂加持, 塔婆建立, 施餓鬼(10.21).
10/10/26	543	下谷 南稻荷町	成就院	眞言	地震横死 23回忌 및 戰死追福(10.21). 土砂加持, 百味供養, 放生會 등.
10/10/26	543	埼玉縣第五區 平方村	林西寺	淨土	戰死追福(10.10). 도사는 淨國寺의 神谷 講義.

10/10/26	543	埼玉縣 越ヶ谷岩槻	天嶽寺	淨土	戰死追福(10.12부터 3일간).
10/10/26	543	岩槻	淨國寺	淨土	戰死追福(10.22).
10/10/28	544	作州	妙法講敎會	日蓮	施餓鬼, 塔婆 건립. 戰死者 16명의 신상을 탑신에 기재.
10/10/30	545	栃木縣	中敎院	淨土	戰死追福(10.13~14).
10/10/30	545	伊豆	中敎支院	曹洞	戰死追福(10.21).
10/11/02	546	千葉縣	中敎院	眞言	戰死追福 大塔婆가 건립됨.
10/11/02	546	武州高麗郡	能仁寺	曹洞	戰死追福(10.17~18).
10/11/02	546	房州	中敎支院	眞言	戰死追福(10.28).
10/11/02	546	陸中安俵村	常澤寺	時宗	戰死追福.
10/11/02	546	陸中安俵村	常樂寺	時宗	戰死追福.
10/11/02	546	松島	瑞巖寺	臨濟	大施餓鬼.
10/11/02	546	仙台	龍泉院	曹洞	戰死追福.
10/11/04	547	千葉縣	行德寺	天台	法華三昧, 大施餓鬼(10.6).
10/11/04	547	和歌山縣 那賀郡	粉河寺	眞言	梵唄散華大法胎藏界大曼荼羅供(10.18).
10/11/04	547	埼玉縣	中敎院	臨濟	施食(10.28). 渡辺權中敎正을 초청함.
10/11/04	547	讚岐多度郡	小敎院	眞言	理趣三昧.
10/11/06	548	若柴	金龍寺	曹洞	戰死追福(10.22). 東光寺 卽応의 발원.
10/11/06	548	信州水內郡	中敎院	曹洞	歎仏, 施食, 般若 등(10.23부터 3일간).
10/11/06	548	廣島縣	第一号 中敎院	曹洞	上堂, 般若, 歎仏, 懺摩, 施食 등(10.22부터 3일간).
10/11/08	549	但馬	円通寺 (第三敎院)	臨濟	施食(10.19~20).
10/11/08	549	武州多摩郡 楓ヶ市村	?	曹洞	戰死追福(10.24). 天寧寺 仏心과 海禪寺 靈苗의 발원. 근린 49개 사찰을 동원.
10/11/08	549	栃木	敎院	?	戰死追福(10.26).
10/11/12	551	石州波根村	長福寺	淨土	戰死追福(8.2부터 3일간).
10/11/12	551	石州 溫泉津村	龍澤寺	淨土	戰死追福(9.23부터 7일간).
10/11/12	551	石州小浜村	極樂寺		戰死追福(10.9부터 3일간).
10/11/12	551	石州宝野村	向西寺		戰死追福(10.2부터 5일간).
10/11/12	551	石州川合村	福城寺		戰死追福(10.16부터 3일간).
10/11/12	551	石州磯竹村	報恩寺		戰死追福(10.7~10).
10/11/12	551	石州鄕津村	西曉寺		戰死追福(10.20부터 5일간).
10/11/12	551	石州大田村	大願寺		戰死追福(10.25~26).
10/11/12	551	常陸	常福寺	臨濟	戰死追福(11.4).
10/11/12	551	常陸	藥王院	天台	戰死追福(7.21).
10/11/12	551	茨城	中敎院	臨濟	戰死追福(近日 예정).

10/11/14	552	備後沼隅郡 草戸村	明王院	眞言	流水灌頂. 주지 權大講義 ○谷果我가 주최.
10/11/14	552	備中都宇郡 中庄村	性德院	眞言	土砂加持(지난 달). 주지 葦原寂照가 엄수함.
10/11/14	552	遠州入野村	龍雲寺	臨濟	戰死追福(11.5). 주지 木宮充邦가 엄수. 참가자 1,000명. "지방에서는 최근에 보기 드문 성황"이었다.
10/11/16	553	武州葛飾郡 幸手驛	聖福寺	淨土	修復에 즈음하여 大施餓鬼(11.5부터 3일간). 淨國寺의 神谷權講義를 초청함.
10/11/16	553	陸奥三戸郡 類家村	廣澤寺	曹洞	戰死追福(10.26부터 3일간). 주지 考道가 주최.
10/11/16	553	筑後御井郡 宮瀬村	國分寺	天台	戰死 및 燒死의 追福을 위해 施餓鬼臺를 세우고 법회를 엶. 주지 增井靈敬가 주최.
10/11/18	554	東京府 角筈村	西方寺	淨土	戰死追福. 增上寺의 權大教正을 초청함.
10/11/20	555	淡路	先山 千光寺	眞言	般若轉讀, 中曲, 理趣三昧, 大施餓鬼 등(11.15). 주지 木樂密腆이 주최. 高野別院의 榮嚴을 초청함.
10/11/20	555	伊予宇和島 丸穗	等覺寺	臨濟	戰死追福. 住職 生玉淸崖가 주최.
10/11/20	555	群馬縣	中敎院	天台	法華三昧(11.11~12). 官員 참석.
10/11/22	556	下谷通新町	円通寺	曹洞	彰義隊의 墳墓 이전이 논의되어, 주지 武田仏磨가 반대청원을 제출함.
10/11/22	556	島根	中敎院	曹洞	大卒都婆에 '西南官兵忠死追福'이라고 보임(11.5). 官軍供養.
		?	敎院	日蓮	官軍戰死者의 追福(11.7). 官軍供養, '官賊平等'.
10/11/24	557	津輕弘前町	長勝寺	曹洞	戰死追福(11.8부터 3일간).
10/11/24	557	廣島縣	妙法講社	日蓮	戰死追福(11.12~16).
10/11/24	557	西京	大敎院 (西山派)	淨土	戰死追福(11.21부터 3일간). 廣谷大教正을 초청함.
10/11/24	557	大阪本田町	慈雲院	?	戰死追福(11.17).
10/11/26	558	相州小田原	中敎支院	眞言	戰死追福(11.21).
10/11/26	558	信州小諸	海応院	曹洞	施餓鬼(11.6).
10/11/26	558	豊後東郡	諸寺院	臨濟	戰死追福. 宝陀, 地藏, 安樂, 金福, 慈恩寺의 합동불사.
10/11/26	558	長崎縣四十大 區五小區	宝光寺	天台	戰死追福(9.20부터 7일간).
10/11/26	558	長崎縣四十大 區五小區	元忠寺	天台	施食, 光明三昧, 法華礼讚, 淨土礼讚, 常行三昧, 大般若 등(10.19부터 5일간).

10/11/28	559	福島縣舟田村	松雲寺	曹洞	戰死追福(10.15부터 3일간).
10/11/28	559	福岡縣金山村	正金寺	曹洞	戰死追福(11.16부터 3일간).
10/11/28	559	福岡縣三春	丈六庵	曹洞	授戒會(彼岸 후 7일간).
10/11/28	559	栃木縣作山	宝相院	曹洞	授戒會(10.7부터 7일간).
10/12/04	562	東京府 角筈村	西方寺	淨土	戰死追福(11.24). 緣山權大敎正을 초청함.
10/12/04	562	京都	本國寺	日蓮	戰死追福(10.23). 釋日禛敎正 등이 참가함.
10/12/04	562	三州設樂郡 上津貝村	金龍寺	曹洞	授戒會. 주지 岡崎가 주최함.
10/12/04	562	埼玉縣中尾村	吉祥寺	天台	戰死追福(11.24~). 주지 足立이 도사.
10/12/06	563	長野縣	南中敎院	天台	戰死追福(11.23~24).
10/12/06	563	愛知縣	宝勝寺	臨濟	戰死追福(11.9).
10/12/06	563	愛知縣	光○寺	眞宗	戰死追福(11.17부터 4일간).
10/12/06	563	伊勢鈴鹿郡 和田村	石上寺	眞言	戰死追福　　　(2~4일간).
10/12/06	563	伊勢庄野驛	地藏院	?	戰死追福
10/12/06	563	伊勢石藥師驛	石藥師院	?	戰死追福
10/12/06	563	伊勢國府村	府南寺	?	戰死追福
10/12/06	563	伊勢奄芸郡 稲生村	慈恩寺	?	戰死追福
10/12/06	563	伊勢德屋村	妙福寺	?	戰死追福
10/12/06	563	伊勢泊村	光明寺	?	戰死追福
10/12/06	563	伊勢塩屋村	福樂寺	?	戰死追福
10/12/06	563	伊勢塩屋村	神宮寺	?	戰死追福
10/12/06	563	長崎縣	瑞雲寺	曹洞	戰死追福(11.22부터 3일간).
10/12/06	563	伊豆田方郡 本立野村	西念寺	眞宗	戰死追福(9.28~30).
10/12/08	564	京都	誓願寺	淨土	奏樂法要(11.21부터 3일간). 廣谷, 佐幹敎正이 도사.
10/12/08	564	北海道福山	中敎支院	淨土	戰死追福(11.4~5). 시주는 屯田予備軍福山分署長 寺田良輔.
10/12/12	566	伊予越知郡	30余院	眞言	戰死追福.
10/12/12	566	加州金澤	本因寺	日蓮	千部會. 釋日實敎正을 초청함.
10/12/12	566	加州金澤	承証寺	日蓮	戰死追福.
10/12/12	566	豊前	法玄寺 (中敎院)	日蓮	戰死追福.
10/12/14	567	下總匝瑳郡 八日市場村	福善寺	眞言	戰死追福(12.25~26 예정).
10/12/14	567	美濃	專養寺	?	戰死追福(4일간). 紫田敎正을 초청함.

10/12/14	567	靑森津輕郡	長勝寺	曹洞	戰死追福(3일간).
10/12/14	567	伊予宇和郡	長福寺	淨土	大塔婆의 건립, 奏樂(1일간). 諸宗合同.
10/12/16	568	福島縣	敎院	眞言	戰死追福(11.24).
10/12/16	568	美濃笠松	梅空庵	?	戰死追福(5일간). 柴田敎正을 초청함.
10/12/18	569	常陸河內郡 小野村	敎義所 (逢善寺內)	天台	百光明供, 常行三昧. 도사는 木島. 관내 7郡 100여 개 사찰의 敎職을 동원.
10/12/18	569	埼玉縣	中敎院	眞言	戰死追福. 中敎院의 이전(→倉田村明王院)에 즈음하여 실시.
10/12/18	569	新潟縣	中敎院	眞言	土砂加持(11.21〜22).
10/12/22	57	千葉縣	中敎院 (妙滿寺派)	日蓮	戰死追福(12.15). 도사는 藤乘日遊.
10/12/24	572	大和	法隆寺	法相	戰死追福(5.28부터 90일간).
11/01/06	576	尾州中島村	藥師堂	?	戰死追福(12.20부터 5일간). 柴田基範敎正을 초청함.
11/01/06	576	?	中敎院	?	戰死追福布薩會(12월말).
11/01/08	577	福岡姪の浜	光福寺	時宗	戰死追福(12월말에 10일간).
11/01/08	577	備前岡山	善光寺 岡山寺	淨土	戰死追福(12월말).
11/01/10	578	武州都筑郡 池辺村	福聚院	眞言	戰死追福(12.14〜15).
11/01/14	580	三州豊橋	中敎院	淨土	戰死追福. 『愛岐日報』에서 옮김.
11/01/14	580	紀伊引本浦	吉祥院	眞言	戰死追福(11.9부터 시행).
11/01/14	580	大和廣瀬村	常念寺	淨土	戰死追福(12.19〜20).
11/01/26	586	京都府	休務寺	淨土	大施食 등(12월말). 도사는 廣谷大敎正.
11/01/26	586	栃木縣都賀郡 大栫村	中敎院	臨濟	施餓鬼(12월말). 大敎院에서 稻葉蓬雲 講義가 派出된 것에 의함.
11/01/28	587	三重縣 西山村	果号寺	?	入仏供養에 즈음하여 戰死追福을 예정.
11/02/02	58	鹿兒島縣	敎場 (福昌寺跡)	曹洞	戰死追福(1.15〜16). 도사는 瀧斷泥? 사족 某의 발기에 따름.
11/02/04	589	東京府高輪	泉岳寺	曹洞	西南戰死者의 牌銘이 건립됨에 따라 芝 伊皿子町의 芳村伊三郎는 線香立를 기부할 예정.
11/02/06	590	愛媛縣	中敎院	曹洞	大施餓鬼, 法華経讀誦(12.28〜29).
11/02/12	593	京都	本堂	眞宗	서남전쟁에서 희생된 진종신자를 위해 법회가 개최됨. 4.26부터 5일간 예정. 本願寺派達書第九号.
11/02/18	596	大分縣	中敎院 (西山派)	淨土	大施餓鬼(1.5부터 3일간). 遺族의 의뢰에 따른 것임.

11/02/28	601	江州大津驛	集議所	眞宗	淨土三昧法(2.17) 도사는 近松權大敎正. 怨親平等.
11/03/12	606	福島縣磐前郡	禪長寺(中敎院)	臨濟	戰死追福(2.18~19).
11/03/18	609	群馬縣	中敎院	眞言	曼陀羅供을 예정. 관장 獅岳敎正을 초청함.
11/03/20	610	靑山原宿村	高德寺	?	西南戰死의 人名을 大塔婆에 기록하고자 海陸軍, 警視局에 伺를 제출함. 官軍供養.
11/03/26	613	備中哲多郡	天叟寺	曹洞	戰死追福. 도사는 押野取締.
11/03/26	613	作州津山	愛染寺	眞言	戰死追福(2.18).
11/03/28	614	上州太田	大光院(中敎院)	淨土	戰死追福. 3.16부터 3일간의 授戒式에 부수됨.
11/03/28	614	靜岡縣	江淨寺	淨土	戰死追福.
11/04/08	619	越前丹生郡黑川村	敬覺寺	眞宗	戰死追福. 22개 組寺와 合同仏事.
11/04/08	619	栃木縣河內郡桑島村	金剛定寺	眞言	大施餓鬼(3.30). 宇都宮鎭台의 병사 200명이 참가.
11/04/08	619	靑森縣	中敎支院	淨土	戰死追福(3.18~24). 도사는 小松大講義.
11/04/10	620	石川浜田	十念寺	淨土	戰死追福(3.15~24).
11/04/10	620	石川浜田	極樂寺	淨土	戰死追福(7일간).
11/04/12	621	石川縣福井	安養寺(西山派中敎院)	淨土	奏樂法要. 大施餓鬼(3.10부터 3일간). 中敎院 청설을 기념.
11/04/12	621	下總印旛郡荻原村	慶昌寺	曹洞	戰死追福(작년 가을/겨울). 또한, 4.27부터 3일간 예정.
11/04/16	623	野州鹿沼町	淸林寺	淨土	戰死追福(7일간). 住職 松岡白雄는 2월 하순 이래 栃木縣 소재 사원들을 순회하며 放生會 등을 시행.
11/04/18	624	土佐安芸郡東寺岬	地藏尊	眞言	流水灌頂, 土砂加持. 高野山 등으로부터 승려를 초청함.
11/04/20	625	北海道福山	敎院	曹洞	法華経讀誦, 大布薩會(작년 이래의 동향).
11/04/20	625	相州高座郡新戶村	長松寺	曹洞	戰死追福(4.3). 神奈川縣 甲第一番敎會의 주최.
11/04/20	625	千葉松戶驛	西蓮寺	眞宗	戰死追福(4.8~9). 諸宗合同.
11/04/22	626	常陸眞壁郡	雲光寺	淨土	石塔建立(丈五), 大施餓鬼(4.8).
11/04/22	626	武州八王子	妙藥寺	?	護摩供, 土砂加持, 大施餓鬼(4.7부터 3일간).

11/04/24	627	武州多摩郡布田五宿	西光寺	天台	招魂碑 건립, 常行三昧念仏會(4.9).
11/04/24	627	遠江	油山寺	眞言	放生會.
11/04/26	628	?	円応寺	淨土	八等警部 宮内愛亮(鹿兒島 사족출신), 처형된 越智彦四郎 등의 명복을 빔. 관군출신의 賊軍供養.
11/04/28	629	郡山	善導寺	淨土	戰死追福(4.11). 增上寺 大敎正의 순회를 계기로 시행.
11/04/30	630	和歌山縣面川村	光德寺	曹洞	戰死追福(3.31).
11/05/04	632	三州碧海郡八橋村	無量寺	臨濟	戰死追福(3.22).
11/05/06	633	西京	本願寺	眞宗	戰死追福(4.26~5.2). 大阪鎭台의 병사도 참가.
11/05/06	633	山城葛野郡	妙心寺	臨濟	戰死追福(4.24).
11/05/08	634	神奈川縣柴綺村	普濟寺	臨濟	戰死追福.
11/05/10	635	埼玉縣第四區松伏村	宝珠院	?	戰死追福(5.3~). 智積院의 佐々木敎正을 초청함.
11/05/10	635	埼玉縣第八區	善定寺	?	戰死追福(4.14).
11/05/10	635	大分縣速見郡	正覺寺	淨土	戰死追福(4.12부터 7일간).
11/05/18	639	長野縣	中敎院	眞言	戰死追福(5.7~8). 中敎院 이전(十念寺→蓮中寺)에서 비롯됨.
11/05/18	639	岡山縣	中敎院	臨濟	戰死追福(5.7~8). 各宗取締 등도 참가.
11/05/18	639	會津若松	興嚴寺	曹洞	戰死追福(5.9~10).
11/05/18	639	神奈川縣	甲第一号敎會	曹洞	戰死追福(4.3).
11/05/24	641	陸前氣仙郡今泉驛	金剛寺	眞言	戰死追福(지난 달).
11/05/26	642	越前鯖江	誠照寺派本山	眞宗	戰死追福(5.4~6).
11/05/26	642	大分大分町	來迎寺	淨土	大施食(4.10~19). 西山派管長 佐幹中敎正의 大分縣下巡回日誌에 의함(이하, 念元寺까지).
11/05/26	642	大分大分町	悟眞寺	淨土	大施食(4.20~26).
11/05/26	642	大分臼杵	大橋寺	淨土	大施食(4.27~5.4).
11/05/26	642	大分中津	念元寺	淨土	戰死追福(5.8~12).
11/05/26	642	金澤	中敎院	日蓮	戰死追福(4.29~30). 他宗의 敎職 및 神官도 참가.

11/06/04	646	大分縣速見郡 豊岡村	建福寺	曹洞	大施餓鬼(5.22).
11/06/04	646	山口豊浦郡 手洗村	淸德寺	眞宗	戰死追福(5.9).
11/06/04	646	山口玖珂郡 柳井村	金剛寺	眞言	大施餓鬼.
11/06/06	647	大阪府 天王寺村	善福寺	淨土	戰死追福(5.19~23). 시주는 矢田某.
11/06/06	647	山口佐波郡 牟礼村	阿弥陀寺	眞言	戰死追福(3일간).
11/06/06	647	相州小田原	誓願寺	淨土	弥陀経千部會, 大施餓鬼(4.11~15). 光明寺敎正을 초청함.
11/06/06	647	石州那賀郡 長澤村	多陀寺	眞言	戰死追福(5일간).
11/06/08	648	?	中敎院	?	戰死追福(5.10).
11/06/08	648	?	敎淨寺	時宗	戰死追福(5.11).
11/06/08	648	三重縣 上野万町	西念寺	淨土	戰死追福(4.13). 五重相伝에 의함.
11/06/08	648	三重縣上村	中庵寺	淨土	戰死追福(4.16). 五重相伝에 의함.
11/06/10	649	加州金澤	中敎院	眞言	六塵土砂加持, 放生會, 流水灌頂(5.22~24). 시주는 신도 久世某, 曹洞宗의 승려某, 神官 5명, 講中14~15명.
11/06/14	651				
11/06/16	652	豊後國國東郡 横手村	泉福寺	曹洞	大施餓鬼(7일간).
11/06/24	656	遠江袋井驛	觀音寺	曹洞	戰死追福은 지난 겨울에 성대히 거행되었으며, 6.23부터 羅漢講式이 거행됨. 大橋默音, 藤田契先을 초청함.
11/07/04	661				明治9년 이래 희생된 지방관 및 서남전쟁 때 입은 부상으로 인해 사망한 자들을 위해, 7.4에 招魂祭를 시행하고 招魂社에 합사함. 매년 9.24에 제전을 거행할 예정. 陸軍省達甲第十三号.
11/07/04	661	越中射水郡	蓮心寺	眞言	戰死追福(3일간). 사원 수부과 高岡增隆敎正의 순회를 계기로 함.
11/07/04	661	越中礪波郡 安居村	安居寺	眞言	戰死追福(예정). 도사로는 高岡敎正을 초청함.
11/07/04	661	秋田淺舞村	玄福寺	眞宗	戰死追福.
11/07/06	662	北海道渡島	念仏堂	淨土	名号石을 세우고 函館中敎院의 派出을 청하여 開眼, 施食을 시행함(6.14). 戊辰戰爭 관련.

11/07/20	669	石川鳳至郡	蓮江寺	曹洞	戰死追福(6.15). 小教院 청설을 기념한 것. 中教院으로부터 曾根莫道, 福田鐵成을 초청함.
11/07/22	670	羽後平鹿郡横手大町	淨光寺	眞宗	阿弥陀懺法. 도사는 月輪賢遵, 橋本嚴城.
11/07/28	673	西京	東本願寺	眞宗	西南戰役戰死者追福法會의 예정을 통달함. 8.16부터 3일간. 東派達書甲第四十九号.
11/08/04	676	越前鯖江	万慶寺	曹洞	戰死追福.
11/08/04	676	越前鯖江	瑞祥寺	曹洞	戰死追福.
11/08/04	676	大分大分町	万壽寺	臨濟	戰死追福(3.13부터 21일간).
11/08/04	676	戶次驛	妙正寺	眞宗	戰死追福.
11/08/06	677	大分竹田村	高流寺	臨濟	戰死追福(6.4부터 7일간). 愛染明王의 開帳에 부수됨.
11/08/18	683	北海道福山	中教支院	曹洞	大施餓鬼(7일간).
11/09/12	694	下總古河	尊勝院	眞言	戰死追福. 항례의 大施餓鬼二箇法要에 더하여 시행됨.
11/09/12	694	鹿兒島松原通	相國寺教院	臨濟	戰死追福(3월중에 10일간). 本山으로부터 円山某을 초청함.
11/09/22	699	埼玉縣	龍昌寺	曹洞	戰死追福.
11/09/26	701			淨土	增上寺에 西南戰死者追吊碑을 건립할 예정. 大講義吉水玄洪 외 1명의 발기. 淨土宗大教院番外達書.
11/09/26	701	遠江	二号中教院	曹洞	戰死追福(9.18~19).
11/10/04	705			淨土	增上寺의 供養碑에 대한 禀告. 피아전사자공양.
11/10/08	707	信州飯田町	?	?	大施餓鬼. 溺死者와 함께 공양. 料理屋鈴木重吉의 발원.
11/10/10	708	高野山	金堂	眞言	戰死追福(9.14). 도사는 清淨心院教正.
11/10/20	713	北海道	?	日蓮	塩谷教要, 開教 와중에 戰死追福을 시행함.
11/10/20	713	遠江豊田郡	妙法寺	曹洞	戰死追福(9.22). 靜岡縣 第二号中教院의 주최.
11/10/20	713	和歌山宇須村	久昌寺	曹洞	戰死追福(9.27부터 5일간).
11/10/28	717	淺草	金龍山	天台	大施餓鬼, 鬼面會.
11/10/28	717	芝	增上寺	淨土	西南戰爭 때 부상자 간호를 위해 전쟁터로 향한 후 사망한 자들을 공양. 碑文 게재되어 있음.
11/11/14	725	尾張熱田	円通寺	曹洞	戰死追福.

11/11/14	725	武州府中驛	善明院	天台	첫째 날은 大施餓鬼(曹洞, 도사는 高林寺의 足利哲苗), 둘째 날은 法華三昧(天台, 도사는 安養寺의 千葉亮泰), 셋째 날은 理趣三昧(眞言, 도사는 妙光院의 小川亮寬)가 시행됨. 諸宗合同.
11/11/30	733	滋賀大津町	三井寺	天台	戰死記念碑(제9연대의 사관 및 滋賀縣 관원 등의 협력으로 건립)의 건비공양이 실시됨(11.23부터 3일간). 첫째 날은 天台의 法要, 둘째 날은 神道의 招魂祭, 셋째 날은 天台 이하 諸宗의 공양. 諸宗合同.
11/12/14	740	長野縣松本	說敎所	眞宗	戰死追福(12.1부터 3일간).
11/12/16	741	岡山縣	岡山寺	天台	施餓鬼. 항례의 十夜法會에 부수됨.
12/01/06	749	上總木更津	撰擇寺敎會結社	淨土	戰死追福(3일간). 高德寺 矢田講義, 專修寺皆川講義 등이 초청됨.
12/01/06	749	見附宿	勝絶境地	神仏各宗	靜岡縣 출신으로 서남전쟁에서 전사한 자들의 諸靈 追弔. 매년 실시될 예정. 神仏各宗.
12/01/12	752	?	大師堂	眞言	戰死追福(작년). 東京府 下谷觀音寺 中山賢恭의 발원.
12/01/14	753	備中哲多郡三坂村	正法寺	曹洞	戰死追福(지난 겨울). 주지 新井喚隆의 주최. 선사 喚宗의 법사에 부수됨.
12/01/14	753	北海道江差	法華寺	日蓮	戰死追福(12.13). 妙法講社의 開社式에 부수된 것임.
12/01/16	754	高座郡新田村	專念寺	淨土	戰死追福(3일간). 사원재건낙성에서 비롯됨. 本寺(大善寺)로부터 大谷玄嶺 講義를 초청함.
12/01/28	760	日向臼杵郡細島村	觀音寺	曹洞	戰死追福(9월 중순). 鐘供養式, 越山二祖禪師 600遠忌에 부수됨.
12/02/22	771	三重縣伊賀郡古郡村	常福寺	眞言	大隨求仏頂尊勝陀羅尼, 宝篋印陀羅尼, 十甘露呪 등을 새긴 塔婆 여러 개를 건립. 光明眞言, 土砂加持(10.8~10). 항례의 仏名會에 부수됨.
12/02/24	772	常州水戶上市	神崎寺	眞言	戰死追福(3일간). 사원중흥책?
12/02/26	773	和歌山縣	中敎院	眞言	理趣三昧(2.14).
12/03/18	782	麴町	心法寺	淨土	大施餓鬼(3.8).
12/03/30	788	大分速見郡河野村	東光寺	曹洞	無緣供養戰死追福會(2.1부터 7일간). 大儀寺 주지 卍山下龍를 초청함.
12/04/02	789	中津輕郡弘前町	?	淨土	戰死追福(작년). 순회 중이었던 淨土宗 小松淨音을 초청함. 今野久吉의 발원.

12/04/06	791	石州安濃郡 鳥井村	大滿寺	淨土	大施餓鬼(3.6). 30여 개 사찰이 동원됨. 주지 野村法頓의 발원.
12/04/12	794	高座郡 遠藤村	宝泉寺	曹洞	戰死福(3.12부터 7일간). 사원중흥책? 總持寺敎正을 초청함.
12/05/02	804	陸前	箱泉寺	眞言	戰死追福. 西光寺 岡村貝慧을 초청함.
12/05/02	804	因州鳥取	眞敎寺	淨土	戰死追福. 慶安寺 大谷麟恭 등을 초청함.
12/05/08	807	伊豆	修善寺	曹洞	大般若轉讀, 水陸會(4.22). "참가자는 만 명을 헤아릴 정도로 많았다."
12/05/12	809	伊予宇和郡 魚成村	龍澤寺	曹洞	大施食(4.13).
12/05/14	810	東京府	寬永寺	天台	法華三昧, 大施餓鬼(5.15 예정). 寬永寺 中堂 入仏供養法會에 부수됨. 戊辰戰死者供養.
12/05/20	813	陸前仙台 半子町	壽德寺	曹洞	戰死追福塔 건립, 大施餓鬼. 주지 淸水泰成의 발원. 유신 이래 戰死者를 제사지냄. 明治6年 이래의 법회. 현청으로부터도 90여 명의 전사자명부를 교부받음.
12/07/18	841	熊本	千反畑 說敎所	眞宗	戰死追福會(6.14부터 3일간). 관원, 군인, 유족 참가. 日野中敎正의 순회에 촉발됨.
12/07/20	842	?	?	曹洞	戰死追福(7.1부터 3일간). 石川縣 第三号中敎院 부속 專門支校의 敎師 長谷川講義(越前東郷永昌寺住職)의 발원.
12/08/10	852	靑森縣弘前	駒越川原	日蓮	大施餓鬼.
12/08/18	856	伊豆田方郡 年川村	永松院	曹洞	戰死追福(8.2).
12/09/22	872	上野	寬永寺	天台	戰死追福(9.20부터 3일간). 彼岸會에 즈음하여 安政 대지진 25回忌와 함께 시행됨.
12/09/22	872	三州北設樂郡 上津貝村	金龍寺	曹洞	大施餓鬼, 円通懺魔法.
12/09/26	874	會津若松	?	眞宗	유신기에 전사한 會津士族의 追弔. 墳墓도 조영. 森安平가 발원하고, 구 번주도 여러 차례 感賞함.
12/09/28	875	越中新川郡 小川寺村	心蓮坊	眞言	中曲三昧, 流水灌頂(9.14~18). 坊主 音觀阿野의 발원.
12/10/28	890	越後蒲原郡 田上村	円福院	眞言	戰死追福(9.20). 眞言敎會分社開筵式에 부수됨.
12/10/30	891	長門豊浦郡	神上寺	眞言	土砂加持, 流水灌頂(5.15부터 5일간). 주지 豊嶺憲剛의 발원.

12/11/02	892	安房	諸寺院	淨土	取締某의 포교에 따라 大円寺, 長泉寺, 三福寺, 蓮台寺, 安樂寺 등에서 戰死追福.
12/11/06	894	備後	天寧寺	曹洞	大施餓鬼, 大布薩(3일간). 寺院修復에 따름. 주지 高橋哩仙의 발원.
12/11/08	895	筑後	善導寺	淨土	阿弥陀経千部讀誦(11.2부터 3일간). 도사는 주지 不破敎正.
12/11/22	902	隱岐 西江西町	說敎所	曹洞	大施餓鬼(9.23). 도사는 藤泰心講義.
12/12/10	910	遠江佐野郡 澤田村	?	曹洞	供養塔을 건립하고 大施餓鬼을 거행. 西尾弥吉의 발원. 도사는 成道寺 전 주지 大能老師.
12/12/16	913	福島縣白河	長壽院	?	무진전쟁 때 전사한 薩摩, 土佐, 長門, 大垣, 佐土原, 館林의 관군 115명의 13回忌 예정됨(夏安居 중의 90일간).

참고문헌

1. 사료

1) 전근대

『覺禪鈔』(『大日本仏教全書』 第45〜51卷, 名著普及會, 1978)

『看聞日記』(續群書類從完成會, 1958〜59)

『建內記』(『大日本古記錄』 第14, 東京大學史料編纂所編, 岩波書店, 1963〜1986)

『乾峰和尚語錄』『江西和上語錄』(『五山文學新集』 別卷1, 東京大學出版會, 1977 수록)

『見桃錄』『少林無孔笛』『諸回向淸規式』(『大正新脩大藏經』 第81卷, 大正新脩大藏経刊行會, 1967 수록)

『見聞日記』(高崎市市史編さん委員會編, 『新編高崎市史』資料編8, 高崎市, 2002 수록)

『鎌倉遺文』(竹內理三 編, 東京堂出版, 1971〜1997)

『鎌倉市史』 史料編3(鎌倉市史編纂委員會 編, 鎌倉市, 1958)

『景德伝灯錄』(『大正新脩大藏經』 第51卷, 大正新脩大藏経刊行會, 1973 수록)

『高山寺古文書』(『高山寺資料叢書』 第4冊, 東京大學出版會, 1975)

『高野春秋編年輯錄(增訂第二版)』(日野西眞定 編, 岩田書院, 1998[초판 1982])

『公室年譜略』(上野市古文獻刊行會 編, 淸文堂, 2002)

『廣弘明集』(『大正新脩大藏経』 第52卷, 大正新脩大藏経刊行會, 1973 수록)

『敎行信証』(親鸞自筆本, 星野元豊ほか校注, 『日本思想大系(親鸞)』, 岩波書店, 1971 수록)

『敎行信証集成記』(『眞宗全書』 第32〜33卷, 國書刊行會, 1975 수록)

『敎行信証報恩記』(『眞宗全書』 第21卷, 國書刊行會, 1974 수록)

『韮山町史』 第3卷中(韮山町史編纂委員會 編, 韮山町, 1986)

『紀伊國名所図會』 三編(『版本地誌大系』 9, 臨川書店, 1996)

『紀伊續風土記』 第4輯(巖南堂, 1975)

『南北朝遺文』(瀬野精一郎 ほか編, 東京堂出版, 1980〜)

『南總里見八犬伝』(小池藤五郎 校訂, 岩波書店, 1990)

『南浦文集』(東京大學史料編纂 所藏, 慶安二年[1649]刊本)

『達磨多羅禪経』(『大正新脩大藏経』 第15卷, 大正新脩大藏経刊行會, 1961 수록)

『大経安永錄』(『眞宗全書』 第3卷, 國書刊行會, 1974 수록)

252

『大日経疏指心鈔』(『大正新脩大藏経』第59卷, 大正新脩大藏経刊行會, 1962 수록)

『大日本史料』第6編之29(東京大學史料編纂所 編, 1952)

『大日本史料』第7編之4(東京大學史料編纂所 編, 1984)

『大日比三師講説集』(世良諦元 編, 西円寺, 1910)

『大智度論』(『大正新脩大藏経』第25卷, 大正新脩大藏経刊行會, 1961 수록)

『徒然草』(西尾實·安良岡康作校注, 岩波書店, 1985)

『島津家高麗軍秘録』(『續群書類從』第20輯下, 1979 수록)

『東海璚華集』(『五山文學新集』第2卷, 東京大學出版會, 1968 수록)

『鹿苑日録』(辻善之助 ほか編, 續群書類從完成會, 1961~62)

『龍湫和尙語録』(內閣文庫本, 東京大學史料編纂所藏寫眞帳)

『摩訶止觀』(『大正新脩大藏経』第46卷, 大正新脩大藏経刊行會, 1962 수록)

『明德記』(宮內廳書陵部本, 和田英道, 『明德記 : 校本と基礎的研究』, 笠間書院, 1990 수록)

『明惠上人資料(第1)』(高山寺典籍文書綜合調査団 編, 東京大學出版會, 1971)

『夢中問答集』(川瀬一馬 校注·現代語譯, 『講談社學術文庫』1441, 講談社, 2000)

『妙心寺派語録』(瑞泉寺史編纂委員會 編, 思文閣出版, 1984~1987)

『無規矩』『流水集』(『五山文學新集』第3卷, 東京大學出版會, 1969 수록)

『無量壽経集解』(『淨土宗全書』續第1卷, 淨土宗開宗八百年記念慶讚準備局, 1973 수록)

『無量壽経顯宗疏』(『眞宗全書』第2卷, 國書刊行會, 1974 수록)

『百錬抄』(『新訂增補國史大系』第11卷, 吉川弘文館, 1979)

『梵網戒本疏日珠鈔』(『大正新脩大藏経』第62卷, 大正新脩大藏経刊行會, 1965 수록)

『梵網菩薩戒経疏註』(『新纂大日本續藏経』第38卷, 國書刊行會, 1977 수록)

『法然上人繪伝』(大橋俊雄 校注, 岩波書店, 2002)

『法然上人繪伝の研究』(井川定慶 編著, 法然上人伝全集刊行會, 1961)

『普照國師語録』(『大正新脩大藏経』第82卷, 大正新脩大藏経刊行會, 1965 수록)

『本典指授鈔』(『眞宗全書』第34~35卷, 國書刊行會, 1975 수록)

『本朝文粹』(『新訂增補國史大系』第29卷下, 吉川弘文館, 1965)

『仏名経』(『大正新脩大藏経』第14卷, 大正新脩大藏経刊行會, 1971 수록)

『祕鈔問答』(『大正新脩大藏経』第79卷, 大正新脩大藏経刊行會, 1969 수록)

『沙石集』(小島孝之 校注·譯, 『新編日本古典文學全集』第52卷, 小學館, 2001)

『師守記』(藤井貞文·小林花子 校訂, 『史料纂集』第2, 續群書類從完成會, 1968~1982)

『山槐記』(『增補史料大成』第26~28卷, 臨川書店, 1965)

『山名系図』(『續群書類從』第5輯上, 續群書類從完成會, 1959 수록)

『相良町史』資料編·近世1(相良町 編, 相良町, 1991)

『上井覺兼日記』(東京大學史料編纂所 編, 岩波書店, 1954~57)

『禪苑淸規』(『曹洞宗全集』淸規, 曹洞宗全書刊行會, 2011[초판 1931])

『雪樵獨唱集』(『五山文學新集』 第5卷, 東京大學出版會, 1971 수록)

『小補東遊後集』(『五山文學新集』 第1卷, 東京大學出版會, 1967 수록)

『隨緣集』(『伊達自得翁全集』 雨潤會, 1926 수록)

『野山名靈集』(日野西眞定 編, 名著出版, 1979)

『漁庵小藁』(『五山文學新集』 第6卷, 東京大學出版會, 1972 수록)

『御遺告』(『大正新脩大藏経』 第77卷, 大正新脩大藏経刊行會, 1968 수록)

『御遺告釋疑抄』『御遺告伝授頭書抄』(『續眞言宗全書』第26, 續眞言宗全書刊行會, 1986 수록)

『塩山拔隊和尙語錄』『義堂和尙語錄』『智覺普明國師春屋和尙語錄』『夢窓國師語錄』『仏光國師語錄』(『大正新脩大藏経』 第80卷, 大正新脩大藏経刊行會, 1961 수록)

『吾妻鏡』(『新訂增補國史大系』 第32~33卷, 吉川弘文館, 1968~1976)

『玉葉』(宮內廳書陵部, 1994~2011)

『源威集』(加地宏江 校註, 平凡社, 1986)

『園太曆』(齋木一馬·岩橋小弥太 校訂, 續群書類從完成會, 1970~1973)

『有師化儀抄註解』(『富士宗學要集(第1卷)』, 創価學會, 1974 수록)

『応仁略記』(『群書類從』 第20輯, 群書類從刊行會, 1952 수록)

『義演准后日記』(弥永貞三 ほか校訂, 續群書類從完成會, 1976~2006)

『伊勢參宮旅日記』(石卷市史編さん委員會 編, 『石卷の歷史』 第9卷, 石卷市, 1990 수록)

『仁王般若経』(『大正新脩大藏経』 第8卷, 大正新脩大藏経刊行會, 1963 수록)

『一切如來心祕密全身舍利宝篋印陀羅尼経』(『大正新脩大藏経』 第19卷, 大正新脩大藏経刊行會, 1963 수록)

『伝敎大師將來台州錄』(『大正新脩大藏経』 第55卷, 大正新脩大藏経刊行會, 1977 수록)

『正覺寺住山記』(『曹洞宗全書』 室中·法語·頌古·歌頌·寺誌·金石文類, 曹洞宗全書刊行會, 1973[초판 1938])

『靜岡縣史』 資料編6·中世2(靜岡縣 編, 靜岡縣, 1992)

『淨土三部経』(中村元 ほか譯註, 岩波書店, 1990)

『諸尊表白抄』(『續眞言宗全書』 第31, 續眞言宗全書刊行會, 1985 수록)

『曹洞宗近世僧伝集成』(曹洞宗出版部 編, 曹洞宗宗務廳, 1986)

『尊卑分脈』(『新訂增補國史大系』 第58~60卷下·別卷二, 吉川弘文館, 1966~67)

『眞名本曾我物語』(平凡社, 1987~1988)

『天祥和尙錄』(『五山文學新集』 別卷2, 東京大學出版會, 1981 수록)

『天草代官鈴木重成鈴木重辰關係史料集』(田口孝雄 ほか編, 鈴木神社社務所, 2003)

『天台菩薩戒疏』(『大正新脩大藏経』 第40卷, 大正新脩大藏経刊行會, 1969 수록)

『天台菩薩戒疏順正記』(仏敎公論社, 1892)

『勅書綸旨院宣類聚』(東京大學史料編纂所藏影寫本)

『太平記』(長谷川端 校注·譯, 『新編日本古典文學全集』第54~57卷, 小學館, 1994~98)

『通念集』(『近世文芸叢書名所記』 第2, 第一書房, 1976 수록)

『平家物語』(梶原正昭·山下宏明 校注, 『新日本古典文學大系』 第44~45卷, 岩波書店, 1991·93)

『平安遺文(新訂版)』(竹內理三 編, 東京堂出版, 1974~1981)

『翰林葫蘆集』(『五山文學全集』第4卷, 思文閣出版, 1973 수록)

『顯揚大戒論』(『大正新脩大藏経』 第74卷, 大正新脩大藏経刊行會, 1964)

『黑谷上人語燈錄』(『大正新脩大藏経』 第83卷, 大正新脩大藏経刊行會, 1978 수록)

2) 근대

『改良南針 說教の材料』(撫松惰衲述·木全源道 編, 蟆蛄窟, 1887)

『高松宮日記』(細川護貞 ほか編, 中央公論新社, 1995~97)

『高野山時報(CD-ROM版)』(高野山時報社, 1913~44)

『公文別錄』(デジタルアーカイブ, アジア歴史資料センター)

『教學報知(マイクロフィルム版)』(光樂堂, 1897~1902)

『教會新聞(CD-ROM版)』(大教院/明教社, 1874~75)

『軍人送迎祝祭慰問感謝文』(河村北溟 編著, 大學館, 1905)

『觀世音』(觀音世界運動本部, 1940~44)

『觀音世界』(淺草寺, 1937~39)

『近代詔勅集』(村上重良 編, 新人物往來社, 1983)

『己卯訪華錄』(塚本善隆 編, 日華仏教研究會, 1939)

『島地默雷全集』 第1卷(二葉憲香·福嶋寬隆 編, 本願寺出版協會, 1973)

『道理之鏡』(能仁達朗·梅岡達洞, 私家版, 1892)

『東京日々新聞(復刻版)』(日本図書センター, 1993~95)

『同願學報』(『民國仏教期刊文獻集成』全國図書館文獻縮微復制中心, 北京, 2006 수록)

『同學(マイクロフィルム版)』(同學社, 1891~95)

『鹿沼市史』 資料編·近現代2(鹿沼市史編集委員會 編, 鹿沼市, 2003)

『鹿兒島縣史料(西南戰爭)』(鹿兒島縣維新史料編さん所 編, 鹿兒島縣, 1978~2008)

『明教新誌(CD-ROM版)』(明教社, 1875~1901)

『明治建白書集成』 第2卷(色川大吉·我部政男 監修, 筑摩書房, 1990)

『明治仏教思想資料集成』(明治仏教思想資料集成編集委員會 編, 同朋舍出版, 1980~86)

『明治二十七八年戰役陸軍衛生紀事摘要』(大本營野戰衛生長官部, 1900)

『牟婁新報(復刻版)』(不二出版, 2001~06)

『密嚴教報(CD-ROM版)』(密嚴教報社, 1889~1900)

『博愛』(日本赤十字社, 1913~48)

『配紙(復刻版)』(眞宗大谷派宗務所出版部, 1989)

『法の灯火』(眞成社, 1878~80)

「仏教と大陸問題(討議會速記錄)」(『日本仏教學協會年報』第十二年, 1940 수록)

『四明余霞』(天台宗務廳文書課, 1888~1915)

『宣撫月報(復刻版)』(不二出版, 2006~07)

『禪宗(マイクロフィルム版)』(禪定窟/貝葉書院, 1894~1941)

『仙台市史』資料編7·近代現代3(仙台市史編さん委員會 編, 仙台市, 2004)

『松方正義關係文書』(松方峰雄 ほか編, 大東文化大學東洋研究所, 1979~2001)

『新修宮澤賢治全集』 第六卷, 筑摩書房, 1980

『信仰に輝く戰時美談』(豊原龍淵, 興教書院, 1938)

『躍進日本の種々相』(新更會刊行部, 1940)

『外務省記錄』(デジタルアーカイブ, アジア歴史資料センター)

『円光大師御伝縮図辨釋』(大雲教會出版部, 1892~93)

『陸軍省大日記』(デジタルアーカイブ, アジア歴史資料センター)

『六大新報(CD-ROM版)』(六大新報社, 1903~)

『日蓮主義』(日蓮宗宗院, 1927~44)

『日本史 : 統一中等歴史教科書』 下卷(藤岡継平 著, 大盟館, 1917)

『日本赤十字』(日本赤十字社, 1891~1913)

『日宗新報』(日宗新報社, 1889~1917)

『日華仏教研究會年報』(日華仏教研究會, 1936~43)

『壬生町史』 資料編·近現代1(壬生町史編さん委員會 編, 壬生町, 1987)

『臨濟時報』(臨濟宗宗務所, 1941~45)

『赤松連城資料』 中卷(赤松連城研究會 編, 本願寺出版部, 1983)

『齋藤實關係文書(マイクロフィルム版)』 書類の部一(國立國會図書館藏)

『伝灯(CD-ROM版)』(伝灯會, 1890~1903)

『戰時弔祭慰問文教範』(大畑裕 編, 求光閣, 1904)

『戰時弔祭祝辭文例』(今村金次郎 編, 鴻盟社, 1905)

『戰時布教材料集』(丹靈源 編, 顯道書院, 1905)

『征露軍人祝賀弔祭文範』(齋藤淸之丞 編著, 玉潤堂, 1904)

『正法輪』(正法輪發行所, 1891~1941)

『淨土教報』([淨土]教報社, 1889~1940)

『淨土周報』(淨土教報社, 1940~44)

『宗報/曹洞宗報』(曹洞宗務廳, 1896~)

『宗報(眞宗)(復刻版)』(眞宗大谷派宗務所出版部, 1992~97)

『中外日報(マイクロフィルム版)』(東京大學文學部所藏, 光樂堂, 1902~)

『支那事変と淨土宗』第2輯(淨土宗務所臨時事変部, 1940)

『眞宗』(大谷派本願寺宣伝課, 1925~)

『千手觀音光來記』(石田利作 編, 日華親善千手觀音慶讚會, 1942)

『天台座主記(校訂増補)』(澁谷慈鎧 編, 比叡山延暦寺開創記念事務局, 1935)

『祝賀送迎弔祭文集』(小林鶯里 編著, 厚生堂, 1905)

『太政類典』(デジタルアーカイブ, 國立公文書館)

『布教資料 戰時応用説教』(松田善六 編, 顯道書院, 1904)

「現下特に強調すべき仏教思想(討議會速記録)」(『日本仏教學協會年報』第11年, 1939 수록)

『現行滋賀縣布令類纂』第3冊(田中知邦 編, 1882)

『和-中支その他犒軍慰靈の旅-』(梶浦逸外, 選仏寺尙志寮, 1940)

『和歌山縣史蹟名勝天然記念物調査會報告』第4輯(和歌山縣, 1925)

『華中宣撫工作資料』(井上久士 編, 不二出版, 1989)

『會津戊辰戰爭史料集』(宮崎十三八 編, 新人物往來社, 1991)

『孝明天皇紀』第5(平安神宮, 1969)

『興亞之光』(觀音世界運動本部, 1944~45)

3) 사료검색사이트

國立公文書館デジタルアーカイブ(http://www.digital.archives.go.jp/)

近代デジタルライブラリー(http://kindai.ndl.go.jp)

大正新脩大藏経テキストデータベース(http://21dzk.l.u-tokyo.ac.jp/SAT/)

東京大學史料編纂所データベース(http://wwwap.hi.u-tokyo.ac.jp/ships/shipscontroller)

聞藏Ⅱビジュアル(http://database.asahi.com/library2/)

アジア歴史資料センターデータベース(http://www.jacar.go.jp)

ヨミダス歴史觀(http://www.yomiuri.co.jp/rekishikan/)

2. 연구서/사전

榎本重治, 『日本における仁愛の精神の起源』, 大成出版社, 1957.

鎌田茂雄 ほか編, 『大藏経全解説大事典』, 雄山閣出版, 1998.

高橋哲哉, 『靖國問題』, 筑摩書房, 2005.

高橋哲哉, 『國家と犠牲』, 日本放送出版協會, 2005.

高瀬重雄, 『伊達千廣-生涯と史觀-』, 創元社, 1942.

高柳光壽, 『足利尊氏(改稿)』, 春秋社, 1965.

高松宮宣仁親王伝記刊行委員會 編,『高松宮宣仁親王』, 朝日新聞社, 1991.

古川哲史 編,『日本道德教育史』, 角川書店, 1962(초판 1961).

關榮覺 編,『高野山千百年史(再版)』, 金剛峰寺, 1942(초판 1914).

國際宗教研究所 編,『慰靈と追悼』, 東京堂出版, 2006.

國學院大學硏究開發推進センター 編,『靈魂·慰靈·顯彰－死者への記憶裝置－』, 錦正社, 2010.

國學院大學硏究開發推進センター 編,『慰靈と顯彰の間－近現代日本の戰死者觀をめぐって－』,
　　　　　　錦正社, 2008.

圭室諦成,『葬式仏教(オンデマンド版)』, 大法輪閣, 2004(초판 1963).

今谷明,『室町の王權－足利義滿の王權簒奪計畵－』, 中央公論社, 1990.

琴秉洞,『耳塚－秀吉の耳斬り·鼻斬りをめぐって－(增補改訂版)』, 總和社, 1994(초판 1978).

今井昭彦,『近代日本と戰死者祭祀』, 東洋書林, 2005.

今枝愛眞,『中世禪宗史の研究(復刊版)』, 東京大學出版會, 1978(초판 1970).

吉田久一,『日本の近代社會と仏教』, 評論社, 1970.

吉田久一,『日本近代仏敎社會史研究(上)(下)(改訂增補版)』, 川島書店, 1991.

吉田久一,『日本近代仏教史研究』, 川島書店, 1992.

吉川龍子,『日赤の創始者佐野常民』, 吉川弘文館, 2001.

金光哲,『中近世における朝鮮觀の創出』, 校倉書房, 1999.

南條文雄,『南條文雄自叙伝』, 大空社, 1993(초판 1924).

南條文雄,『懷旧錄－サンスクリット事始め－』, 平凡社, 1979(초판 1927).

南條先生遺芳刊行會 編,『南條先生遺芳』, 大谷大學, 1942.

多賀宗隼,『慈円の研究』, 吉川弘文館, 1980.

大江志乃夫,『靖國神社』, 岩波書店, 1984.

大原康男,『忠魂碑の研究』, 曉書房, 1984.

德重淺吉,『孝明天皇御事績紀』, 東光社, 1936.

渡辺盛衛,『島津日新公』, 東京啓發舍, 1910.

渡辺昭五·林雅彦 編,『伝承文學資料集成第15輯(宗祖高僧繪伝(繪解き)集)』, 三弥生書店, 1996.

島地默雷·織田得能,『三國仏敎略史(下)』, 鴻盟社, 1890.

東アジア怪異學會 編,『怪異學の技法』, 臨川書店, 2003.

東アジア怪異學會 編,『怪異學の可能性』, 角川書店, 2009.

柳田聖山,『日本の禪語錄(夢窓)』, 講談社, 1977.

笠松宏至,『德政令－中世の法と慣習－』, 岩波書店, 1983.

馬場明,『日中關係と外政機構の研究－大正·昭和期－』, 原書房, 1983.

末木文美士,『明治思想家論』, トランスビュー, 2004.

末木文美士,『日本宗敎史』, 岩波書店, 2006.

末木文美士,『近世の仏敎－華ひらく思想と文化－』, 吉川弘文館, 2010.

望月信亨 ほか編, 『望月仏教大辭典(增訂11版)』, 世界聖典刊行協會, 1999.

木崎愛吉, 『大日本金石史』, 好尙會出版部, 1921.

木村玄得, 『隱元禪師と黃檗文化』, 春秋社, 2011.

木下光生, 『近世三昧聖と葬送文化』, 塙書房, 2010.

尾藤正英, 『江戸時代とはなにか－日本史上の近世と近代－(文庫版)』, 岩波書店, 2006.

柏原祐泉, 『日本仏敎史(近代)』, 吉川弘文館, 1990.

兵藤裕己, 『太平記〈よみ〉の可能性－歷史という物語－』, 講談社, 2005.

本康宏史, 『軍都の慰靈空間－國民統合と戰死者たち－』, 吉川弘文館, 2002.

本庄比佐子・内山雅生・久保亨 編, 『興亞院と戰時中國調査』, 岩波書店, 2002.

北野進, 『赤十字のふるさと－ジュネーブ條約をめぐって－』, 雄山閣, 2003.

仏敎大學 編, 『仏敎大辭彙』, 富山房, 1914~22.

ブライアン・アンドルー・ヴィクトリア, 『禪と戰爭』, 光人社, 2001.

砂川博, 『平家物語の形成と琵琶法師』, おうふう, 2002.

サー・ヒュー・コータッツイ編著/日英文化交流研究會譯, 『歷代の駐日英國大使1859~1972』,
　　　　　　文眞堂, 2007.

山本幸司, 『賴朝の精神史』, 講談社, 1998.

山田雄司, 『崇德院怨靈の研究』, 思文閣出版, 2001.

山田雄司, 『跋扈する怨靈－祟りと鎭魂の日本史－』, 吉川弘文館, 2007.

森まゆみ, 『彰義隊遺聞』, 新潮社, 2004.

森茂曉, 『後醍醐天皇－南北朝動亂を彩った覇王－』, 中央公論新社, 2000.

森茂曉, 『南朝全史－大覺寺統から後南朝へ－』, 講談社, 2005.

三田全信, 『成立史的法然上人諸伝の研究』, 光念寺出版部, 1966.

森哲郎著・長岡進監修, 『戰亂の海を渡った二つの觀音樣』, 鳥影社, 2002.

西山美香, 『武家政權と禪宗－夢窓疎石を中心に－』, 笠間書院, 2004.

西村明, 『戰後日本と戰爭死者慰靈－シズメとフルイのダイナミズム－』, 有志舍, 2006.

石川雅章, 『墓相の見方』, 東榮堂, 1974.

石黑忠悳, 『石黑忠悳懷旧九十年』, 博文館, 1936.

禪學大辭典編纂所 編, 『新版禪學大辭典』, 大修館書店, 1985.

設樂峻麿, 『眞宗敎學史』, 法藏館, 2011.

小島慶三, 『戊辰戰爭から西南戰爭へ－明治維新を考える－』, 中央公論社, 1996.

小林健三・照沼好文, 『招魂社成立史の研究』, 錦正社, 1968.

小川剛生, 『武士はなぜ歌を詠むか－鎌倉將軍から戰國大名まで－』, 角川學芸出版, 2008.

小川原正道, 『大敎院の研究－明治初期宗敎行政の展開と挫折－』, 慶応義塾大學出版會, 2004.

小川原正道, 『近代日本の戰爭と宗敎』, 講談社, 2010.

小川原正道 編, 『近代日本の仏敎者－アジア体驗と思想の変容－』, 慶応義塾大學出版會, 2010.

小野秀雄, 『日本新聞發達史(複製版)』, 五月書房, 1982(초판 1922).

續眞言宗全書刊行會校訂, 『眞言宗全書』 第43巻, 續眞言宗全書刊行會, 1977.

松尾剛次, 『太平記－鎭魂と救濟の史書－』, 中央公論新社, 2001.

松尾剛次, 『日本中世の禪と律』, 吉川弘文館, 2003.

松村正義, 『日露戰爭と金子堅太郎(增補改訂版)』, 新有堂, 1987(초판 1980).

水原堯榮, 『水原堯榮全集 第6巻 高野山金石図說』, 同朋舍, 1982.

市澤哲 編, 『太平記を讀む』, 吉川弘文館, 2008.

新渡戶稻造著/奈良本辰也譯, 『武士道』, 三笠書房, 1993.

深谷克己, 『田沼意次－「産業革命」と江戶城政治家－』, 山川出版社, 2010.

辻善之助, 『日本人の博愛』, 金港堂, 1932.

辻善之助, 『明治仏敎史の問題』, 立文書院, 1949.

辻善之助, 『日本仏敎史研究』, 岩波書店, 1983.

辻善之助先生生誕百年記念會 編, 『辻善之助博士自歷年譜稿』, 續群書類從完成會, 1977.

兒島碩鳳 編, 『仏敎字典』, 白雲精舍, 1895.

安丸良夫, 『神々の明治維新－神仏分離と廢仏毀釋－』, 岩波書店, 1979.

岩田重則, 『戰死者靈魂のゆくえ－戰爭と民俗－』, 吉川弘文館, 2002.

櫻井德太郎, 『靈魂觀の系譜－歷史民俗學の視点－』, 講談社, 1989.

若原敬経 編, 『仏敎いろは字典』, 其中堂, 1897.

塩崎智, 『日露戰爭もう一つの戰い－アメリカ世論を動かした五人の英語名人－』, 祥伝社, 2006.

五來重, 『日本人の死生觀』, 角川書店, 1994.

オリーブ・チェックランド著/工藤敬和譯, 『天皇と赤十字－日本の人道主義一〇〇年－』, 法
　　　政大學出版局, 2002.

玉村竹二, 『五山文學』, 至文堂, 1962(초판 1955).

玉村竹二, 『夢窓國師－中世禪林主流の系譜－』, 平樂寺書店, 1958.

玉村竹二, 『五山禪僧伝記集成』, 講談社, 1983.

玉懸博之, 『日本中世思想史研究』, ぺりかん社, 1998.

伊東宗裕, 『京の石碑ものがたり』, 京都新聞社, 1997.

李進熙, 『李朝の通信使－江戶時代の日本と朝鮮－』, 講談社, 1976.

李烱錫, 『壬辰戰亂史－文祿・慶長の役－(中巻)』, 東洋図書出版, 1977.

日本赤十字社 編, 『日本赤十字社史稿』, 日本赤十字社, 1911.

日本赤十字社京都支部 編, 『忠愛』, 日本赤十字社京都支部, 1910.

日本赤十字病院 編, 『橋本綱常先生(複製版)』, 大空社, 1994(초판 1936).

日野西眞定, 『高野山古繪図集成』, 清榮社, 1983.

日野西眞定, 『高野山民俗誌[奥の院編]』, 佼成出版社, 1990.

長谷川伸, 『日本捕虜志』(『長谷川伸全集(第9巻)』, 朝日新聞社, 1971 수록).

長友千代治, 『江戸時代の書物と讀書』, 東京堂出版, 2001.

財団法人齋藤子爵記念會 編, 『子爵齋藤實伝』第1卷, 財団法人齋藤子爵記念會, 1941.

荻須純道, 『夢窓·大灯』, 弘文堂, 1944.

田渕句美子, 『中世初期歌人の研究』, 笠間書院, 2001.

前田慧雲, 『本願寺派學事史』, 文明堂, 1901.

田中清純, 『戰場の花』, 自費出版, 1907.

田中丸勝彦, 『さまよえる英靈たち－國のみたま, 家のほとけ－』, 柏書房, 2002.

田村円澄, 『法然上人伝の研究』, 法藏館, 1956.

井上泰岳 編, 『現代仏教家人名辭典』, 東出版, 1997(1917년판의 복제본).

井川定慶, 『法然上人伝全集(前編)』, 法然上人伝全集刊行會, 1952.

堤邦彦, 『近世仏教說話の研究－唱導と文芸－』, 翰林書房, 1996.

堤邦彦, 『近世說話と禪僧』, 和泉書院, 1999.

佐藤能丸, 『明治ナショナリズムの研究－政敎社の成立とその周辺－』, 芙蓉書房出版, 1998.

佐藤弘夫, 『死者のゆくえ』, 岩田書院, 2008.

佐々木克, 『戊辰戰爭』, 中央公論社, 1981.

佐々木容道, 『訓註夢窓國師語錄』, 春秋社, 2000.

中濃敎篤 編, 『戰時下の仏敎』, 國書刊行會, 1977.

中野隆元 編著, 『淨土宗敎學大系(布敎編5)』, 大東出版社, 1976(초판 1931).

中野隆元 編著, 『淨土宗敎學大系(布敎編6)』, 大東出版社, 1976(초판 1932).

中井眞孝, 『法然伝と淨土宗史の研究』, 思文閣出版, 1994.

中村元, 『日本人の思惟方法』, 春秋社, 1989(초판 1962).

中村元 編著, 『仏敎語大辭典』, 東京書籍, 1981.

池上良正, 『死者の救濟史－供養と憑依の宗敎學－』, 角川書店, 2003.

池澤優·アンヌブッシィ 編, 『非業の死の記憶－大量の死者をめぐる表象のポリティックス－』, 秋山書店, 2010.

織田得能 編, 『織田仏教大辭典』, 大藏出版, 1918.

川村覺昭, 『島地默雷の教育思想研究－明治維新と異文化理解－』, 法藏館, 2004.

川合康, 『鎌倉幕府成立史の研究』, 校倉書房, 2004.

草繫全宜 編著, 『釋雲照』, 德敎會, 1913～14.

村上重良, 『慰靈と招魂－靖國の思想－』, 岩波書店, 1974.

村上護, 『島地默雷伝－劍を帶した異端の聖－』, ミネルヴァ書房, 2011.

鷲尾順敬, 『增訂 日本仏家人名辭典』, 東京美術, 1987(초판 1903).

土屋詮敎, 『大正仏敎史』, 三省堂, 1940.

八木聖弥, 『太平記的世界の研究』, 思文閣出版, 1999.

平久保章, 『隱元(新裝版)』, 吉川弘文館, 1989(초판 1962).

平雅行, 『日本中世の社會と仏敎』, 塙書房, 1992.

下村德市, 『靜岡縣昭和風土記』, 靜岡谷島屋, 1941.

和田性海, 『不可得隨想集』, 高野山出版社, 1959.

和田英道, 『明德記:校本と基礎的硏究』, 笠間書院, 1990.

橫山住雄, 『美濃の土岐·齋藤氏－利永·妙椿と一族－』, 敎育出版文化協會, 1992.

後小路薰, 『勸化本の硏究』, 和泉書院, 2010.

黑澤文貴·河合利修 編, 『日本赤十字社と人道援助』, 東京大學出版會, 2009.

3. 연구논문

加藤陽子, 「興亞院設置問題の再檢討」, 『戰間期の東アジア國際政治』, 中央大學出版部, 2007.

加藤玄智, 「古より我邦に充實せる赤十字の精神」, 『博愛』 334, 1915.

加藤玄智, 「日本の博愛主義に關する三つの注目すべき事例(Three Remarkable Examples of Philanthropism in Japan)」, 『明治聖德記念學會紀要』 4, 1915.

江藤淳, 「生者の視線と死者の視線」, 『靖國論集－日本の鎭魂の伝統のために－』, 日本敎文社, 1986.

岡部恒, 「守護大名山名氏と禪宗－とくに栖眞院開創について－」, 『禪文化硏究所紀要』 26, 2002.

高石史人, 「近代眞宗敎団と慈善－その性格と役割－」, 『論集日本仏敎史 第8卷 明治時代』, 雄山閣, 1987.

古田紹欽, 「武士の道德と仏敎倫理－怨親平等の思想」, 『日本道德敎育史』, 角川書店, 1962.

谷口雄太, 「中世日本の怨靈鎭魂·怨親平等·慰靈顯彰とその系譜」, 『澪標』 58, 2009.

谷山茂, 「『千載和歌集』解說」, 『陽明叢書 千載和歌集』, 思文閣出版, 1976.

谷川穰, 「明治維新と仏敎」, 『近代國家と仏敎』, 佼成出版社, 2011.

菅基久子, 「護國と淸淨－天龍寺創建と夢窓疎石－」, 『國家と宗敎』, 思文閣出版, 1992.

廣中一成, 「中國における華北「傀儡」政權史硏究の現狀－二冊の硏究書から－」, 『中國21』 29, 2008.

廣中一成, 「中華民國臨時政府樹立過程における王克敏擁立をめぐる特務部の動向－華北經濟開發と浙江財閥－」, 『中國硏究月報』 62(12), 2008.

廣池眞一, 「「新たな國立墓苑」構想－「無名戰士の墓」と「怨親平等」をめぐって－」, 『國際宗敎硏究所ニュースレター』 36, 2002.

橋川正, 「怨親平等の思想」, 『大谷學報』 10(4), 1929.

久保田淳, 「慈光寺本『承久記』とその周辺」, 『藤原定家とその時代』, 岩波書店, 1994(초출 『文學』 47(2), 1979).

久野修義, 「中世寺院と社會·國家」, 『日本中世の寺院と社會』, 塙書房, 一九九九(초출 『日本史硏究』 367, 1993).

久野修義,「中世日本の寺院と戰爭」,『戰爭と平和の中近世史』, 靑木書店, 2001.

臼井信義,「北野社一切経と経王堂――切経會と万部経會―」,『日本仏敎』3, 1959.

堀口節子,「毛利柴庵に於ける明治社會主義の受容―足尾鉱毒問題を契機として―」,『龍谷
　　　　史檀』99·100, 1992.

宮坂有勝·小谷成男 共編,「毛利清雅年譜―ある社會主義者の生涯―」,『密敎文化』96, 1971.

橘恭堂,　「わか國における怨靈信仰と『大般若経』の關係について―民間仏敎史としての一考
　　　　察―」,『御靈信仰』, 雄山閣, 1984(ㅊ출『仏敎史學』11(1), 1963).

今井昭彦,「上野彰義隊墓碑と函館碧血碑」,『ビエネス』1, 1995.

今井昭彦,「近代日本における戰死者祭祀―彰義隊士の埋葬をめぐって―」,『近代仏敎』12, 2006.

吉田久一,「日淸戰爭と仏敎」,『日本宗敎史論集(下卷)』, 吉川弘文館, 1976.

奈倉哲三,「招魂―戊辰戰爭から靖國を考える―」,『現代思想』33(9), 2005.

大谷正,「日露戰爭で死亡したロシア軍人墓を調べる旅―札幌·熊本·高野山―」,『東アジア
　　　　近代史』8, 2005.

大谷正,「戰死者の記憶のされ方―日露戰爭で死亡したロシア軍人の墓と記念碑:過去と現在
　　　　―(1)」,『專修人文論集』76, 2005.

大山公淳,「明治前期の高野山経濟觀」,『密敎研究』60, 1936.

大山喬平,「鎌倉幕府の西國御家人編成」,『歷史公論』40, 1979.

大澤廣嗣,「國際仏敎協會と大正大學をめぐって―昭和前期の仏敎思潮―」,『仏敎文化學
　　　　會紀要』14, 2005.

渡辺勝義,「怨親平等の鎭魂」,『神道と日本文化』, 星雲社, 2006(ㅊ출「日本精神文化の根
　　　　底にあるもの―怨親平等の鎭魂について―」,『ウエスレヤン大學 現代社會學部紀
　　　　要』4(1), 2006).

島薗進,「宗敎研究の現在と東アジアの視座―戰死者追悼問題と國家神道の概念を手がかり
　　　　として―」,『神話·象徵·文化』, 樂浪書院, 2005.

東隆眞,「仏敎の理想をあらわす言葉」,『大法輪』62(2), 1995.

藤岡大拙,「禪宗の日本的展開」,『仏敎史學』7(3), 1958.

藤堂恭俊,「岸上恢嶺の著作刊行とその時代背景」,『淨土宗學研究』4, 1969.

藤田大誠,「近代日本における『怨親平等』觀の系譜」,『明治聖德記念學會紀要』44(復刊), 2007.

鈴木俊夫,「日露戰時公債發行とロンドン金融市場」,『日露戰爭研究の新視点』, 成文社,
　　　　2005.

鈴木範久,「宗敎學研究者の社會的發言」,『宗敎研究』343, 2005.

ロナルド·トビ,「近世の都名所 方廣寺前と耳塚―洛中洛外図·京繪図·名所案内を中心に―」,
　　　　『歷史學研究』842, 2008.

立花基,「戰國期島津氏の彼我戰沒者供養」,『日本歷史』762, 2011.

末木文美士,「明惠と光明眞言」,『鎌倉仏敎形成論―思想史の立場から―』, 法藏館, 1998

(초출 『華嚴學論集』, 大藏出版, 1997).

末木文美士, 「『夢中問答』にみる夢窓疎石の思想」, 『鎌倉仏教展開論』, トランスビュー, 2008(초출 『東アジア仏教－その成立と展開』, 春秋社, 2002).

梅原猛, 「怨靈と鎮魂の思想」, 『日本における生と死の思想』, 有斐閣, 1977.

梅澤亞希子, 「室町時代の北野万部経會」, 『日本女子大學大學院文學研究科紀要』 8, 2002.

梅澤亞希子, 「室町時代の北野覺藏坊－勸進と造營－」, 『仏教芸術』 294, 2007.

木場明志, 「明治期對外戰爭に對する仏教の役割－眞宗兩本願寺派を例として－」, 『論集日本仏教史 第8卷 明治時代』, 雄山閣, 1987.

木場明志, 「滿州國の仏教」, 『思想』 943, 2002.

門奈直樹, 「『牟婁新報』と毛利柴庵」, 『牟婁新報』第Ⅰ期 解說·執筆者索引』, 不二出版, 2002.

飯森明子, 「赤十字國際會議と東京招致問題」, 『常磐國際紀要』 6, 2002.

飯倉章, 「日露戰爭中の黃禍論の宣伝に對する日本側の對応」, 『國際文化研究所紀要』 11, 2006.

白川哲夫, 「招魂社の役割と構造－「戰沒者慰靈」の再檢討－」, 『日本史研究』 503, 2004.

白川哲夫, 「地域における近代日本の「戰沒者慰靈」行事－招魂祭と戰死者葬儀の比較考察－」, 『史林』 87(6), 2004.

白川哲夫, 「日淸·日露戰爭期の戰死者追弔行事と仏敎界－淨土宗を中心に－」, 『洛北史學』 8, 2006.

白川哲夫, 「大正·昭和期における戰死者追弔行事－「戰沒者慰靈」と仏敎界－」, 『ヒストリア』 209, 2008.

白川哲夫, 「一九三〇～五〇年代「戰沒者慰靈」の動向－護國神社を中心に－」, 『日本史研究』 571, 2010.

富樫淸忠, 「明治の高野山大學」, 『密教學會報』 6, 1967.

富倉德次郎, 「明德記解說」, 『平治物語, 明德記』, 思文閣出版, 1977.

北島万次, 「豊臣政權の朝鮮侵略と五山僧」, 『幕藩制國家と異域·異國』, 校倉書房, 1989.

北島万次, 「秀吉の朝鮮侵略と島津氏そして民衆」, 『壬申倭亂と秀吉·島津·李舜臣』, 校倉書房, 2002.

北城伸子, 「法然伝と出版文化」, 『大谷大學大學院研究紀要』 17, 2000.

砂川博, 「明德記と時衆」, 『軍記物語の研究』, 櫻楓社, 1990(초출 『日本文學』 36(6), 1987).

山内潤三, 「高野山石塔碑文攷」, 『仏教文學研究』 第10集, 法藏館, 1971.

山陰加春夫, 「中·近世の高野山敎団における『怨親平等』思想について」, 『眞言宗における人權啓發』, 高野山, 1993.

山田貴司, 「南北朝期における足利氏への贈位·贈官」, 『七隈史學』 8, 2007.

山田雄司, 「松井石根と興亞觀音」, 『三重大史學』 9, 2009.

三輪公忠, 「「文明の日本」と「野蛮の中國」－日淸戰爭時「平壤攻略」と「旅順虐殺」のジェイムス·クリールマン報道を巡る日本の評判－」, 『軍事史學』 45(1), 2009.

264

森茂曉,「後醍醐天皇－その怨靈と鎭魂, 文學への影響－」,『中世日本の政治と文化』, 思文閣出版, 2006(초출『九州史學』126, 2000).

三好退藏,「慈善事業」,『開國五十年史(下卷)』, 原書房, 1908.

上野大輔,「長州大日比宗論の展開－近世後期における宗教的對立の樣相－」,『日本史研究』562, 2009.

上川通夫,「一二世紀日本仏教の歴史的位置」,『歴史評論』746, 2012.

生駒哲郎,「足利尊氏發願一切経考－尊氏の仏教活動と一切経の書寫－」,『東京大學史料編纂所研究紀要』18, 2008.

西尾和美,「室町中期京都における飢饉と民衆－応永二十八年及び寬正二年の飢饉を中心として－」,『日本史研究』275, 1985.

西山美香,「鎌倉將軍の八万四千塔供養と育王山信仰」,『金澤文庫研究』316, 2006.

西山美香,「五山禪林の施餓鬼會について－水陸會からの影響－」,『駒澤大學禪研究所年報』17, 2006.

西山昌孝,「千早赤阪の文化財二 寄手塚と身方塚」,『廣報ちはやあかさか』299, 1997.

西村天囚,「赤十字と武士道」,『日本宋學史』, 梁江堂書店·杉本梁江堂, 1909.

西村玲,「近世教団とその學問」,『民衆仏教の定着』, 佼成出版社, 2010.

石田瑞磨,「安樂律の紛爭(上)(下)」,『日本仏教史』2·3, 1957.

石田拓也,「長門國赤間關阿弥陀寺－長門本平家物語の背景－」,『軍記と語り物』14, 1978.

石井公成,「不殺生と殺生礼贊(戰爭)－仏教と戰爭との關わり－」,『現代と仏教－いま, 仏教が問うもの, 問われるもの－』, 佼成出版社, 2006.

石井公成,「明治期における海外渡航僧の諸相－北畠道龍, 小泉了諦, 織田得能, 井上秀天, A·ダルマパーラー」,『近代仏教』15, 2008.

石川力山,「中世曹洞宗切紙の分類試論(八)－追善·葬送供養關係を中心として(上)－」,『駒澤大學仏教學部論集』17, 1986.

石黑忠悳,「赤十字事業」,『開國五十年史(下卷)』, 原書房, 1908.

小堀桂一郎,「靖國信仰に見る日本人の靈魂觀」,『明治聖德記念學會紀要』44(復刊), 2007.

篠崎勝,「夢窓國師」,『夢窓國師』, 天龍寺開山夢窓國師六百年大遠諱事務局, 1950.

小島岱山,「蘭溪禪(大覺派)と拔隊禪(大灯派)とにおける法の再興」,『財団法人松ヶ岡文庫研究年報』15, 2001.

小川原正道,「西南戰爭と宗教－眞宗と神社の動向を中心に－」,『日本歴史』682, 2005.

昭和女子大學近代文學研究室,「西村天囚」,『近代文學研究叢書』第23卷, 昭和女子大學, 1965.

粟津賢太,「戰沒者慰靈と集合的記憶－忠魂·忠靈をめぐる言說と忠靈公葬問題を中心に－」,『日本史研究』501, 2004.

松林靖明,「『承久記』と後鳥羽院の怨靈」,『日本文學』34(5), 1985.

松本三之介,「政教社－人と思想－」,『明治思想における伝統と近代』, 東京大學出版會, 1996.

松本郁子,「日露戰爭と仏教思想－乃木將軍と太田覺眠の邂逅をめぐって－」,『軍事史學』
41(1)(2), 2005.

松永有見,「明治大正時代高野山寺院の興廢」,『密教研究』60, 1936.

松下佐知子,「日露戰爭における國際法の發信－有賀長雄を起点として－」,『軍事史學』40(2·3),
2004.

すみ岡生,「怨親平等の思想と其の事蹟」,『大日』246, 1941.

水原堯榮,「明治以降野峯高僧伝」,『密教研究』60, 1936.

水原一,「崇德院說話の考察」,『平家物語の形成』, 加藤中道館, 1971.

矢澤康祐,「「江戶時代」における日本人の朝鮮觀について」,『朝鮮史研究會論文集』6, 1969.

深津睦夫,「新千載和歌集の撰集意図について」,『皇學館大學文學部紀要』39, 2000(『中世
勅撰和歌集史の構想』, 笠間書院, 2005에 수록).

深貝慈孝,「淨土宗捨世派における理論と實踐－特に關通流を中心として－」,『仏教におけ
る修行とその理論的根據』, 平樂寺書店, 1980.

辻本雅央,「文字社會の成立と出版メディア」,『新体系日本史16 教育社會史』, 山川出版社, 2002.

辻善之助,「怨親平等の史蹟」,『史蹟名勝天然紀念物』18(2), 1943.

阿部征寬,「京都四條道場金蓮寺文書－中世編－」,『庶民信仰の源流－時宗と遊行聖－』,
名著出版, 1982.

安居香山,「林彥明の思想と行動」,『高僧伝の研究』, 山喜房仏書林, 1973.

安藤嘉則,「中世禪宗における拈香·陞座法語について」,『財団法人松ヶ岡文庫研究年報』20,
2006.

安藤礼二,「毛利淸雅と『新仏教』」,『密教研究』359, 2009.

安中尚史,「近代日蓮宗の動向－加藤文雅についての一考察－」,『日蓮敎學研究所紀要』16,
1989.

安中尚史,「日淸·日露戰爭における日蓮宗從軍僧についての一考察」,『日蓮敎學研究所紀要』24,
1997.

岩鶴密雲,「明治初期の高野山學林」,『密教研究』60, 1936.

五味文彦,「後醍醐の物語－玄惠と惠鎭－」,『國文學』36(2), 1991.

五來重,「民俗信仰としての大般若經」,『印度學仏教學研究』3(1), 1954.

オリオン·クラウタウ,「辻善之助の仏教史學とその構想－江戶時代の語り方を中心に－」,『近
代仏教』15, 2008.

玉村竹二,「天祥和尚語錄解題」,『五山文學新集』別卷2, 東京大學出版會, 1981.

玉村竹二,「惟肖得嚴集解題」,『五山文學新集』第2卷, 東京大學出版會, 1968.

熊谷龍英,「明治大正年間に於ける事変と高野山」,『密教研究』60, 1936.

原水民樹,「崇德院の復權」,『國學院雜誌』87(8), 1986.

原水民樹,「崇德院信仰史稿(一)」,『言語文化研究』4, 1997.

原田正俊,「五山禪林の仏事法會と中世社會－鎭魂·施餓鬼·祈禱を中心に－」,『禪學研究』77, 1999.

原田正俊,「中世仏教再編期としての14世紀」,『日本史研究』540, 2007.

伊藤眞昭,「大和の寺社と西笑承兌－關ケ原の戰い後における－」,『仏教史學研究』42(2), 2000.

伊藤眞昭,「關ケ原の戰い以前の西笑承兌」,『戰國史研究』45, 2003.

李世淵,「承久の亂－轉回する怨靈鎭魂問題と鎌倉武士の心性」,『比較文學·文化論集』26, 2009.

二村宮國,「ジェイコブ·H·シフと日露戰爭－アメリカのユダヤ人銀行家はなぜ日本を助けたか－」,『帝京國際文化』19, 2006.

引野亨輔,「近世日本の書物知と仏教諸宗」,『史學研究』244, 2004.

引野亨輔,「近世仏教における「宗祖」のかたち－淨土宗と眞宗の宗論を事例として－」,『日本歷史』756, 2011.

一ノ瀬俊也,「日露戰後～太平洋戰爭期における戰死者顯彰と地域－"郷土の軍神"大越兼吉陸軍步兵中佐の事例から－」,『日本史研究』501, 2004.

長谷川匡俊,「近世の念仏聖·大日比三師の福祉思想」,『日本仏教の形成と展開』, 法藏館, 2002.

張同樂 著/和田英穂 譯,「華北傀儡政權の組織機構について」,『中國21』31, 2009.

張 石,「日中戰爭における旧日本軍と中國軍隊の「敵の慰靈」について－日中の死生觀をめぐって－」,『東アジア共生モデルの構築と異文化研究－文化交流とナショナリズムの交錯－』, 法政大學國際日本學研究センター, 2006.

田辺旬,「鎌倉幕府の戰死者顯彰－佐奈田義忠顯彰の政治的意味－」,『歷史評論』714, 2009.

町田三郎,「天囚西村時彦 覺書」,『哲學年報』42, 1983.

佐藤一伯,「伊達千廣の歌論·神觀·歷史觀」,『明治聖德記念學會紀要』24(復刊), 1998.

佐藤顯,「近世後期における寺院の檀廻－高野山高室院の勸化を中心に－」,『文學研究論集』27, 2007.

佐藤顯,「近世高野山における供養の展開－相模國相模川西地域を中心に－」,『文學研究論集』30, 2009.

佐藤顯,「近世後期における高野山參詣の樣相と変容－相模國からの高室院參詣を中心に－」,『地方史研究』59(3), 2009.

佐藤顯,「安政期における紀伊山地の靈場と參詣道－高野山を中心に－」,『文學研究論集』32, 2010.

酒寄雅志,「最澄の將來目錄と遣唐使の印」,『栃木史學』20, 2006.

中濃敎篤,「中國侵略戰爭と宗敎」,『世界』316, 1972.

中西達治,「怨靈の系譜」,『太平記論序說』, 櫻楓社, 1985(초출『名古屋市立女子短大紀要』24, 1975).

ジュネーヴ國際赤十字委員會,「國際赤十字委員會と日本」,『日本とスイス 外交·文化·通商關係の百年』, 百年祭委員會, 1964.

曾根原理,「安樂律をめぐる論爭－宝暦8年安樂律廢止に到るまで－」,『東北大學付屬図書館研究年報』24, 1991.

池田英俊,「近代的開明思潮と仏教」,『論集日本仏教史 第8卷 明治時代』, 雄山閣, 1987.

天野文雄, 「古作の鬼能《小林》成立の背景－足利義滿の明德の亂處理策との關連をめぐって－」,『鬼と芸能－東アジアの演劇形成－』, 森話社, 2000.

村上直,「天草における幕領の成立と代官支配－鈴木重成·重辰を中心に－」,『對外關係と政治文化(第3)』, 吉川弘文館, 1974.

村井章介,「中世日本列島の地域空間と國家」,『アジアのなかの中世日本』, 校倉書房, 1988 (초출『思想』732, 1985).

村井章介,「島津史料からみた泗川の戰い－大名領國の近世化にふれて－」,『歷史學研究』736, 2000.

塚本明,「神功皇后伝說と近世日本の朝鮮觀」,『史林』79(6), 1996.

鷲尾順敬,「國史と仏敎(七)」,『正法輪』273, 1910.

吹浦忠正,「森鷗外の赤十字ならびにジュネーブ條約に果たした役割」,『日本赤十字中央女子短期大學』1, 1980.

吹浦忠正,「明治日本と赤十字」,『明治聖德記念學會紀要』28, 1999.

ケネス·B·パイル 著/松本三之介 監譯/五十嵐曉郎 譯,「日本人のアイデンティティーをめぐる諸問題」,『新世代の國家像－明治における歐化と國粹－』, 社會思想社, 1986.

テレングト·アイトル,「戰爭と鎭魂－元軍戰死者怨靈追善碑をめぐって－(上)」,『北海學園大學』31, 2005.

テレングト·アイトル,「怨親平等と戰爭とモンゴル－元兵怨靈追善供養碑をめぐって－」,『東北仏教の世界－社會的機能と複合的性格－』, 有峰書店新社, 2005.

テレングト·アイトル,「敵味方が乗り越えられるか」,『戰爭と戰沒者をめぐる死生學』, 東京大學大學院人文社會系研究科, 2010.

樋口州男,「日本中世の內亂と鎭魂」,『歷史評論』628, 2002.

樋口州男,「『太平記』と在地伝承」,『中世の內亂と社會』, 東京堂出版, 2007.

八重樫直比古,「空と勝義の孝－古代仏教における怨靈救濟の論理－」,『日本精神史』ぺりかん社, 1988.

平間洋一,「日露プロパガンダの戰い」,『日露戰爭を世界はどう報じたか』, 芙蓉書房出版, 2010.

平岡定海,「源賴朝の八万四千基造塔と進美寺」,『鎌倉遺文月報』13, 1977.

平山育男·西澤哉子, 「參詣者數の推移から見た明治時代後期から昭和戰前期における高野山參詣路の変遷－橋本と高野口の比較を中心に－」, 『日本建築學會計畫系論文集』582, 2004.

平井廣一,「「華北分離工作」以降の中國における「傀儡政權」の財政構造」,『北星學園大學経濟學部北星論集』50(2), 2011.

坪井俊映,「淨土宗における無量壽経釋書について」,『淨土宗全書』續第1卷, 淨土宗開宗八
　　　百年記念慶讃準備局, 1973.

平泉洸,「後鳥羽上皇と明惠上人」,『芸林』38(4), 1989.

香川英隆,「明治以降各宗高僧並貴顯紳士の登山」,『密教研究』60, 1936.

香川英隆,「高野山経済史の一轉機に就いて－特に上地山林保管設定に及ぶまで－」,『密教
　　　研究』63, 1937.

戸浪裕之,「明治八年大教院の解散と島地默雷」,『國家神道再考』, 弘文堂, 2006.

丸谷才一,「讀人しらず」,『新潮』72(8), 1975.

丸山博正,「大日比三師と德本行者の教化について」,『德本行者全集(第6卷)』, 山喜房仏書林,
　　　1980.

丸山眞男,「歴史意識の「古層」」,『丸山眞男集(第10卷)』, 岩波書店, 1996.

丸山眞男,「政事の構造－政治意識の執拗低音－」,『丸山眞男集(第12卷)』, 岩波書店, 1996.

橫內裕人,「東大寺の再生と重源の勸進－法滅の超克－」,『軍記と語り物』42, 2006.

橫山住雄,「東陽英朝禪師の生涯(一)～(四)」,『禪文化』186～189, 2002～03.

孝本貢,「大正・昭和期の國家・既成仏教教団・宗教運動」,『論集日本仏教史 第9卷 大正・昭
　　　和時代』, 雄山閣, 1988.

黒住眞,「日本近世の死生観－國學の死生空間と魂の行くえ－」,『複數性の日本思想』, ぺり
　　　かん社, 2006(ᄌᆞ출『死生觀と生命倫理』, 東京大學出版會, 1999).

黒板勝美,「高野山朝鮮陣の供養碑」,『弘安文祿征戰偉績』, 富山房, 1905.

찾아보기

지은이 **이 세 연**

한양대학교 사학과, 고려대학교 사학과 대학원을 거쳐 도쿄대학교 총합문화연구과에서 박사학위를 취득했으며,
현재 한양대학교 비교역사문화연구소 HK연구교수로 재직중이다.
주요 논고로 「承久の亂－轉回する怨靈鎭魂問題と鎌倉武士の心性」(『比較文學·文化論集』 26, 2009), 「1189년,
요리토모는 왜 야다테(矢立)를 했는가」(『일본학보』 99, 2014), 「아시카가 요시카쓰(足利義勝) 요절의 정치구조
－중세 원령연구 서설－」(『일본역사연구』 39, 2014)이 있다. 전사자, 원령을 둘러싼 일본사회의 담론과 집단심성
을 통시적, 구조적으로 파악하는 데 힘을 기울이고 있으며, 이를 동아시아세계 속에서 조망하는 작업도
병행하고 있다.

사무라이의 정신세계와 불교
일본사회의 전사자공양과 怨親平等

이 세 연 지음

2014년 9월 15일 초판 1쇄 발행

펴 낸 이 오일주
펴 낸 곳 도서출판 혜안
등록번호 제22-471호
등록일자 1993년 7월 30일

주 소 ⊕ 121-836 서울시 마포구 서교동 326-26번지 102호
전 화 3141-3711~2 / 팩시밀리 3141-3710
E-Mail hyeanpub@hanmail.net

ISBN 978-89-8494-514-2 93910

값 24,000 원